D1240259

Susan Forward

avec la collaboration de Craig Buck

PARENTS TOXIQUES

Comment échapper à leur emprise

Traduit de l'américain par Isabelle Morel

•Marabout•

À mes enfants

REMERCIEMENTS

Nombreux sont ceux qui ont contribué à l'élaboration de cet ouvrage :

Craig Buck, dont le talent d'écrivain est bien connu, a mis en forme l'histoire que je voulais raconter ;

Nina Miller, thérapeute distinguée, a donné sans compter son temps, son savoir et ses encouragements. En outre, c'est la plus loyale des amies ;

Marty Farash, psychologue, m'a fait profiter avec la plus grande générosité de son expérience en matière de systèmes familiaux ;

Mon directeur de collection, Toni Burbank, s'est montré, comme toujours, plein d'intuition, de sensibilité et de compréhension. Je n'aurais pu souhaiter guide plus serein pour me guider à travers les affres de la création ;

Linda Grey, présidente et éditrice de la maison Bantam Books, a, tout de suite, cru en moi et en mon œuvre.

J'éprouve une infinie gratitude envers patients, amis et autres, tous ceux qui m'ont confié leurs pensées et leurs secrets les plus intimes, dans le but de venir en aide aux autres. Je ne peux pas les nommer, mais ils se reconnaîtront.

Mes enfants, Wendy et Matt, et mes amis – spécialement Dorris Gathrid, Don Weisberg, Jeanne Phillips, Basil Anderman, Lynn Fisher et Madelyn Cain – représentent mes racines personnelles et je les aime tous avec tendresse.

Mon beau-père, Ken Peterson, m'a donné de multiples témoignages d'encouragement et d'affection.

Et enfin, je veux remercier ma mère, Harriet Peterson, pour l'amour et le soutien qu'elle m'a témoignés, et pour le courage dont elle a fait preuve pour changer.

PRÉFACE

Dès la première lecture de l'ouvrage de Susan Forward, nous avons adhéré au projet de sa traduction française. Nous avons eu pourtant d'emblée conscience que certains passages allaient provoquer bien des polémiques. En effet, l'expérience clinique de cette spécialiste, unanimement reconnue aux États-Unis, ne peut que susciter le plus vif intérêt en France, où cette problématique est encore trop rarement abordée alors qu'elle touche un vaste public. Par contre, le style des réponses et des méthodes thérapeutiques américaines peut soulever ici des réserves quant à leur importation dans nos propres pratiques. Fallait-il pour autant renoncer à cette publication? Nous avons partagé notre interrogation avec d'autres professionnels, confrontés comme nous aux difficultés familiales décrites dans ce livre, dont ils ont été en quelque sorte les premiers lecteurs. Les échanges ou les débats qui s'en sont suivis se sont avérés particulièrement riches d'enseignement, ne serait-ce qu'au niveau de certains tabous sur lesquels nous reviendrons, de nouvelles orientations dans la compréhension de telles souffrances et dans les aides proposées, de l'ouverture du champ des réflexions soulevées par ces questions. L'optique, originale pour nous, de Susan Forward dans ce domaine méritait à l'évidence une diffusion française.

Que constatons-nous en effet en France? Lorsqu'il

s'agit d'enfants, les souffrances dues à la maltraitance physique, au délaissement affectif ou éducatif, font actuellement l'objet d'une importante vulgarisation, même si les actions innovantes qui lui sont associées restent trop isolées et morcelées, faute de moyens. Par contre, lorsque ces enfants sont devenus adultes, qu'ils aient été aidés ou non, leur évolution reste méconnue.

Ce manque d'intérêt va plus loin : lorsque la maltraitance parentale n'est pas vraiment manifeste pour un regard extérieur à la famille, ces enfants ne peuvent être aidés tant la « toxicité » affective et éducative de leurs parents, parfaitement décrite dans ce livre, n'a pu être décelée, reconnue, parlée. Mais, dans la réalité de leur vie quotidienne, ces enfants devenus adultes sont frappés par la nocivité répétitive de certains de leurs comportements, porteurs de conflits ou d'échecs ; ils s'étonnent de leur permanence et de leur ampleur et ne les relient pas toujours à leur enfance car leurs attitudes sont différentes de celles de leurs parents, inattendues, complexes, comme subtilement déviées de leurs sources profondes, auxquelles ils s'alimentent pourtant.

Qu'ils deviennent ou non parents à leur tour, ces adultes restent en grande souffrance dans leur vie actuelle, professionnelle, sociale, affective, sexuelle. Pour la première fois, ce livre s'adresse à eux non plus en tant qu'enfants, mais dans leur vie d'adulte, justement. Et c'est à des adultes considérés comme responsables d'eux-mêmes qu'il parle, non pour être un simple écho, témoin à charge stérile dans un réquisitoire inutile, mais pour être un porte-parole qui fait œuvre de dégagement et de libération.

Libération – c'est bien de cela qu'il s'agit tout au long des chapitres de cet ouvrage, car Susan Forward cherche à évacuer toutes les tentations de combats ou de règlements de comptes inutiles et à aider ses patients à mieux comprendre pourquoi les maltraitances dont ils ont souffert petits opèrent encore, même après le décès de leurs parents. Elle nous amène à approfondir comment ces derniers ont été néfastes au développement de la personnalité de leurs enfants pour aboutir à leur emprise actuelle. Ces parents n'ont pas eu des difficultés occasionnelles avec eux, comme tout parent avec tout enfant, dans toute famille. La constance insidieuse ou brutale de leurs gestes destructeurs, de leurs paroles négatives, de leurs décisions dévalorisantes, ont causé au fil des ans des dommages émotionnels qui, comme des toxines, se sont répandus dans tout l'être de l'enfant. Les souffrances qu'il a vécues ont ainsi grandi avec lui, s'insinuant dans sa façon de voir le monde et de vivre ses relations avec autrui.

Ces parents toxiques ne sont pas tous coupables de sévices, d'abus sexuels ou alcooliques ; certains sont dominateurs, critiques, méprisants, manipulateurs, ou tout simplement démissionnaires et incapables d'offrir le moindre soutien. Nous comprenons tous que les adultes qui ont eu de tels parents ne peuvent que souffrir des séquelles de leur enfance, mais leur statut d'adultes nous démobilise –, et en dehors des thérapies individuelles, nous ne nous organisons pas encore pour une réflexion plus générale.

Le livre de Susan Forward ne se contente pas d'éclairer ses lecteurs sur l'origine de leurs difficultés ; il aide ceux-ci à mieux les comprendre pour en être moins submergés, pour entraîner les modifications en chaîne des réactions qui les faisaient souffrir. Ceci ne va pas sans une remise en question des indications et des choix thérapeutiques qui sont les nôtres, tant ses méthodes semblent à l'opposé des conceptions et des pratiques en vigueur chez nous. Ses techniques pourront nous paraître simplistes et superficielles dans leur comportementalisme, voire dangereuses si on les réduit à des recettes qui ne résoudront rien en profondeur : les souffrances ainsi refoulées reviennent et, différées ou détournées, n'en sont pas moins insupportables. Mais il s'avère que Susan Forward, tout au long de son livre, les associe à une démarche qui, de prise de conscience en prise de conscience, n'est peut-être pas aussi éloignée de nos conceptions qu'il y paraît. Nous pouvons certes continuer de penser que seule une psychanalyse ou un cheminement psychothérapique approfondi et novateur pourront réellement aider ces adultes en souffrance. Mais alors, posons-nous la question : ont-ils si aisément accès à la démarche, encore bien singulière pour la majorité d'entre eux, de « faire une analyse », d'« être en analyse »?.. Les ouvrages psychanalytiques français peuvent-ils répondre aux interrogations des non-initiés?.. Reconnaissons que les débats qui s'y rapportent jusque dans les médias sont si élitistes qu'ils ne peuvent qu'alimenter les réticences en ce domaine, tant sur le plan intellectuel, émotionnel, que financier.

Ce livre peut alors faire œuvre de passerelle pour ces lecteurs en quête d'une telle compréhension, et qui se heurtent encore à de trop nombreux tabous. Tabou, justement, vis-à-vis de la transmission des connaissances de la psychanalyse, dont on sait qu'en la vulgarisant on risque de la vider de son sens, de la dévier de sa finalité profonde. Doit-on pour autant renoncer à en faire bénéficier le plus grand nombre?.. Ne doit-on pas réfléchir plutôt, à partir d'un tel livre, à nos modalités de transmission, pour les adapter à des demandes et à des besoins qui émergent de toutes parts et sont de mieux en mieux connus?.. Tabou aussi – et ce n'est pas le moindre de ceux que lèvent cet ouvrage – de l'image collective des parents idéaux à ne pas détrôner, d'autant qu'on risque de tomber dans l'excès douloureux d'accusation des « mauvais » parents, toujours fautifs. Susan Forward ne méconnaît pas les problèmes du pardon, de la dette affective, de la réconciliation toujours espérée, des rancœurs sans fin. Mais elle nous en donne des échos inhabituels, des possibilités d'issues inattendues, et non un simple miroir pour s'y perdre.

En démasquant l'inutilité des rapports de force et des répétitions destructrices, ce livre apporte à ceux qui restent enfermés dans leur problématique parentale une distanciation et une ouverture salutaires, voire un espace de liberté fécond qu'ils ne soupçonnaient pas. On pourra être dérouté par les démarches thérapeutiques proposées, s'en inspirer ou les réfuter, mais cette liberté qui émane au bout du compte de ce livre mérite, à elle seule, qu'il soit diffusé largement en France.

Mars 2001
Danielle Rapoport,
Psychologue attachée aux
Hôpitaux de Paris, Assistance publique.

INTRODUCTION

Aux enfants devenus adultes qui souffrent d'avoir eu des « parents toxiques ».

> *« Bien sûr, mon père avait l'habitude de me frapper, mais il ne le faisait que pour me remettre dans le droit chemin. Je ne vois pas le rapport avec l'échec de ma vie conjugale. » (Georges.)*

Georges, trente-huit ans, chirurgien orthopédique renommé, est venu me consulter après que sa femme l'eut quittée, au bout de six ans de vie commune. Il désirait désespérément son retour, mais elle lui avait déclaré qu'elle refusait d'envisager cette éventualité s'il ne se faisait pas soigner pour son caractère emporté. Elle était terrifiée par ses crises de colère imprévisibles et lassée de ses incessantes critiques. Georges savait qu'il était coléreux et qu'il avait tendance à la harceler, mais cela n'empêche que ce fut un choc pour lui de voir sa femme prendre la porte.

Je demandai à Georges de me parler de lui et guidai ses confidences de quelques questions. Quand je m'enquis de ses parents, il eut un sourire et se lança dans une description ardente, surtout en ce qui concernait son père, un éminent cardiologue du Middlewest :

Sans mon père, je ne serais pas devenu médecin. C'est vraiment lui le meilleur. Ses patients le révèrent comme un saint. »

Je lui demandai quels étaient à présent ses rapports avec son père. Il eut un rire nerveux et dit :

« Tout allait au mieux... jusqu'à ce que je lui apprenne mon intention de faire de la médecine holistique[1]. On aurait dit que je voulais accomplir un génocide. Je le lui ai annoncé il y a trois mois, et à présent, chaque fois que nous avons une conversation, il se lance dans de grandes déclarations, disant qu'il ne m'a pas envoyé à la fac de médecine pour que je devienne un guérisseur. Hier, les choses ont vraiment mal tourné. Il s'est mis hors de lui et m'a dit que je ne faisais plus partie de la famille. Ça m'a fait vraiment mal. J'ai des doutes. La médecine holistique, ça n'est peut-être pas une si bonne idée. »

Tandis que Georges me décrivait son père, qui de toute évidence n'était pas aussi merveilleux qu'il aurait voulu me le faire croire, je remarquai qu'il s'était mis à joindre et à écarter les mains d'une façon très agitée. Lorsqu'il se rendit compte de son comportement, il se contrôla en plaçant le bout de ses doigts les uns contre les autres, comme souvent les professeurs en chaire. C'était une attitude qu'il aurait bien pu copier sur son père.

Je demandai à Georges si son père avait toujours été si tyrannique.

« Non, pas vraiment. Je veux dire, il criait beaucoup et je ramassais une fessée de temps en temps, comme tous les enfants. Mais je ne le qualifierais pas de tyran. »

Quelque chose dans la façon dont il prononça le mot fessée, une imperceptible émotion dans le ton de sa voix,

---

[1] Holisme : théorie non analytique qui s'efforce d'envisager l'intelligence, le fonctionnement cérébral ou l'organisme dans leur totalité. (Dictionnaire de la psychologie, Larousse.) *(N. d. T)*

me frappa. Je l'interrogeai à ce sujet. Il apparut que son père « lui donnait la fessée » trois ou quatre fois par semaine à coups de ceinture! Il ne fallait pas grand-chose pour que Georges méritât une fessée: un mot insolent, un bulletin au-dessous de la moyenne, l'oubli d'une tâche à la maison constituaient autant de « crimes » méritant le châtiment. Le père de Georges n'était pas non plus très regardant sur l'endroit où frapper son fils; Georges se souvenait d'avoir été battu sur le dos, les jambes, les bras et les fesses. Je demandai à Georges quelle force son père y mettait.

> « *Je ne saignais pas, ça n'allait pas jusque-là. Je veux dire que je m'en sortais bien. Il avait juste besoin de me remettre dans le droit chemin.*
> *— Mais vous aviez peur de lui, n'est-ce pas?*
> *— Je mourais de peur, mais est-ce que ce n'est pas normal d'avoir peur de ses parents?*
> *— Georges, c'est ce que vous voulez que vos enfants ressentent vis-à-vis de vous?* »

Georges évita mon regard. Cela le mettait extrêmement mal à l'aise. Je rapprochai ma chaise et continuai doucement:

> « *Votre femme est pédiatre. Si elle voyait à son cabinet un enfant portant sur son corps les mêmes marques que vous après une des fessées de votre père, est-ce qu'elle n'aurait pas le devoir de faire un rapport aux autorités?* »

Georges n'avait pas besoin de répondre. Ses yeux se remplirent de larmes. Il murmura:

> « *Je me sens devenir terriblement oppressé.* »

Georges avait perdu ses défenses. Bien que ce fût au prix d'une intense douleur émotionnelle, il venait de découvrir l'origine primaire, longtemps refoulée, de son caractère violent. Il avait retenu, depuis son enfance, un véritable volcan de colère contre son père et, chaque fois que la pression devenait trop grande, sa violence explosait

contre la première personne qui se trouvait là, généralement sa femme. Je savais ce qu'il nous fallait faire : retrouver le petit garçon qu'il avait en lui et le soigner.

Lorsque je rentrai chez moi ce soir-là, je me surpris à
repenser à Georges. Je continuais à voir ses yeux se remplir
de larmes au moment où il s'était rendu compte qu'il avait
été maltraité. Je pensais aux milliers d'adultes, hommes et
femmes, avec lesquels j'avais travaillé et dont la vie quotidienne était influencée – voire contrôlée – par les schémas
de comportement imposés au cours de leur enfance par
des parents destructeurs sur le plan émotionnel. Je me
rendais compte qu'il devait y en avoir des millions
d'autres qui n'avaient aucune idée de la raison pour
laquelle leur vie était un fiasco, et que pourtant on pouvait
aider. C'est à ce moment que j'ai décidé d'écrire ce livre.
Mais pourquoi regarder en arrière ?

L'histoire de Georges n'est pas exceptionnelle. J'exerce
comme thérapeute à la fois en consultation privée et en
séances de groupes, à l'hôpital, depuis dix-huit ans, et j'ai
vu des milliers de patients qui, en grande majorité, souffraient d'un complexe d'infériorité parce qu'un de leurs
parents les avait régulièrement frappés, critiqués, ou s'était
moqué d'eux sous prétexte qu'ils étaient stupides, laids ou
non désirés, ou encore parce que ce parent les avait écra-
sés sous la culpabilité, leur avait fait subir des violences
sexuelles, leur avait infligé des responsabilités excessives ou
les avait désespérément surprotégés. Comme Georges, peu
d'entre eux établissaient un rapport entre leurs parents et
leurs problèmes. C'est un préjugé affectif courant. Les
gens ont en fait de la peine à voir que leurs relations avec
leurs parents ont un impact majeur sur leur vie.

Les thérapies, qui étaient surtout fondées sur l'analyse
des premières expériences de la vie, ont vu leurs tendances
changer d'objet selon un déplacement bien connu, et
remplacer « autrefois » par « ici et maintenant ». L'accent
a été mis sur l'examen et la modification des comporte-

ments, des relations et des fonctions dans le présent. Je crois que ce changement de cap provient de ce que les patients ont refusé l'énorme investissement en temps et en argent que demandaient la plupart des thérapies traditionnelles, souvent pour des résultats minimes.

Je crois fermement en l'efficacité des thérapies de courte durée axées sur la modification des schémas de comportement destructifs. Mais j'ai appris par expérience que ce n'est pas suffisant de traiter les symptômes ; on doit aussi s'occuper des sources de ces symptômes. La thérapie atteint sa plus grande efficacité lorsqu'elle procède sur deux terrains, en modifiant le comportement actuel de dévalorisation et en déconnectant l'individu des traumatismes de son passé.

Il fallait que Georges apprenne les techniques pour contrôler sa colère, mais, afin d'effectuer des changements durables, capables de résister aux moments de stress, il lui fallait aussi revenir en arrière et affronter les souffrances de son enfance.

Nos parents plantent en nous des graines mentales et émotionnelles – des graines qui se développent en même temps que nous. Dans certaines familles, ce sont des graines d'amour, de respect et d'indépendance. Mais, dans d'autres, ces graines sont la peur, l'assujettissement ou la culpabilité. Si vous appartenez à ces dernières, ce livre vous est destiné. Au fur et à mesure que vous vous êtes rapproché de l'âge adulte, ces graines se sont transformées en mauvaises herbes qui ont envahi votre vie à un point que vous ne pouvez imaginer. Leur feuillage tentaculaire a probablement porté préjudice à vos relations, votre carrière ou votre vie familiale ; et il a sans doute ébranlé votre confiance en vous et miné votre amour-propre.

Ce livre devrait vous aider à trouver ces mauvaises herbes et à les arracher.

Qu'est-ce qu'un parent toxique?

Tous les parents ont des déficiences occasionnelles. J'ai moi-même commis de nombreuses erreurs avec mes enfants, des erreurs qui leur ont fait beaucoup de peine (et à moi aussi). Aucun parent ne peut être disponible – sur le plan affectif – à longueur de temps. Il est parfaitement normal que, parfois, les parents s'emportent contre leurs enfants. Tous les parents font, par moments, preuve d'une autorité exagérée. Et la plupart des parents donnent des fessées à leurs enfants, même si ce n'est pas une habitude. Est-ce que ces défaillances en font des parents cruels ou incapables?

Bien sûr que non. Les parents ne sont que des être humains; ils ont eux-mêmes pas mal de problèmes. La plupart des enfants sont capables de s'accommoder de coups de colère occasionnels, tant qu'ils reçoivent en compensation leur content d'amour et de compréhension.

Mais il y a beaucoup de parents chez qui les schémas négatifs de comportement sont persistants, au point de dominer la vie de leur enfant. Ce sont ces parents qui font du mal.

Comme j'étais à la recherche d'une phrase pour décrire ce qu'il y avait en commun chez ces parents, un mot hantait mon esprit: toxique. Comme une toxine chimique, les dommages émotionnels infligés par ces parents se répandent dans tout l'être de l'enfant et, au fur et à mesure que celui-ci grandit, la souffrance grandit avec lui. Quel meilleur mot que « toxiques » pour décrire des parents qui font subir à longueur de temps traumatismes, abus, critiques de toutes sortes à leurs enfants, et qui, la plupart du temps, continuent à se comporter ainsi même après que les enfants sont devenus des adultes?

Il y a des exceptions à l'aspect « durable » ou « répétitif » de cette définition. Les violences sexuelles ou physiques peuvent être si traumatisantes que, souvent, une seule occasion suffit pour causer des dommages émotionnels considérables.

Malheureusement, élever des enfants – une de nos plus importantes fonctions – reste pour beaucoup un essai non transformé. Nos parents l'ont appris de personnes qui peuvent ne pas avoir été maîtres en la matière : leurs propres parents. Beaucoup de comportements éducatifs cautionnés par le temps, transmis de génération en génération, sont tout bonnement de mauvais conseils, camouflés sous une apparente sagesse (pensez à « qui aime bien châtie bien »). *Mais quel est l'impact des parents toxiques sur leurs enfants ?*

Que des adultes élevés par des parents toxiques aient été battus quand ils étaient petits, ou laissés trop souvent seuls, ou abusés sexuellement, ou considérés comme idiots, surprotégés ou accablés de culpabilité, ils manifestent presque tous des symptômes similaires : amour-propre blessé, tendance à un comportement autodestructeur. D'une façon ou d'une autre, ils ont presque tous l'impression de n'avoir aucune valeur, aucune capacité et ils se sentent indignes d'être aimés.

Ces sentiments proviennent pour une grande part du fait que les enfants de parents toxiques se sentent coupables des abus de leurs parents, de façon parfois consciente, parfois non. Il est plus facile pour un enfant dépendant, sans défense, de se sentir coupable d'avoir fait quelque chose de « mal », d'avoir mérité la colère de papa, que, pour cet enfant, d'accepter le fait terrifiant que papa, le protecteur, n'est pas digne de confiance.

Lorsque ces enfants arrivent à l'âge adulte, ils continuent à ployer sous le fardeau de la culpabilité et de l'incompétence, ce qui leur cause de grandes difficultés pour élaborer une image positive d'eux-mêmes. Le manque de confiance et la piètre estime de soi qui en résultent peuvent alors contaminer tous les aspects de leur vie.

Il n'est pas toujours aisé de se rendre compte si vos parents sont ou ont été toxiques. Beaucoup de gens ont des relations difficiles avec leurs parents. Ce simple fait ne signifie pas que vos parents ont un effet destructeur sur vous. Beaucoup de gens se torturent l'esprit pour savoir s'ils ont été maltraités ou bien s'ils font preuve de « sensiblerie ».

J'ai établi une sorte de questionnaire pour vous aider à franchir le premier pas vers cette prise de conscience. Certaines de ces questions peuvent vous angoisser ou vous embarrasser. C'est normal. Il est toujours difficile d'admettre la vérité sur le fait que nos parents ont pu nous faire du mal. Bien qu'elle puisse être douloureuse, une réaction émotionnelle est parfaitement saine.

Par souci de simplicité, les questions se réfèrent à des parents au pluriel, mais votre réponse peut ne concerner qu'un seul de vos parents.

TOUT D'ABORD, QUELLE RELATION VOS PARENTS ONT-ILS EUE AVEC VOUS LORSQUE VOUS ÉTIEZ ENFANT ?

Est-ce que vos parents vous disaient que vous étiez méchant ou bon à rien ? Vous adressaient-ils des insultes ? Vous critiquaient-ils sans cesse ? Est-ce que vos parents utilisaient la douleur physique pour vous inculquer la discipline ? Est-ce qu'ils vous battaient avec une ceinture, une brosse ou d'autres objets ?

Est-ce que vos parents s'enivraient ou se droguaient ? En étiez-vous perturbé, embarrassé ou effrayé ? En éprouviez-vous de la peine, de la honte ?

Est-ce que vos parents étaient profondément déprimés ou inaccessibles, à cause de difficultés d'ordre émotionnel, ou d'une maladie mentale ou physique ?

Est-ce qu'il vous a fallu prendre soin de vos parents à cause de leurs problèmes ?

Est-ce que vos parents vous faisaient des choses qu'il

fallait tenir secrètes? Avez-vous subi des violences sexuelles de quelque nature que ce soit?

Aviez-vous presque toujours peur de vos parents? Aviez-vous peur de manifester de la colère contre vos parents?

ENSUITE, DANS VOTRE VIE D'ADULTE,

Vous trouvez-vous impliqué dans des relations destructives ou abusives?

Avez-vous le sentiment que si vous devenez trop intime avec quelqu'un, cette personne vous fera souffrir et/ou vous abandonnera?

Vous attendez-vous au pire en ce qui concerne les gens? La vie en général?

Avez-vous du mal à savoir qui vous êtes, ce que vous ressentez et ce que vous voulez?

Avez-vous peur que les gens cessent de vous aimer s'ils découvrent votre véritable personnalité?

Lorsque vous réussissez, vous sentez-vous angoissé, avez-vous peur que quelqu'un ne découvre que vous n'êtes qu'un imposteur?

Vous arrive-t-il de devenir furieux ou triste sans aucune raison apparente?

Êtes-vous perfectionniste?

Avez-vous des difficultés à vous détendre ou à vous amuser?

Tout en ayant les meilleures intentions, vous surprenez-vous à vous comporter « exactement comme vos parents »?

ENFIN, DANS VOTRE RELATION ACTUELLE D'ADULTE AVEC VOS PARENTS,

Est-ce qu'ils continuent à vous traiter comme un enfant?

Est-ce que beaucoup des décisions majeures de votre vie sont fondées sur l'approbation de vos parents?

Éprouvez-vous des réactions émotionnelles ou physiques intenses à la pensée de passer du temps avec vos parents – ou après avoir passé du temps avec eux?

Avez-vous peur de ne pas être d'accord avec vos parents? Est-

*ce que vos parents vous manipulent avec des menaces ou des
reproches?*

*Est-ce que vos parents vous manipulent avec l'argent? Vous
sentez-vous responsable de la façon dont vos parents se sentent? S'ils sont malheureux, avez-vous le sentiment que c'est
votre faute? Pensez-vous que c'est à vous d'arranger les choses
pour eux?*

*Croyez-vous que, quoi que vous fassiez, ce n'est jamais assez
bien pour vos parents?*

*Croyez-vous qu'un jour, d'une façon ou d'une autre, vos
parents vont s'améliorer?*

Si vous avez répondu oui, ne serait-ce qu'à un tiers de
ces questions, ce livre peut vous aider. Même si certains
chapitres ne paraissent pas avoir de rapport avec votre
situation, il est important de se rappeler que tous les
parents toxiques, quelle que soit la nature de leurs abus,
laissent fondamentalement les mêmes cicatrices. Par
exemple, vos parents peuvent ne pas avoir été alcooliques,
mais le chaos, l'instabilité, la privation d'enfance qui
caractérisent les foyers alcooliques atteignent avec la
même réalité les enfants élevés par des parents pratiquant
d'autres types d'abus. De même, les principes et les propositions qui sous-tendent votre propre thérapie sont
valables pour tous, et chaque chapitre peut vous concerner
à divers titres.

L'emprise des parents toxiques:
peut-on s'en libérer?

Si vous êtes un adulte qui a été élevé par des parents
toxiques, il y a beaucoup de moyens pour vous libérer de
leur emprise perverse, legs de culpabilité et de complexes.
J'exposerai ces sortes de stratégies tout au long de ce livre:
elles peuvent vous engager dans des voies nouvelles, por-
teuses d'espoir. Pas l'espoir illusoire que vos parents vont
changer comme par magie, mais l'espoir réaliste que vous

avez la possibilité de vous détacher de leur influence puissante et destructrice. Il suffit que vous en trouviez le courage; or le fait que cet ouvrage ait attiré votre attention démontre que ce courage, vous l'avez en vous.

Les étapes qui jalonnent le livre vous aideront à voir plus clairement cette influence et à l'affronter; cela sans que vous ayez à tenir compte de vos relations actuelles avec vos parents, qu'elles soient conflictuelles, civiles mais superficielles, ou inexistantes depuis des années; l'un de vos parents peut même être mort, ou les deux!

Si étrange que cela puisse paraı^tre, beaucoup d'individus continuent à être dominés par leurs parents, même après la mort de ceux-ci. Certes les fantômes qui les hantent n'ont pas une réalité surnaturelle, mais il n'empêche qu'ils sont très réels sur le plan psychologique. Les exigences d'un parent, ses ambitions, ses reproches peuvent demeurer vivaces longtemps après sa mort.

Il se peut que vous ayez déjà pris conscience de la nécessité de vous libérer de l'influence de vos parents. Peut-être même vous êtes-vous opposé à eux. L'une de mes patientes aimait particulièrement à répéter: « Mes parents n'exercent aucun contrôle sur ma vie... Je les déteste et ils le savent. » Mais elle a fini par se rendre compte que, en attisant sa colère, ses parents continuaient à la manipuler et qu'ainsi elle dépensait pour rien une énergie qui lui faisait défaut dans d'autres domaines de sa vie. La confrontation avec les parents est une étape importante pour exorciser les fantômes du passé et les démons du présent, mais on ne doit jamais s'y engager au plus fort de la colère.

Arrivé à ce stade, on pense en général que « chacun de nous est responsable de ce qu'il est ». Il est vrai que de nombreux livres et d'autres spécialistes affirment que l'on ne peut rendre personne d'autre que soi responsable de ses problèmes. En fait, c'est beaucoup plus complexe que cela. Vos parents ont des comptes à rendre sur ce qu'ils ont fait. Bien sûr, vous êtes responsable de votre vie adulte, mais cette vie a été façonnée en grande partie par des expériences sur lesquelles vous n'aviez aucun contrôle.

Vous n'êtes pas responsable de ce qu'on vous a fait alors que vous étiez un enfant sans défense.

Mais vous êtes responsable des décisions positives que vous pouvez prendre actuellement pour surmonter ces expériences.

Nous sommes donc sur le point d'entreprendre un important voyage ensemble. C'est un voyage de découverte vers la vérité. Quand nous arriverons à son terme, vous vous sentirez beaucoup plus maître de votre vie qu'auparavant. Je ne vais pas vous promettre solennellement que vos problèmes vont disparaître sans délai, comme par magie. Mais, si vous avez le courage et la volonté de faire le travail que vous propose ce livre, vous serez en mesure d'obtenir de vos parents qu'ils vous restituent l'essentiel de l'énergie qui vous est due en tant qu'adulte, et l'essentiel de la dignité qui vous est due en tant qu'être humain.

Ce travail, il faut en payer le prix sur le plan émotionnel. A partir du moment où vous vous débarrasserez de vos défenses, vous ferez surgir des sentiments de rage, d'angoisse, de douleur, de confusion, et surtout du chagrin. La destruction de l'image de vos parents telle que vous la voyiez depuis toujours peut provoquer de violentes réactions, comme le sentiment de perdre ses parents ou d'être rejeté par eux. Je souhaite que vous abordiez la matière de ce livre à votre propre rythme. Si certains exercices vous mettent mal à l'aise, passez-y beaucoup de temps. Ce qui importe, en l'occurrence, ce sont les progrès, et non la rapidité.

Le processus qui vous permettra de réduire les pouvoirs négatifs de vos parents est progressif. Mais il aura pour effet, en fin de compte, de libérer votre force intérieure, votre « moi » enfoui depuis toujours, la personne unique et chaleureuse que vous étiez destiné à devenir. Ensemble, nous aiderons cette personne à se libérer en sorte que votre vie puisse enfin devenir véritablement la vôtre.

Pour illustrer les thèmes de cet ouvrage, j'ai puisé largement dans les cas de mes patients. Certains ont été directement transcrits d'après des enregistrements, d'autres sont reconstruits avec mes mots. Les lettres proviennent de mes dossiers, et ont été reproduites telles quelles. Les séances de thérapie qui n'ont pas été enregistrées et que j'ai reconstituées sont encore très présentes à ma mémoire, et je me suis efforcée de les raconter fidèlement, exactement comme elles se sont déroulées. Seuls les noms et les circonstances qui auraient permis une identification des acteurs ont été changés, ce pour des raisons de droit. Aucun de ces cas n'a été « dramatisé ».

Ces témoignages peuvent parfois avoir un caractère excessif, mais, en fait, ils sont révélateurs. Je n'ai pas fouillé mes dossiers à la recherche des cas les plus dramatiques ou les plus choquants. J'ai plutôt choisi les cas les plus représentatifs des types d'histoires que j'entends tous les jours. Les problèmes que je soulève ici ne sont pas des aberrations de la condition humaine; ils font partie de cette condition.

Le livre est divisé en deux parties. Dans la première, nous examinerons comment fonctionnent les différents types de parents toxiques. Nous étudierons les diverses façons dont vos parents ont pu – et peuvent encore – vous faire souffrir. Comprendre ces processus vous préparera à la deuxième partie, dans laquelle je vous ferai des propositions de comportements spécifiques qui vous permettront de renverser l'équilibre des forces dans vos relations avec vos parents toxiques.

Première Partie

LES PARENTS TOXIQUES

1

Les parents-dieux

Le mythe du parent parfait

Les Grecs de l'Antiquité avaient un problème. Les dieux les surveillaient du haut de leur terrain de jeu céleste, au sommet du mont Olympe, et jugeaient leurs faits et gestes. Si les dieux n'étaient pas satisfaits, ils étaient prompts à punir. Ils n'avaient pas à être gentils, ils n'avaient pas à être justes, ils n'avaient même pas à avoir raison. En fait, ils pouvaient se montrer totalement irrationnels. Selon leur fantaisie, ils pouvaient vous transformer en écho ou vous obliger à pousser un rocher vers le haut d'une montagne pour l'éternité. Inutile de préciser que l'imprévisibilité de ces dieux tout-puissants avait pour effet de répandre sur leurs mortels disciples une bonne dose de confusion et de frayeur.

Cela ressemble assez à nombre de relations entre des parents toxiques et leurs enfants. Un parent imprévisible est un dieu redoutable aux yeux d'un enfant.

Lorsque nous sommes très jeunes, nos parents sont comme des dieux, ils représentent tout pour nous. Sans eux, nous n'aurions ni amour, ni protection, ni abri, ni nourriture, et nous éprouverions une terreur perpétuelle, sachant que nous serions incapables de survivre seuls, sans ces tout-puissants bienfaiteurs qui pourvoient à tous nos besoins.

N'ayant rien ni personne à qui les comparer, nous supposons qu'ils sont des parents parfaits. Lorsque notre univers s'élargit au-delà de notre berceau, nous éprouvons un besoin grandissant d'entretenir cette image de perfection, comme un rempart qui nous protège de ce monde inconnu avec lequel nous commençons à entrer en contact. Tant que nous croyons que nos parents sont parfaits, nous nous sentons en sécurité.

Au cours de la deuxième et troisième année de notre vie, nous commençons à revendiquer notre indépendance. Nous résistons à l'apprentissage de la propreté et nous nous rebellons. C'est ce que nous, Américains, appelons terrible twos (les deux ans terribles). Nous adoptons le mot non parce qu'il nous permet d'exercer une sorte de contrôle sur notre vie, alors que oui n'est qu'un simple acquiescement. Nous nous battons pour nous constituer une identité propre, pour affirmer notre volonté personnelle.

Le processus de séparation entre enfants et parents atteint son point culminant pendant la puberté et l'adolescence, lorsque nous nous opposons activement aux goûts et à l'autorité de nos parents. Dans une famille normalement équilibrée, les parents sont capables de supporter, pour une large part, l'angoisse que ces changements provoquent chez leur enfant. Dans l'ensemble, ils essaient de tolérer, sinon d'encourager réellement, l'indépendance naissante de ce dernier. L'expression « c'est un moment à passer » devient le réconfort classique des parents compréhensifs qui se rappellent leur propre adolescence et considèrent la révolte comme une étape normale du développement émotionnel.

Les parents toxiques ne sont pas si compréhensifs. Depuis l'apprentissage de la propreté jusqu'à l'adolescence, ils ont tendance à considérer la révolte ou même les différences individuelles comme une attaque personnelle. Ils se défendent en renforçant l'incapacité et la dépendance de leur enfant. Au lieu d'encourager un développement sain, ils le sapent inconsciemment, souvent persuadés qu'ils agissent au mieux des intérêts de leur enfant. Ils répètent bien souvent des phrases comme « cela forge le caractère » ou « elle a besoin d'apprendre la différence entre le bien et le mal » ; mais cet arsenal de négativisme effectue de véritables ravages sur l'amour-propre de l'enfant, sabotant toute velléité d'indépendance. Il importe peu que la plupart de ces parents soient persuadés d'avoir raison, de telles agressions perturbent l'enfant, le troublent par leur hostilité, leur véhémence et leur soudaineté.

Notre culture et nos religions sont presque unanimes à soutenir l'omnipotence de l'autorité parentale. Il est admissible de se mettre en colère contre son mari, sa femme, son amant, ses frères et sœurs, son patron ou ses amis, mais l'opposition impérieuse contre ses parents est pratiquement considérée comme taboue. Combien de fois avons-nous entendu les phrases : « Ne réponds pas à ta mère » ou : « Ne t'avise pas d'élever la voix contre ton père » ? La tradition judéo-chrétienne a enchâssé le tabou dans notre inconscient collectif en déclarant Dieu le « Père » et en nous ordonnant : « Tu honoreras ton père et ta mère ». Le précepte trouve des défenseurs dans nos écoles, notre gouvernement (le « retour aux valeurs familiales ») et même dans nos entreprises. D'après la sagesse populaire, nos parents ont le pouvoir de nous diriger simplement parce qu'ils nous ont donné la vie.

L'enfant est à la merci de ses parents-dieux et, comme les Grecs, il ne sait jamais quand la foudre va tomber. Mais l'enfant de parents toxiques sait qu'elle va sûrement tomber tôt ou tard. Cette peur s'enracine profondément et se développe en même temps que l'enfant. Au plus profond de chaque adulte qui a été autrefois victime de mauvais traitements, se cache un petit enfant terrifié et impuissant.

Le prix à payer pour apaiser les dieux

Quand on détruit l'amour-propre d'un enfant, il devient de plus en plus dépendant, et en même temps il éprouve un besoin grandissant de croire que ses parents sont là pour le protéger et lui assurer le nécessaire. La seule façon pour un enfant de donner un sens à des attaques émotionnelles ou physiques, c'est d'accepter d'être responsable de la conduite de ses parents.

Quel que soit le degré de toxicité de vos parents, vous éprouvez malgré tout le besoin de les déifier. Même si, d'une certaine manière, vous comprenez que votre père a eu tort de vous battre, vous croyez encore que c'était peut-être justifié. La compréhension intellectuelle n'est pas suffisante pour vous convaincre émotionnellement que vous n'étiez pas responsable.

Comme l'a déclaré un de mes patients : « Je pensais qu'ils étaient parfaits, donc, quand ils me maltraitaient, je m'imaginais que j'étais méchant. »

Il y a deux positions fondamentales dans cette foi en des parents divins. Soit : « Je suis méchant et mes parents sont bons », soit : « Je suis faible et mes parents sont forts. »

Ce sont des convictions ancrées qui peuvent subsister même lorsqu'on n'est plus dépendant physiquement de ses parents. Ces croyances maintiennent la foi ; elles vous évitent de regarder en face la vérité : vos parents divins vous ont en fait trahi au moment où vous étiez le plus vulnérable.

La première étape vers la reprise en main de votre vie, c'est d'affronter vous-même cette vérité. Cela vous demandera du courage, mais, si vous êtes en train de lire le livre, cela signifie que vous avez déjà pris l'engagement de changer. C'est déjà une preuve de courage, comme en témoigne la démarche de Sylvie.

Sylvie, une jeune femme brune au physique spectaculaire et qui semblait avoir tous les dons, souffrait d'une grave dépression lors de sa première visite. Elle me dit que tout allait mal dans sa vie. Elle avait été décoratrice florale dans une boutique prestigieuse pendant plusieurs années. Elle avait toujours rêvé de monter sa propre affaire, mais elle était persuadée qu'elle n'était pas assez intelligente pour réussir. Elle avait une peur panique de l'échec.

De plus, depuis deux ans, Sylvie essayait en vain d'avoir un enfant. Comme nous parlions, je voyais peu à peu que son incapacité à être enceinte provoquait en elle un fort ressentiment à l'égard de son mari, ainsi que l'impression de ne pas être à la hauteur dans son mariage ; cela en dépit du fait que, lui, il paraissait sincèrement épris et très compréhensif. Une conversation récente avec sa mère avait aggravé le problème :

> *« Cette histoire de grossesse est devenue pour moi une véritable obsession. Au cours d'un déjeuner, j'ai dit à ma mère combien j'étais déçue. Elle a déclaré : « Je parie que c'est à cause de ton avortement. Les voies du Seigneur sont impénétrables. » Depuis, je n'arrête pas de pleurer. Elle en reparle toujours. »*

Je la questionnai sur son avortement. Après quelques hésitations, elle me raconta toute l'histoire :

> *« C'est arrivé lorsque j'étais au lycée. Mes parents étaient des catholiques très, très stricts, et j'allais donc à l'école paroissiale. Je me suis développée tôt et à l'âge de douze ans je mesurais un mètre soixante-dix, je pesais soixante kilos et je faisais quatre-vingt-quinze de tour de poitrine. Les garçons commençaient à faire attention à moi et cela me plaisait beaucoup. Mon père, ça le rendait fou. La première fois qu'il m'a surprise en train d'embrasser un garçon, il m'a traitée de prostituée, si fort que tout le quartier a dû l'entendre. A partir de là les choses n'ont fait qu'empirer. Chaque fois que je sortais avec un garçon, papa me disait que j'irais en enfer. Jamais il ne me laissait tranquille. Je m'imaginais que ma*

damnation ne faisait plus de doute et à quinze ans j'ai cou-
ché avec un garçon. Manque de chance, je suis tombée
enceinte. Lorsque mes parents l'ont découvert, ils sont deve-
nus enragés. Alors je leur ai déclaré que je voulais me faire
avorter; ils ont complètement perdu la tête. Ils ont dû hurler
à mes oreilles « péché mortel » au moins un millier de fois. Si
je n'étais pas déjà en route pour l'enfer, il ne faisait aucun
doute pour eux que ce dernier méfait m'y précipiterait tout
droit. Le seul moyen que j'ai trouvé pour leur arracher leur
consentement a été de les menacer de me suicider. »

Je demandai à Sylvie comment les choses avaient
tourné pour elle après l'avortement. Elle s'affala dans son
fauteuil avec une expression de tristesse qui me fit mal.

« On peut parler de disgrâce. En fait, papa me rendait déjà
assez malheureuse avant, mais à partir de ce moment j'avais
l'impression que je n'avais même pas le droit d'exister. Plus je
me sentais honteuse et plus j'essayais de me racheter. Je vou-
lais remonter dans le temps, retrouver l'amour que je recevais
lorsque j'étais petite. Mais ils ne rataient jamais une occasion
de remettre le sujet sur le tapis. Comme un disque rayé, sans
cesse à me reprocher ce que j'avais fait et combien je leur
avais causé de tort. Je ne peux pas leur en vouloir. Jamais je
n'aurais dû faire ça. Je veux dire qu'ils attendaient tant de
moi sur le plan moral. A présent, tout ce que je veux, c'est me
racheter à leurs yeux de leur avoir causé une telle souffrance
par mes péchés. Alors je fais tout ce qu'ils veulent. Cela met
mon mari hors de lui. Lui et moi nous avons des disputes
épouvantables à cause de cela. Mais je n'y peux rien. Je veux
juste qu'ils me pardonnent. »

J'étais émue en écoutant cette charmante jeune femme :
quelles souffrances le comportement de ses parents lui faisait endurer, et quel besoin elle ressentait de nier leur responsabilité pour ces souffrances! Elle paraissait vouloir
désespérément me convaincre que tout ce qui lui était
arrivé était sa faute. Les reproches que Sylvie se faisait à
elle-même se mêlaient aux convictions religieuses intransi-

geantes de ses parents. Je savais que mon travail serait en bonne voie à partir du moment où Sylvie parviendrait à voir que ses parents avaient fait preuve d'une réelle cruauté et qu'ils avaient commis à son égard des abus affectifs. Je décidai que le moment n'était pas à la neutralité et j'enchaînai :

> « Vous savez, je suis vraiment en colère quand je pense à cette jeune fille. Je pense que vos parents se sont conduits avec vous d'une façon horrible. Je pense qu'ils se sont servis de votre religion pour vous punir. Je pense que vous ne méritiez rien de tout cela.
>
> – J'ai commis deux péchés mortels !
>
> – Voyons, vous n'étiez qu'une enfant. Peut-être avez-vous fait quelques erreurs, mais vous n'êtes pas obligée de payer toute votre vie pour cela. Même l'Église permet qu'on se rachète et qu'on continue à vivre. Si vos parents étaient aussi bons que vous le dites, ils vous auraient témoigné une certaine compassion.
>
> – Ils essayaient de sauver mon âme. S'ils ne m'avaient pas aimée autant, cela ne leur aurait rien fait.
>
> – Regardons les choses sous un autre angle. Que se serait-il passé si vous n'aviez pas avorté ? Si vous aviez eu une petite fille ? Elle aurait à peu près seize ans maintenant, n'est-ce pas ? »

Sylvie acquiesça, essayant de comprendre où je voulais en venir. J'enchaînai :

> « Imaginez qu'elle soit enceinte. Est-ce que vous la traiteriez comme vos parents vous ont traitée ?
>
> – Jamais de la vie ! »

Sylvie se rendit compte des implications de ce qu'elle venait de dire.

> « Vous lui témoigneriez plus d'amour. Eh bien, vos parents auraient dû vous témoigner plus d'amour. Ce sont eux qui ont fauté, pas vous. »

Sylvie avait passé la moitié de sa vie à édifier un mur complexe de défenses. Ces murs ne sont que trop courants chez les adultes élevés par des parents toxiques. Ils peuvent être constitués de toutes sortes de matériaux psychologiques, mais le plus commun, la matière première du mur de Sylvie, est une brique particulièrement résistante appelée « dénégation », ou déni de réalité.

La force de la dénégation [1]

La dénégation est à la fois le plus primitif et le plus puissant des systèmes de défense psychologiques. Elle déguise la réalité pour minimiser ou même nier l'impact de certaines expériences pénibles. Elle peut même faire oublier à certains d'entre nous ce que nos parents nous ont fait, ce qui nous permet de les maintenir sur leur piédestal.

Le soulagement conféré par la dénégation n'est au mieux que temporaire, et le prix à payer pour ce soulagement est élevé. La dénégation est le couvercle de notre cocotte-minute émotionnelle : plus longtemps nous le laissons fermé, plus nous faisons monter la pression. Tôt ou tard, la pression fait inévitablement sauter le couvercle et nous avons une crise émotionnelle. Quand cela arrive, il nous faut affronter les vérités que nous avons si désespérément évitées, sans compter que désormais il nous faut les affronter dans un moment de très grand stress. Si nous réussissons à aborder le problème de la dénégation avant, cela nous donne la possibilité d'éviter la crise en ouvrant

---

[1] Dénégation (en allemand Verneinung) : procédé dont le sujet souffrant se sert afin de résister à la reconnaissance d'un désir inconscient, dont la prise de conscience représente un danger, et dont on se défend donc de le reconnaître comme sien. (N.d.T.)

la valve de sécurité pour laisser la pression s'échapper sans danger.

Malheureusement, votre propre dénégation n'est probablement pas la seule avec laquelle vous ayez à lutter. Vos parents ont des systèmes de dénégation qui leur sont propres. Lorsque vous vous efforcez avec peine de rétablir la vérité sur votre passé, vos parents sont capables de répéter avec insistance que « ce n'était pas si grave », que « ça ne s'est pas passé comme ça », ou même que « ça n'est pas arrivé du tout ». De telles déclarations ont le pouvoir de décourager vos tentatives pour reconstituer votre histoire personnelle, en vous faisant douter de vos propres souvenirs et de vos propres impressions. Ils minent la confiance que vous avez en votre capacité de percevoir la réalité, avec pour effet de rendre encore plus difficile la réhabilitation de votre estime personnelle.

Revenons à Sylvie. La « dénégation » était si forte chez elle que non seulement elle était incapable de voir la réalité de son point de vue à elle, mais qu'elle ne pouvait même pas admettre qu'il y eût un autre point de vue que celui de ses parents. J'étais pleine de compassion pour sa souffrance, mais il me fallait au moins l'amener à se rendre compte qu'elle pouvait se faire une fausse image de ses parents. J'essayai d'être aussi rassurante que possible :

> *« Je respecte le fait que vous aimez vos parents et que vous les croyez bons. Je suis persuadée qu'ils ont été parfaits quand vous étiez petite. Mais, quelque part en vous, vous devez bien savoir, ou au moins pressentir, que des parents aimants n'agressent pas avec cet acharnement la dignité et l'amour-propre de leur enfant. Je n'ai pas l'intention de vous détacher de vos parents ou de votre religion. Vous n'avez pas à les renier ou à renoncer à l'Église. Mais la guérison de votre dépression dépend sans doute en grande partie de votre capacité à renoncer à l'idée qu'ils sont parfaits. Ils ont eu un comportement cruel à votre égard. Ils vous ont fait du mal. Ce*

qui était fait était fait. Aucun sermon n'y pouvait rien chan-
ger. Ne sentez-vous pas comme ils ont profondément blessé la
jeune fille en vous? Et comme c'était inutile? »

Le « oui » de Sylvie était à peine audible. Je lui demandai si cette pensée lui faisait peur. Elle hocha seulement la
tête, incapable de parler de l'intensité de sa peur. Mais elle
était assez courageuse pour ne pas s'enfuir, peut-être soutenue par un impossible espoir.

En effet, après deux mois de thérapie, Sylvie avait
accompli certains progrès, mais elle restait toujours attachée au mythe des parents parfaits. Tant qu'elle n'aurait
pas détruit ce mythe, elle continuerait à se rendre responsable de tous les malheurs de sa vie. Je lui demandai d'inviter ses parents à une séance de thérapie. J'espérais les
amener à voir combien leur comportement avait affecté la
vie de Sylvie et, dans ce cas, peut-être pourraient-ils
reconnaı^tre en partie leur responsabilité, ce qui aiderait
Sylvie à entreprendre la réhabilitation de son image négative d'elle-même.

Nous avions à peine fait connaissance que son père
lâcha:

« Vous ne savez pas quelle vilaine fille elle a été, docteur. Elle
était folle des garçons et passait son temps à les provoquer.
Tous ses problèmes d'aujourd'hui viennent de ce sacré avorte-
ment. »

Je voyais les yeux de Sylvie se remplir de larmes. Je me
hâtai de prendre sa défense:

« Ce n'est pas la raison pour laquelle Sylvie a des problèmes
et je ne vous ai pas demandé la liste de ses crimes. Si vous
n'êtes venus que pour cela, nous n'arriverons à rien. »

Ce fut un échec. Pendant la séance, la mère et le père
de Sylvie se relayèrent pour attaquer leur fille, malgré mon

opposition. L'heure n'en finissait pas. Après leur départ, Sylvie s'empressa de les excuser :

> *« Je sais qu'ils n'ont pas vraiment réussi à m'aider aujourd'hui, mais j'espère qu'ils vous ont plu. Ce sont vraiment des gens bien, ils semblaient seulement nerveux de se trouver là. Peut-être n'aurais-je pas dû leur demander de venir... Ça les a probablement mis mal à l'aise. Ils n'ont pas l'habitude de ce genre de chose. Mais ils m'aiment vraiment... Accordez-leur simplement un peu de temps, et vous verrez. »*

Cette séance et les quelques autres qui suivirent avec les parents de Sylvie démontrèrent clairement combien ils avaient l'esprit étroit pour tout ce qui remettait en question leur perception des problèmes de Sylvie. A aucun moment, aucun d'eux ne montra l'intention de reconnaître la moindre responsabilité à cet égard. Et Sylvie continuait à les idolâtrer.

En effet, pour beaucoup d'adultes élevés par des parents toxiques, le refus est un processus simple, inconscient, pour repousser hors du champ de la conscience certains événements et certains sentiments, en prétendant que ces événements n'ont jamais en lieu.

Le recours à la rationalisation

D'autres adultes utilisent un biais plus subtil : la rationalisation. Lorsque nous avons recours à ce mécanisme de défense, nous utilisons de « bonnes raisons » pour expliquer et éliminer les faits douloureux et gênants. En voici quelques exemples :

> *« Mon père me criait après parce que ma mère ne cessait de le harceler. »*
> *« Ma mère buvait uniquement parce qu'elle était seule. J'aurais dû rester plus souvent à la maison avec elle. »*
> *« Mon père me battait, mais il ne voulait pas me faire de mal, c'était juste pour me dresser. »*

« *Ma mère ne faisait jamais attention à moi parce qu'elle était très malheureuse.* »

« *Je ne peux pas en vouloir à mon père d'avoir abusé de moi. Ma mère refusait de coucher avec lui, et tous les hommes ont besoin de rapports sexuels.* »

Toutes ces rationalisations ont en commun une chose : elles servent à rendre acceptable l'inacceptable. Superficiellement, cela peut sembler donner des résultats, mais, quelque part en nous, nous connaissons toujours la vérité. Louise l'illustre bien lorsqu'elle dit de son père : « Il a fait ça uniquement parce que... »

Louise, une petite femme aux cheveux bruns d'une quarantaine d'années, divorçait de son troisième mari. Elle entreprit une thérapie à la requête instante de sa fille qui menaçait de ne plus voir Louise si cette dernière ne faisait pas quelque chose pour dominer son agressivité.

Lorsque je vis Louise pour la première fois, son attitude extrêmement rigide et son expression pincée étaient éloquentes. C'était un volcan de colère contenue. Je la questionnai au sujet de son divorce et elle me dit que les hommes la quittaient toujours ; son mari actuel en était justement le dernier exemple.

« *Je fais partie des femmes qui choisissent toujours le mauvais numéro. Au commencement, c'est chaque fois extraordinaire, mais je sais que cela ne peut durer.* »

Je l'écoutais ressasser sur le thème : tous les hommes sont des salauds. Puis elle se mit à comparer les hommes de sa vie à son père :

« *Bon sang, pourquoi ne puis-je trouver quelqu'un comme mon père ? Il ressemblait à une vedette de cinéma... C'est simple, tout le monde l'adorait. Je veux dire qu'il avait un charisme qui attirait tout le monde. Ma mère était très souvent malade et mon père me sortait... rien que nous deux.*

Ces moments ont été les meilleurs de ma vie. Il n'y a jamais eu quelqu'un comme lui. »

Je lui demandai si son père était toujours vivant et Louise devint très nerveuse en me répondant :

« Je n'en sais rien. Un jour il a disparu. Je devais avoir environ dix ans. Ma mère était absolument impossible à vivre et un jour il est parti. Sans un mot, sans un coup de téléphone, sans rien. Qu'est-ce qu'il m'a manqué! Pendant une bonne année après son départ, j'étais persuadée d'entendre sa voiture arriver chaque nuit... Je ne peux pas vraiment lui reprocher ce qu'il a fait. Il était si plein de vie. Qui voudrait être enchaîné à une femme malade et à un enfant? »

Louise passait sa vie à attendre le retour de ce père idéalisé. Incapable d'affronter la vérité – combien il avait été insensible et irresponsable –, Louise usait d'une dose de rationalisation considérable pour qu'il reste un dieu à ses yeux, en dépit de la douleur indicible que sa conduite lui avait causée.

Cette rationalisation lui permettait aussi de nier la rage qu'elle éprouvait envers lui pour l'avoir abandonnée. Malheureusement, cette rage trouvait un exutoire dans ses relations avec les autres hommes. Chaque fois qu'elle commençait à sortir avec un homme, les choses se passaient bien pendant un temps, le temps qu'elle apprenne à le connaître. Mais, dès qu'ils devenaient plus proches, sa peur d'être abandonnée devenait incontrôlable. La peur se changeait invariablement en hostilité. Elle n'arrivait pas à voir un schéma répétitif dans le fait que chaque homme la quittait pour les mêmes raisons : plus ils devenaient proches d'elle, plus elle devenait hostile. Au lieu de cela, elle maintenait que son hostilité était justifiée par le fait qu'on finissait toujours par la quitter.

Le déplacement des ressentiments

Étudiante à l'université, j'avais pris connaissance d'une série de dessins illustrant la manière dont les gens « déplacent » l'objet de leurs sentiments – particulièrement la colère. Le premier dessin montrait un homme en train de se faire passer un savon par son patron. De toute évidence, l'homme n'était pas en position de riposter, donc le deuxième dessin le montrait déplaçant l'objet de sa colère en hurlant contre sa femme, à son retour chez lui. Le troisième dessin montrait la femme en train de hurler contre les enfants. Les enfants donnaient des coups de pied au chien et le chien mordait le chat. Ce qui m'avait impressionnée dans cette série d'images, c'est qu'en dépit de leur apparente simplicité, elles présentaient une description exacte de la façon dont nous transférons des sentiments forts en les déplaçant de la personne concernée vers une cible plus facile.

L'opinion que Louise avait des hommes en était un exemple parfait : « Ce sont des minables salauds… tous sans exception. On ne peut pas leur faire confiance. Ils vous laissent toujours tomber. Je suis dégoûtée de me faire avoir par les hommes. »

Le père de Louise l'avait abandonnée. Si elle avait admis le fait, elle aurait dû renoncer à ses chers rêves et à cette image quasi déifiée qu'elle se faisait de lui. Elle aurait dû le laisser partir. Au lieu de cela, elle déplaçait sa colère et sa méfiance à l'égard de son père vers les autres hommes.

Sans en être consciente, Louise choisissait constamment des hommes dont le comportement à la fois la décevait et la mettait en colère. Tant qu'elle avait la possibilité de se décharger de sa colère contre les hommes en général, elle pouvait occulter sa colère contre son père.

Sylvie, que nous avons rencontrée plus tôt dans ce chapitre, transférait sur son mari la colère et la déception qu'elle ressentait à l'égard de ses parents, à cause de leur réaction vis-à-vis de sa grossesse et de son avortement. Elle ne pouvait se permettre d'être en colère contre ses parents – c'était trop risqué pour la déification dont ils étaient l'objet.

Le pouvoir des parents morts

La mort n'interrompt pas la déification des parents toxiques. En fait, il arrive qu'elle l'amplifie.

S'il est déjà difficile de reconnaître le mal qu'a pu faire un parent vivant, accuser ce parent une fois mort l'est infiniment plus. La critique des morts est l'objet d'un fort tabou, un peu comme s'il s'agissait de coups portés à un adversaire déjà à terre. Le résultat, c'est que la mort confère une sorte de sainteté, même au pire des criminels. La déification des parents morts est presque automatique.

Malheureusement, tandis que le parent toxique est protégé par la tombe, les survivants restent prisonniers de leurs émotions. « On ne dit pas du mal des morts » : cette platitude nous est peut-être chère, mais elle parvient souvent à bloquer la solution réaliste de nos conflits avec des parents morts, comme en témoigne Valérie lorsqu'elle cite son père : « Tu seras toujours ma petite ratée. »

Valérie, une musicienne svelte, aux traits délicats, qui pouvait avoir entre trente-cinq et quarante ans, me fut envoyée par un ami commun qui craignait que son manque de confiance en elle ne l'empêchât de saisir les occasions dans sa carrière de chanteuse. A notre première séance, au bout de quinze minutes, Valérie reconnut que sa carrière était au point mort :

« Je n'ai pas le moindre engagement – pas même dans un bar – depuis plus d'un an. J'ai travaillé comme intérimaire dans un bureau pour payer mon loyer. Je doute de moi. Mon rêve

est peut-être irréalisable. L'autre soir, je dînais chez mes parents; nous avons parlé de mes problèmes, et mon père a dit: « Ne t'en fais pas, tu seras toujours ma petite ratée. » Je suis persuadée qu'il ne s'est pas rendu compte du mal que cela m'a fait, mais ces mots m'ont littéralement crucifiée. »

Je dis à Valérie que tout le monde aurait été blessé en pareille circonstance. Son père s'était conduit de façon cruelle et insultante. Elle répliqua:

« Je crois que ce n'est pas une nouveauté. C'est toute l'histoire de ma vie. J'ai toujours été la poubelle de la famille. J'étais toujours la cause de tout. Si lui et maman avaient des problèmes, c'était ma faute. On aurait dit un disque rayé. Et pourtant, quand je faisais quelque chose pour lui faire plaisir, il rayonnait de fierté et allait chanter mes louanges à ses copains. Bon sang, ça faisait du bien de me sentir approuvée par lui, mais parfois j'avais l'impression qu'il jouait au yo-yo avec mes émotions. »

Les semaines suivantes, Valérie et moi travaillâmes en étroite collaboration. Elle commençait tout juste à saisir quelle immense colère et quelle tristesse son père avait provoquées en elle.

A ce moment, il mourut d'une crise cardiaque.

C'était une mort inattendue – soudaine, choquante; de celles à laquelle personne n'est préparé. Valérie était submergée de culpabilité à cause de la colère qu'elle avait exprimée contre lui au cours de sa thérapie.

« Pendant son éloge funèbre, à l'église, j'étais là et j'entendais toutes ces phrases, encore et encore, sur l'extraordinaire homme qu'il avait été tout au long de sa vie, et je me sentais dégueulasse d'avoir essayé de le rendre responsable de mes problèmes. Tout ce que je voulais à présent, c'était me racheter de la peine que je lui avais faite. Je n'arrêtais pas de me rappeler combien je l'aimais, et quelle garce j'avais toujours été avec lui. Je ne veux plus parler des mauvais souvenirs... Rien de tout cela n'a plus aucune importance. »

Le chagrin égara Valérie un moment mais, en fin de compte, elle parvint à voir que la mort de son père ne pouvait pas changer la réalité, ni la façon dont il l'avait traitée, enfant et adulte.

Valérie suit sa thérapie depuis maintenant six mois. Je suis heureuse de voir que sa confiance en elle augmente régulièrement. Sa carrière est toujours lente à démarrer, mais ce n'est plus faute d'essayer.

Les parents-dieux établissent des règles, rendent des jugements et font du mal. Lorsque vous déifiez vos parents, vivants ou morts, vous acceptez de vivre selon leur conception de la réalité. Vous acceptez que les sentiments douloureux fassent partie de votre vie, peut-être même en imaginant, par le biais de la rationalisation, qu'ils sont bons pour vous. Il est temps d'arrêter.

Lorsque vous faites redescendre vos parents toxiques sur terre, lorsque vous trouvez le courage de porter sur eux un regard réaliste, vous devenez capable de rééquilibrer vos relations mutuelles.

2

Les parents déficients

———————

Les enfants possèdent des droits fondamentaux inaliénables – droit d'être nourris, vêtus, abrités et protégés. Mais, à côté de ces droits d'ordre physique, matériel, ils ont le droit d'être nourris sur le plan émotionnel, d'être respectés dans leurs sentiments et d'être traités de façon à pouvoir forger le sens de leur propre valeur.

Les enfants ont également le droit d'être guidés par les limitations convenant à leur conduite, de faire des erreurs et d'être formés à la discipline sans être brutalisés physiquement ou émotionnellement.

Finalement, les enfants ont le droit d'être des enfants. Ils ont le droit de passer leurs premières années en étant joueurs, spontanés et irresponsables. Naturellement, au fur et à mesure que les enfants grandissent, des parents affectueux alimenteront leur maturité en leur donnant certaines responsabilités, certaines tâches à la maison, mais jamais au détriment de leur enfance.

Le rôle des parents dans notre découverte du monde

Les enfants absorbent les messages comme des éponges un liquide, tous les messages sans discrimination, qu'ils soient dits avec des mots ou non. Ils écoutent leurs parents, ils observent leurs parents et ils imitent le comportement de leurs parents. Étant donné qu'ils ont peu de références en dehors de la famille, tout ce qu'ils apprennent à la maison à propos d'eux-mêmes ou des autres se transforme en vérité universelle et s'ancre profondément dans leur esprit. Les modèles parentaux sont essentiels pour le sens de l'identité en formation de l'enfant – surtout au moment du développement de l'identité masculine ou féminine. Malgré les changements spectaculaires parvenus ces vingt dernières années dans le domaine des rôles parentaux, les parents actuels ont les mêmes devoirs que jadis vos parents :

• Ils doivent pourvoir aux besoins matériels de leurs enfants.

• Ils doivent protéger leurs enfants de tout dommage physique.

• Ils doivent répondre aux besoins de leurs enfants en matière d'amour et d'attention.

• Ils doivent protéger leurs enfants de tout dommage émotionnel.

• Ils doivent fournir à leurs enfants des directives d'ordre moral.

Évidemment, cette liste pourrait être bien plus longue, mais ces cinq responsabilités sont la base d'une éducation compétente. Les parents toxiques dont nous allons parler ne vont que rarement au-delà du premier point. Pour la plupart, ils souffrent (ou ont souffert) de véritables problèmes, instabilité émotionnelle ou désordre mental. Non seulement ils sont souvent dans l'incapacité de répondre aux besoins de leurs enfants, mais, dans de nombreux cas, ils comptent sur leurs enfants pour prendre soin de leurs besoins à eux, et ils l'exigent même.

Quand un enfant se voit forcé de prendre des responsabilités incombant à ses parents, les rôles familiaux deviennent flous, déformés ou inversés. Un enfant que l'on oblige à devenir un parent pour lui-même, ou même à devenir un parent pour son propre parent, n'a plus de modèle vers qui se tourner pour apprendre et progresser. Sans exemple de rôle parental à cette période critique pour le développement émotionnel, l'identité personnelle de l'enfant part à la dérive dans un océan hostile de confusion.

Laurent, trente-quatre ans, était propriétaire d'un magasin d'articles de sport. Il vint me consulter parce qu'il était un bourreau de travail et qu'il en souffrait beaucoup.

« Mon mariage a sombré parce que je passais tout mon temps à travailler. Ou bien je n'étais pas là ou bien je travaillais à la maison. Ma femme en a eu assez de vivre avec un robot et elle est partie. Maintenant cela recommence avec la nouvelle femme qui est entrée dans ma vie. Cela me désole vraiment. Mais je ne sais pas comment ralentir. »

Laurent m'avoua qu'il avait de la peine à exprimer une émotion, quelle qu'elle soit, et particulièrement les sentiments de tendresse, d'amour. Le mot s'amuser, me dit-il avec une grande amertume, ne faisait pas partie de son vocabulaire.

« Je voudrais savoir comment rendre mon amie heureuse, mais chaque fois que nous parlons ensemble, je m'arrange toujours pour remettre la conversation sur le travail, et ça la rend furieuse. Peut-être parce que le travail est la seule chose que je ne gâche pas. »

Pendant plus d'une demi-heure, Laurent s'acharna à essayer de me persuader qu'il gâchait lamentablement toutes ses relations :

« Les femmes avec qui je sors ne cessent de se plaindre que je ne leur donne pas assez de temps ou d'affection. Et c'est vrai. Je suis un déplorable compagnon, et j'ai été un mari plus que déplorable. »

Je l'arrêtai : « Et vous avez de vous-même une image déplorable. On dirait que le seul moment où vous vous sentiez bien, c'est quand vous travaillez. Pourquoi cela ? »

« C'est quelque chose que je sais faire… et je le fais bien. Je travaille environ soixante-quinze heures par semaine… Mais j'ai toujours travaillé avec acharnement… depuis que je suis enfant. Vous voyez, je suis l'aîné de trois garçons. Je crois que ma mère a eu une sorte de dépression nerveuse quand j'avais huit ans. A partir de ce moment, notre maison a été continuellement sombre, les volets toujours tirés. Je me rappelle ma mère éternellement en robe de chambre; ne parlant jamais beaucoup. Dans mes souvenirs les plus anciens, je la vois une tasse de café à la main, une cigarette dans l'autre, collée devant ses satanés feuilletons télévisés. Elle se levait longtemps après que nous étions partis à l'école. C'était donc à moi de faire manger mes frères, de préparer leur déjeuner et de les emmener prendre le car scolaire. A notre retour, nous la trouvions devant le téléviseur ou en train de faire une de ses siestes de trois heures. La moitié du temps, pendant que mes frères jouaient au ballon dehors, j'étais coincé à la maison pour préparer le dîner ou faire du ménage. J'avais horreur de cela, mais il fallait bien que quelqu'un s'en charge. »

Je demandai à Laurent où était son père dans toute cette histoire.

« Papa voyageait beaucoup pour ses affaires, et il avait carrément démissionné en ce qui concernait ma mère. La plupart du temps, il couchait dans la chambre d'amis… C'était un couple plutôt spécial. Il l'avait envoyée consulter quelques docteurs, mais sans succès, et il avait laissé tomber. »

Je dis à Laurent qu'il avait dû être un petit garçon très seul et que cela me faisait de la peine. Il repoussa d'une phrase ma compassion :

« J'avais trop à faire pour pleurer sur mon sort. »

Les parents voleurs d'enfance

Quand il était enfant, Laurent ployait souvent sous des responsabilités qui revenaient de droit à ses parents. En étant forcé à grandir trop vite et trop tôt, Laurent avait été privé de son enfance. Pendant que ses amis jouaient au ballon dehors, Laurent restait à la maison pour accomplir les tâches incombant à ses parents. Pour sauvegarder l'unité de la famille, il avait dû se changer en un adulte miniature. Il n'avait que rarement l'occasion de jouer ou d'être insouciant. Comme ses propres besoins étaient pratiquement ignorés, il avait appris à supporter la solitude et le manque d'affection en niant qu'il eût le moindre besoin personnel. Il était là pour s'occuper des autres. Lui, il ne comptait pas.

Mais cette histoire est encore bien plus triste, car Laurent n'avait pas seulement la charge de ses frères, il était aussi devenu un parent pour sa mère :

> « Lorsque papa était en ville, il partait travailler à 7 heures du matin et, très souvent, il ne rentrait guère avant minuit. En quittant la maison, il me disait toujours : « N'oublie pas de faire tous tes devoirs, et prends bien soin de ta mère. Assure-toi qu'elle a suffisamment à manger. Fais tenir les enfants tranquilles… et vois ce que tu peux faire pour lui arracher un sourire. » Je passais beaucoup de temps à chercher comment rendre ma mère heureuse. J'étais persuadé que je pouvais trouver un moyen pour que tout recommence à aller bien… pour qu'elle se sente bien à nouveau. Mais quoi que je fasse, rien ne changeait. Ça n'a toujours pas changé. Et ça me rend vraiment très malheureux. »

En plus de ses responsabilités ménagères et éducatives – qui auraient suffi à dépasser les capacités de n'importe quel enfant – on attendait de Laurent qu'il s'occupe des problèmes émotionnels de sa mère. C'était l'échec assuré. Les enfants qui sont pris dans ces renversements de rôles, facteurs de confusion, passent leur temps à échouer. Ils sont dans l'incapacité de fonctionner comme des adultes, parce qu'ils ne sont pas des adultes. Mais ils ne comprennent pas pourquoi ils échouent ; ça leur donne seulement le sentiment de ne pas être à la hauteur et ils se sentent coupables.

Dans le cas de Laurent, son besoin irrésistible de passer bien plus de temps au travail que nécessaire remplissait une double fonction : lui éviter d'affronter la solitude et les manques de sa vie d'enfant et de sa vie d'adulte, renforcer son opinion bien ancrée qu'il ne pouvait jamais en faire assez. Laurent s'imaginait que s'il réussissait à faire assez d'heures de travail, ça lui permettrait de prouver sa valeur, sa compétence, ses capacités à vraiment bien accomplir sa tâche. En fait, il continuait à essayer de rendre sa mère heureuse, et on pouvait se demander, face à cette spirale : « En voit-on jamais la fin ? »

En effet, Laurent ne voyait pas que ses parents continuaient à exercer leur influence toxique sur lui, dans son existence adulte. Cependant, quelques semaines plus tard, le rapport entre ses difficultés d'adulte et son enfance surgit avec acuité.

« *Eh bien ! Celui qui a dit : « Plus les choses changent et plus elles restent pareilles « savait parfaitement de quoi il parlait. Voici six ans que j'habite Los Angeles, mais en ce qui concerne mes parents, je n'ai pas le droit de vivre ma propre vie. Ils me téléphonent plusieurs fois par semaine. C'en est au point que je redoute de décrocher. Mon père commence par dire : Ta mère est si déprimée… Est-ce que tu ne pourrais pas venir nous voir quelques jours ? Tu sais combien c'est important pour elle ! » Et puis, elle prend le relais et me dit que je suis tout pour elle et qu'elle ne sait pas combien de temps il lui reste à vivre. Que répondre à cela ? Une fois sur deux, je saute dans l'avion… C'est plus facile que de me sentir coupable de ne pas y avoir été. Mais ça ne leur suffit jamais. Rien ne leur suffit. Je pourrais aussi bien épargner les frais du voyage. Peut-être que je n'aurais jamais dû partir de chez eux.* »

Je dis à Laurent que les enfants qui avaient été forcés à changer de rôle, sur le plan émotionnel, avec leurs parents, avaient ce comportement typique : ils conservaient dans leur vie adulte un énorme sentiment de culpabilité et un sens des responsabilités excessif. En tant qu'adultes, ils se trouvaient souvent pris au piège d'un cercle vicieux qui les faisait accepter des responsabilités pour tout, échouer inévitablement, se sentir coupables et incapables, et réagir en redoublant d'efforts. C'est là un cycle épuisant, accablant, qui ne cesse d'aggraver ce sentiment d'échec.

Asservi, quand il était petit, par les désirs de ses parents, Laurent avait appris tôt qu'il n'était apprécié que par rapport à ce qu'il faisait pour le reste de la famille. Adulte, il avait transformé les exigences externes de ses parents en démons intérieurs qui le poussaient constamment vers le seul terrain où il se sentait un peu de valeur – le travail.

Laurent n'avait eu ni le temps ni le modèle approprié pour apprendre à donner et à recevoir de l'affection. Pendant son enfance, sa vie émotionnelle était restée en friche, et il avait simplement fermé l'accès à ses émotions. Malheureusement, il découvrait qu'il n'arrivait pas à en retrouver le chemin, même s'il le désirait.

Je dis à Laurent que je comprenais combien il était frustrant et perturbant de ne pouvoir s'ouvrir à personne de ses émotions, mais je l'engageai vivement à avoir plus d'indulgence pour lui. Personne ne lui avait appris cela quand il était jeune et c'était vraiment difficile de s'y mettre tout seul.

« C'est comme si vous vouliez vous asseoir au piano pour jouer un concerto alors que vous ne savez même pas trouver le do ! lui dis-je. Vous êtes capable d'apprendre, mais il faut prendre le temps de commencer par le commencement, de vous exercer et même d'échouer à une ou deux reprises. »

De la complaisance à la dépendance

Voici ce qu'écrivit Mélanie, alors âgée de treize ans, à un courrier des lectrices :

Chère Madame,
Je vis dans une famille de fous. Pouvez-vous m'aider à m'en sortir ?

Cas désespéré.

Mélanie avait maintenant quarante-deux ans et travaillait comme inspecteur des impôts lorsqu'elle vint me consulter à la suite d'une grave dépression. Bien qu'extrêmement mince, elle aurait été très jolie si les insomnies des mois précédents ne l'avaient marquée. Elle était ouverte et parlait facilement d'elle-même :

« Je me sens absolument désespérée, tout le temps. Comme si ma vie m'échappait. Je ne peux pas surmonter ce qui m'arrive. J'ai l'impression que je m'enfonce chaque jour plus profondément, comme dans un trou. »

Je lui demandai d'être plus précise. Elle se mordit la lèvre et se détourna en répliquant :

« Il y a un tel vide en moi... Je crois que je ne me suis jamais sentie liée à quelqu'un de toute ma vie. Je me suis mariée deux fois et j'ai vécu avec plusieurs hommes, mais je n'arrive pas à trouver le bon. Je choisis toujours des nuls ou des salauds. Et naturellement c'est moi qui dois les remettre sur les rails. Je crois toujours que je peux les changer. Je leur prête de l'argent, je les installe chez moi, j'ai même trouvé du travail pour certains d'entre eux. Cela ne marche jamais, mais ça ne me met pas de plomb dans la tête. Ils ne m'aiment pas, quoi que je fasse pour eux. Un de ces types m'a même frappée devant mes enfants. Un autre est parti avec ma voiture. Mon premier mari passait son temps à ne rien faire. Mon deuxième mari était le dernier des ivrognes. Une vraie réussite. »

Sans en avoir conscience, Mélanie décrivait le comportement typique d'une personnalité codépendante. A l'origine, le terme « codépendant » était utilisé spécifiquement pour décrire le compagnon d'une personne alcoolique ou toxicomane. On disait indifféremment codépendant ou permissif, pour désigner quelqu'un qui avait perdu le contrôle de sa propre vie parce qu'il avait pris la responsabilité de sauver une personne dépendante d'une substance chimique.

Mais, au cours de ces dernières années, la définition de la codépendance s'est élargie pour inclure tous les gens qui se transforment eux-mêmes en victimes en portant secours à une personne obsédée, droguée, brutale ou excessivement dépendante, et en devenant responsable de cette personne.

Mélanie était attirée par les hommes très perturbés. Elle croyait qu'en réussissant à être assez bonne – assez généreuse, affectueuse, attentive, serviable, complaisante – et à leur faire prendre conscience de leurs erreurs, elle pourrait amener ces hommes à l'aimer. Mais ils ne l'aimaient pas. Le genre d'homme qu'elle choisissait – sans ressource, égocentrique – était incapable d'amour. Et, au lieu de trouver l'amour qu'elle recherchait si désespérément, elle ne trouvait que du vide. Elle se sentait exploitée.

Je découvris que le terme codépendant n'était pas inconnu à Mélanie. Elle l'avait appris en assistant à une réunion All-Anon (un programme américain en douze étapes pour les familles d'alcooliques) au moment où elle était mariée à un alcoolique. Elle était persuadée qu'elle n'était pas codépendante, qu'elle avait seulement de la malchance avec les hommes. Elle avait vraiment fait le maximum pour que Guy arrête de boire. Elle l'avait finalement quitté après avoir appris qu'il avait passé la nuit avec une femme rencontrée dans un bar.

Mélanie avait alors recommencé à chercher le bon numéro. Elle rendait les hommes avec qui elle vivait responsables de ses problèmes, mais elle les voyait chacun comme un mauvais numéro distinct. Elle ne voyait pas que le schéma général provenait de la façon dont elle choisissait ses compagnons. Elle pensait qu'elle cherchait un homme capable d'apprécier une femme généreuse, dévouée, affectueuse, serviable. Il y avait sûrement un homme quelque part qui aimerait une femme comme cela. Si c'était de la codépendance, elle y trouvait de la noblesse.

Mélanie ne se rendait absolument pas compte que ce qu'elle considérait comme de la « générosité » et du « dévouement » la détruisait. Elle était généreuse pour tout le monde, sauf pour elle-même. Elle ne se rendait pas compte qu'elle prolongeait le comportement irresponsable des hommes avec qui elle vivait en balayant sous leurs pieds. Lorsqu'elle se mit à parler de son enfance, il devint clair que son schéma de comportement – essayer de sauver des hommes perturbés – n'était que la répétition obsessionnelle de sa relation avec son père :

> « *J'ai eu une famille vraiment spéciale. Mon père était un architecte renommé, mais il se servait de ses sacrés états d'âme pour mener tout le monde par le bout du nez. La moindre chose le déboussolait... par exemple que quelqu'un se gare sur sa place de parking ou que je me dispute avec mon frère. Il allait alors dans sa chambre, fermait la porte, se jetait sur son lit et se mettait tout simplement à pleurer. Exactement comme un bébé! Alors ma mère s'effondrait et allait se tremper dans sa baignoire, et c'est moi qui devais m'occuper de mon père. Je restais assise, avec lui qui sanglotait, en me demandant ce que je pourrais bien faire pour le réconforter. Mais ce que je faisais ne changeait rien, c'était toujours une simple question de temps.* »

Devant ces difficultés, j'eus l'idée de tendre à Mélanie une sorte de liste que j'avais élaborée, en lui demandant de me dire quels étaient les points qui décrivaient ses sentiments et son comportement. C'était la liste des principales caractéristiques de la codépendance, telle qu'elle m'a beaucoup servi au cours des ans pour aider mes patients sur le chemin ardu de leur prise de conscience et dont je donne ici un aperçu[1] :

> *Résoudre ses problèmes à lui ou atténuer ses souffrances, est ce qu'il y a de plus important dans ma vie quoi qu'il puisse m'en coûter sur le plan émotionnel.*
> *Pour me sentir bien, j'ai besoin qu'il m'approuve.*
> *Je le protège des conséquences de ses actes. Je mens pour lui, je couvre ses méfaits, je ne laisse jamais personne dire du mal de lui.*
> *J'essaie de toutes mes forces de le faire agir à ma façon.*
> *Je ne fais attention ni à mes sentiments ni à mes besoins. Je ne m'occupe que de ses sentiments et de ses besoins à lui.*
> *Je suis prête à tout pour éviter qu'il ne me rejette.*
> *J'éprouve plus de passion dans une relation orageuse et dramatique.*
> *Je suis une perfectionniste et je me sens coupable de tout ce qui ne réussit pas.*
> *Je me sens furieuse, méprisée et exploitée la plupart du temps.*
> *Je fais semblant de trouver que tout va bien quand c'est le contraire.*
> *Ma vie est dominée par mes efforts pour l'amener à m'aimer.*

Mélanie répondit « oui » à chacune de ces propositions ! Elle était stupéfaite de voir à quel point elle était exactement complaisante. Pour l'aider à commencer à détruire ces schémas, je lui dis qu'il était essentiel pour elle d'établir la relation entre sa codépendance et ses rapports avec son père. Je lui demandai de se rappeler ce qu'elle ressentait lorsqu'il pleurait.

---

[1] On utilise le masculin comme une référence universelle à toute personne perturbée de l'un ou l'autre sexe. Je suis bien consciente qu'il y a de nombreux hommes impliqués dans des relations de co-dépendance avec une femme ou une compagne profondément perturbée, et vice versa.

« *Au début, j'étais vraiment affolée, parce que je pensais que papa était en train de mourir, et alors qui aurais-je comme papa? Puis, peu à peu, j'ai éprouvé de la honte à le voir dans cet état. Mais, surtout, je me sentais horriblement coupable – c'était ma faute, parce que je m'étais disputée avec mon frère ou pour une autre raison. Bref, j'avais vraiment mal agi avec mon père. Le pire, c'est que je me sentais tellement désespérée de ne pouvoir le rendre heureux. Ce qui est étonnant, c'est qu'il est mort depuis quatre ans, que j'ai quarante-deux ans, deux enfants à moi et que je me sens toujours coupable.* »

On avait forcé Mélanie à prendre soin de son père. Ses parents avaient tous deux carrément placé leurs responsabilités d'adultes sur ses jeunes épaules. Au moment de sa vie où elle aurait eu besoin d'un père fort, qui lui donnât confiance en elle, elle s'était trouvée au contraire tenue de dorloter un père infantile.

La première relation émotionnelle – et la plus profonde – de Mélanie avec un homme était celle qu'elle avait nouée avec son père. Enfant, elle était dépassée à la fois par le besoin que son père avait d'elle et par la culpabilité qu'elle ressentait lorsqu'elle ne pouvait satisfaire ses exigences. Jamais elle ne cessait ses efforts pour se racheter de son incapacité à le rendre heureux, même quand il n'était pas là. Elle avait simplement trouvé en remplacement des hommes perturbés qui avaient besoin que l'on s'occupe d'eux. Ses choix en matière d'hommes étaient dictés par son besoin d'apaiser sa culpabilité, mais en choisissant des substituts paternels tels que ces hommes, elle perpétuait les privations émotionnelles qu'elle avait endurées enfant.

Je demandai à Mélanie si sa mère lui avait donné l'amour ou l'attention que son père lui avait toujours refusés.

« *Ma mère essayait, mais elle était très souvent malade. Elle passait son temps à courir chez le docteur et, lorsqu'elle avait ses crises de colite, elle devait rester au lit. On lui prescrivait des tranquillisants et elle les consommait comme des bonbons.*

*Je crois qu'elle avait fini par être très dépendante, enfin, je le
suppose. Elle était toujours en dehors du coup. C'est la gou-
vernante qui nous a vraiment élevés. En fait, ma mère était
à la maison, mais elle n'était pas vraiment présente. C'est vers
treize ans que j'ai écrit une lettre au courrier des lectrices. Le
plus horrible, c'est que ma mère a découvert cette lettre. Tout
le monde penserait qu'elle serait venue me trouver pour me
demander ce qui me perturbait tant, mais je crois qu'elle se
fichait de ce que je pouvais ressentir. C'était comme si je
n'existais pas. »*

C'est comme si Mélanie était devenue une enfant invisible, et l'on retrouve ici les parents voleurs d'enfance, ces
parents qui concentrent toute leur énergie vers leur propre
survie physique ou émotionnelle et qui envoient de ce fait
un message très fort à leurs enfants : « Vos sentiments ne
sont pas importants. Je suis le seul qui compte. » Beaucoup de ces enfants, privés du temps, de l'attention et des
soins adéquats finissent par se sentir invisibles – comme
s'ils n'existaient même pas.

Pour qu'un enfant puisse élaborer le sens de sa valeur –
le sens qu'il n'est pas qu'un meuble, qu'il compte, qu'il est
important –, il faut que ses parents prennent en compte
ses besoins et ses sentiments. Mais les besoins émotionnels
du père de Mélanie étaient si considérables qu'il ne remar-
quait jamais les propres besoins de sa fille. Elle était là
quand il pleurait, mais il ne lui rendait pas la pareille.
Mélanie savait que sa mère avait trouvé sa lettre au courrier du cœur, pourtant sa mère n'y avait jamais fait allu-
sion. Le message émis par les deux parents était clair et
net : elle était pour eux une non-entité. Mélanie apprit à se
définir par rapport à leurs sentiments au lieu des siens ; si
grâce à elle ils se sentaient bien, elle était une bonne fille ;
si par sa faute ils se sentaient mal, elle était une mauvaise
fille.

Le résultat c'est que Mélanie, au cours de sa vie
d'adulte, avait beaucoup de difficultés à définir sa propre

identité. Parce qu'on avait encouragé chez elle des pensées, des sentiments et des besoins de dépendance, elle n'avait absolument aucune idée de ce qu'elle était, ni de ce qu'elle devait attendre d'une relation amoureuse.

Contrairement à beaucoup des adultes avec qui j'avais travaillé, Mélanie avait déjà pris conscience d'une certaine colère à l'égard de ses parents lorsqu'elle était venue me voir. Plus tard, nous allions nous concentrer sur toute cette colère, y travailler, et affronter ses profonds sentiments d'abandon sur le plan émotionnel. Elle allait apprendre à fixer des limites à ce qu'elle donnait d'elle aux autres, à respecter ses droits, ses besoins et ses sentiments propres. Elle allait apprendre à redevenir visible.

Le parent qui disparaît

Jusqu'à maintenant, nous avons parlé de parents absents sur le plan émotionnel. L'absence physique crée son propre lot de problèmes.

J'ai rencontré Claude, vingt-deux ans, pour la première fois à l'hôpital, dans un groupe pour jeunes adultes toxicomanes. C'était un garçon mince, aux cheveux noirs, avec un regard sombre et perçant. Il se fit remarquer, dès la première réunion du groupe, par son intelligence supérieure, sa grande aisance d'élocution, avec toutefois un discours très dévalorisant sur lui-même. Il eut du mal à se tenir assis jusqu'au terme des quatre-vingt-dix minutes de la séance ; c'était un paquet de nerfs. Je lui demandai de rester à la fin pour me parler un peu de lui. Méfiant quant à mes motivations, il me fit un numéro d'esbroufe, jouant au caïd, au dur, mais au bout de quelques minutes, il s'aperçut que je n'avais aucune arrière-pensée, que j'étais sincèrement désireuse d'atténuer ses souffrances ; il me parla alors d'une façon adoucie :

« J'ai toujours détesté l'école et, comme je ne savais pas quoi

faire, je me suis engagé à seize ans. C'est là que je me suis foutu dans les problèmes de drogue. J'ai toujours été un connard, de toute façon. »

Je demandai ce que ses parents avaient pensé de son engagement.

« Il n'y avait que maman et moi. Elle n'était pas folle de joie à cette idée, mais je crois qu'elle était contente de se débarrasser de moi. J'avais toujours des problèmes et je lui gâchais la vie. Elle me laissait faire tout ce que je voulais. »

Je lui demandai où était son père pendant tout ce temps.

« Mes parents ont divorcé quand j'avais huit ans. Ça a complètement détraqué ma mère. « Vous savez, j'avais toujours trouvé mon père génial. Il faisait toujours des trucs de père » avec moi. On regardait le sport ensemble à la télévision, il m'emmenait même de temps en temps assister à un match. Le jour où il est parti, j'ai chialé à m'en faire sortir les yeux de la tête. Il m'a dit que rien ne changerait, qu'il reviendrait regarder la télé avec moi, qu'il me verrait tous les dimanches et qu'on serait toujours copains. Je l'ai cru ; j'étais tellement con. Les premiers mois, je l'ai beaucoup vu, c'est vrai... et puis c'était une fois par mois... puis une fois tous les deux mois... et puis presque jamais. Je lui ai téléphoné une ou deux fois et il m'a dit qu'il était très occupé. Un an environ après son départ, maman m'a appris qu'il s'était remarié avec une femme qui avait trois enfants et qu'il avait quitté la région. C'était dur pour moi de comprendre qu'il avait désormais une nouvelle famille. Je pense qu'il les préférait parce qu'il s'est vraiment dépêché de m'oublier. »

Claude, qui voulait paraître dur, s'était vite effondré. Il était clair que parler de son père le mettait mal à l'aise. Je lui demandai quand il l'avait vu pour la dernière fois.

« Quand j'avais quinze ans et, là, j'ai fait une grosse erreur. J'en ai eu ras le bol des cartes de Noël sans rien d'autre, et j'ai

*décidé de lui faire une surprise. Qu'est-ce que j'étais excité!
J'ai fait toute la route en stop – quatorze heures. Quand je
suis arrivé… Je crois que j'espérais être accueilli avec enthou-
siasme. Je ne veux pas dire qu'il n'a pas été gentil, mais sans
plus. Au bout d'un moment, je me suis senti plutôt con.
C'était exactement comme si nous étions des étrangers. Il
était complètement gâteux avec ces petits enfants qu'il avait
adoptés, et moi je restais assis là comme le dernier des idiots.
Qu'est-ce que je me suis soûlé ce soir-là après avoir quitté sa
maison! Je continue à beaucoup penser à lui. Mais il ne faudrait surtout pas qu'il sache que je suis ici. Dès que je vais
sortir, j'essaierai de nouveau. Cette fois ce sera différent… ce
sera d'homme à homme. »*

Quand le père de Claude avait abandonné son jeune
fils, il avait laissé un grand vide dans la vie du garçon.
Claude était anéanti. Il avait essayé de supporter le coup
en exprimant sa colère par des méfaits à l'école et à la maison. Dans un sens, il appelait son père, comme si son
besoin d'autorité pouvait le faire revenir. Mais le père de
Claude ne semblait pas vouloir tenir compte de l'appel.

Le père de Claude ne voulait plus faire partie de la vie
de son fils; face à cette évidence écrasante, ce dernier
continuait à s'accrocher à son rêve, persuadé qu'il y avait
un moyen de regagner l'amour de son père. Dans le passé,
son espoir l'avait exposé à une grave déception, à laquelle
il avait réagi en se tournant vers la drogue. Je lui dis que je
craignais que cet enchaînement de situations ne continue
à dominer sa vie d'adulte, à moins que nous ne travail-
lions ensemble à détruire le processus.

Inconsciemment, Claude exerçait une rationalisation
sur l'abandon de son père, en prenant sur lui la responsabilité de cet événement. Quand il était enfant, il avait
pensé qu'il avait quelque chose de raté, et que c'était cela
qui avait causé le départ précipité de son père. Une fois
arrivé à cette conclusion, il était fatal qu'il se mît à se
détester. Il devint alors un jeune homme dont la vie

n'avait ni but, ni sens. Bien qu'il fût intelligent, il était agité et malheureux à l'école, et il s'était tourné vers l'armée comme une solution à ses problèmes. Quand cela eut échoué, il s'était tourné vers la drogue, dans une tentative désespérée pour remplir son vide intérieur et pour tuer sa douleur.

Le père de Claude avait sans doute été un père convenable avant son divorce, mais, après, il avait déplorablement manqué à ses devoirs, n'accordant pas à son fils le minimum de contact alors que celui-ci en avait si désespérément besoin. En cela, il avait entravé le développement émotionnel de Claude, affectant son sentiment de sa valeur personnelle et de sa capacité à être aimé.

Il n'existe pas de divorce heureux. Un divorce est toujours un traumatisme pour tous les membres de la famille, même si c'est la chose la plus saine compte tenu des circonstances. Mais il est essentiel que les parents prennent conscience qu'ils divorcent d'un conjoint et non d'une famille. Les deux parents ont la responsabilité de maintenir le contact avec leurs enfants, en dépit de la rupture de leur propre vie. Un décret de divorce n'est pas une autorisation donnée à un parent inapte d'abandonner son ou ses enfants.

Le départ d'un parent provoque chez l'enfant un sentiment particulièrement douloureux de vide et de manque. N'oubliez pas que les enfants en viennent presque toujours à la conclusion que, si quelque chose de négatif arrive dans la famille, c'est leur faute. Les enfants de parents divorcés sont particulièrement portés à ce genre de conviction. Un parent qui disparaît de la vie de ses enfants renforce leurs sentiments d'invisibilité, causant à leur amour-propre des dommages qu'ils traîneront jusqu'à l'âge adulte comme un boulet au bout d'une chaîne.

La toxicité de parents incompétents ou déficients peut être insaisissable, difficile à définir. Il est beaucoup plus aisé, en effet, d'identifier un comportement abusif lorsqu'il s'agit de coups ou d'incessants reproches infligés à un enfant par un parent. Quand un parent cause des torts par omission plutôt que par action – par ce qu'il ne fait pas, plutôt que par ce qu'il fait – les rapports entre les problèmes à l'âge adulte et ce genre de comportement parental toxique devient très difficile à discerner. Étant donné que les enfants de ces parents sont de toute façon disposés à nier tout rapprochement de cet ordre, mon travail s'en trouve singulièrement compliqué.

Le problème se corse encore du fait que beaucoup de ces parents sont eux-mêmes si perturbés qu'ils suscitent de la pitié. Ces parents se comportant si souvent comme des enfants faibles et irresponsables, leurs enfants adultes ressentent des sentiments protecteurs à leur égard. Ils se précipitent pour prendre la défense de leurs parents, comme la victime d'un crime qui s'excuserait pour le criminel.

Que ce soit : « Ils n'avaient pas l'intention de mal faire » ou : « Ils ont fait du mieux qu'ils pouvaient », ces excuses masquent le fait que ces parents ont abdiqué, abandonnant leurs responsabilités à leurs enfants. Par cette abdication, ces parents toxiques ont privé leurs enfants de modèles de rôles positifs, sans lesquels il est extrêmement difficile de se développer sainement sur le plan émotionnel.

Si vous êtes l'enfant d'un parent incompétent ou déficient, vous avez probablement grandi sans vous rendre compte que vous n'étiez pas forcé de vous sentir responsable d'eux, qu'il y avait une autre solution. Vous étiez une sorte de marionnette qu'ils manipulaient au gré de leurs émotions, c'était pour vous un genre de vie, pas un choix.

Mais vous avez effectivement le choix. Vous pouvez commencer à repenser votre jeunesse, à voir que l'on vous a forcé à grandir trop vite, à tort, que l'on vous a volé l'enfance à laquelle vous aviez droit. Vous pouvez vous mettre à accepter le fait qu'une grande partie de votre énergie est partie à vau-l'eau, au fil des abus de responsabilités. Si vous franchissez cette première étape, vous découvrirez une nouvelle réserve d'énergie, pour la première fois à votre disposition – l'énergie que vous avez épuisée à prendre soin de vos parents toxiques pendant une grande partie de votre vie, mais qui peut enfin être utilisée pour vous aider à vous aimer davantage et à vous sentir plus responsable de vous-même.

3

Les parents dominateurs

L'autorité n'est pas obligatoirement un mal. Lorsqu'une mère retient son petit enfant d'aller vagabonder dans la rue, on ne la traite pas de mère dominatrice, on dit qu'elle est prudente. Elle exerce un contrôle qui est adapté à la réalité, justifié par le fait que son enfant a besoin d'être guidé et protégé.

Le contrôle approprié devient abusif lorsque la mère retient son enfant dix ans plus tard, bien après qu'il est parfaitement capable de traverser la rue seul.

Les enfants que l'on n'encourage pas à agir, à essayer, à explorer, à maîtriser un comportement et à risquer l'échec se sentent souvent faibles et incapables. Abusivement contrôlés par des parents craintifs et anxieux, ces enfants deviennent souvent eux-mêmes craintifs et anxieux. A cause de cela ils ont des difficultés à mûrir. Au cours de l'adolescence et de l'âge adulte, leur développement, pour beaucoup d'entre eux, ne leur permet jamais de se passer des conseils et du contrôle de leurs parents. Le résultat, c'est que leurs parents continuent à envahir leur vie, à la manipuler et souvent à la dominer.

La crainte de ne plus être nécessaire motive beaucoup de parents dominateurs à perpétuer chez leurs enfants cette impuissance. Ces parents ont une crainte malsaine du « syndrome du nid vide », ce sentiment de perte que ressent inévitablement tout parent lorsque ses enfants quittent la maison. Le parent dominateur a une si grande part de son identité liée à son rôle parental qu'il se sent trahi ou abandonné lorsque l'enfant devient indépendant.

Ce qui rend un parent dominateur si insidieux, c'est que son contrôle s'exerce sous le masque du souci. Des phrases telles que : « Je ne fais cela que pour toi » et « C'est seulement parce que je t'aime tant », signifient toutes la même chose : « Je fais cela parce que j'ai tellement peur de te perdre que je suis prêt à te rendre malheureux ».

On peut même arguer : *« C'est pour ton bien. »*

Imaginons une conversation entre un fils – ou une fille – adulte et l'un de ses parents dominateurs qui, si ces deux personnes étaient capables d'exprimer franchement leurs sentiments les plus secrets, se déroulerait ainsi :

L'ENFANT DEVENU ADULTE : Pourquoi agis-tu de cette façon ? Pourquoi est-ce que tout ce que je fais est mal ? Pourquoi ne peux-tu me traiter en adulte ? Qu'est-ce que cela peut bien faire à papa que je ne sois pas docteur ? Qu'est-ce que cela peut bien te faire que je me marie avec telle ou telle personne ? Quand vas-tu me laisser faire ? Pourquoi agis-tu comme si chacune des décisions que je prends seul était comme une agression à ton égard ?

LE PARENT DOMINATEUR : Je ne peux pas décrire la douleur que je ressens quand tu t'éloignes de moi. J'ai besoin que tu aies besoin de moi. Je ne peux pas supporter l'idée de te perdre. Tu es toute ma vie. J'ai affreusement peur que tu ne fasses de terribles erreurs. Je serais déchiré de te voir blessé. Je préférerais mourir plutôt que de sentir que j'ai échoué comme mère ou père.

L'autorité manifeste

Aucune ambiguïté dans l'autorité directe. C'est un comportement manifeste, évident, tout à fait franc. « Fais ce que je dis ou je ne te parlerai plus jamais » ; « Fais ce que je te dis ou je ne te donnerai plus d'argent » ; « Si tu ne fais pas ce que je te dis, tu n'appartiendras plus à la famille » ; « Si tu me contraries, j'aurai une attaque ». Il n'y a là rien de subtil.

Le contrôle direct s'accompagne habituellement d'intimidation et il est souvent humiliant. Vos sentiments et vos besoins doivent être subordonnés à ceux de vos parents. Vous êtes entraîné dans le gouffre sans fond des ultimatums. Votre opinion n'a aucune valeur ; vos besoins, vos désirs n'ont pas la moindre importance. Le déséquilibre des forces est considérable, comme en témoignent Michel, Claire et Martin.

Michel, un charmant publicitaire de trente-six ans, aux traits empreints de douceur, nous fournit un exemple de cette situation. Sa femme, qu'il aimait profondément et avec qui il vivait depuis six ans, entretenait des relations très conflictuelles avec ses parents à lui, ce qui avait fini par compromettre sérieusement leur entente et même leur mariage. C'est la raison pour laquelle il vint me consulter.

« Mes ennuis ont véritablement commencé lorsque je suis parti pour la Californie. Je pense que ma mère croyait que c'était temporaire. Mais quand je lui ai annoncé que j'étais tombé amoureux et que j'envisageais de me marier, elle s'est rendu compte que je voulais m'y installer définitivement. C'est à ce moment qu'elle s'est mise à faire monter la pression pour que je rentre à la maison. »

Je demandai à Michel de m'en dire plus sur la « pression ».

« L'incident le plus grave a éclaté environ un an après mon mariage. Nous avions prévu d'aller à Boston fêter l'anniversaire de mariage de mes parents lorsque ma femme a attrapé une très forte grippe. Elle était vraiment malade. Je ne voulais pas la laisser, j'ai donc appelé ma mère pour nous décom-

mander. Pour commencer, elle a éclaté en sanglots. Puis elle m'a déclaré : " Si tu ne viens pas pour notre anniversaire de mariage, j'en mourrai. " Alors j'ai cédé et je suis parti pour Boston. Je suis arrivé le matin de la fête, mais j'avais à peine posé le pied hors de l'avion qu'ils ont commencé à me dire qu'il fallait que je reste toute la semaine. Je n'ai répondu ni oui ni non, mais je suis parti le lendemain matin. Un jour après, je recevais un appel de mon père : " Tu es en train de tuer ta mère. Elle a pleuré toute la nuit. Je crains qu'elle n'ait une attaque. " Que diable veulent-ils de moi ? Que je divorce, que je revienne à Boston et que je m'installe à nouveau dans ma chambre ? »

Les parents de Michel, bien que éloignés de cinq mille kilomètres, réussissaient à tirer les ficelles. Je lui demandai si ses parents avaient accepté sa femme. Michel rougit de colère.

« Absolument pas. Quand ils téléphonent, ils ne demandent jamais de ses nouvelles. En fait, ils ne mentionnent jamais son nom. C'est comme s'ils faisaient semblant de croire qu'elle n'existe pas. »

Je demandai à Michel s'il avait abordé le sujet avec ses parents et il parut embarrassé en me répondant :

« Non, et je le regrette. Chaque fois que mes parents lui ont fait des reproches, j'estimais qu'elle devait les accepter. Quand elle se plaignait, je lui demandais de les comprendre. Bon sang, qu'est-ce que j'étais stupide ! Mes parents s'acharnent contre ma femme et moi, tout ce que je trouve à faire, c'est de les laisser lui faire du mal. »

Le crime de Michel c'était d'être devenu indépendant, ce qui avait réduit ses parents au désespoir ; ceux-ci avaient réagi avec les tactiques qu'ils connaissaient le mieux : le retrait de leur affection et la prédiction de catastrophes.

Comme beaucoup de parents dominateurs, le père et la

mère de Michel étaient incroyablement égocentriques. Ils se sentaient menacés par le bonheur de Michel, au lieu d'y voir la réussite de leur éducation. Ils n'accordaient pas la moindre importance aux intérêts de Michel. Selon eux, il n'était pas parti en Californie pour des raisons professionnelles, il était parti pour les punir. Il ne s'était pas marié par amour, il s'était marié pour les contrarier. Sa femme n'était pas tombée malade parce qu'elle avait attrapé un virus, elle était tombée malade pour les priver de leur fils.

Les parents de Michel l'obligeaient toujours à choisir entre eux et sa femme. Et chaque choix était transformé par eux en une décision de tout ou rien. Avec des parents ouvertement dominateurs, il n'y a pas de demi-mesure. Si l'enfant essaie de retrouver un tant soit peu le contrôle de sa propre vie, il en paie le prix : culpabilité, colère, frustration et le sentiment profond d'avoir trahi.

A sa première consultation, Michel avait l'impression que le problème majeur était un problème de couple. Il ne lui fallut pas longtemps pour se rendre compte que son couple n'était que la victime de la guerre que ses parents avaient entreprise pour garder leur emprise sur lui, à partir du moment où il était parti de chez eux.

Le mariage d'un enfant peut être ressenti comme une très grave menace par des parents dominateurs. Ils voient dans le conjoint un rival qui va empêcher leur enfant de se consacrer à eux. Cela provoque des conflits épouvantables entre les parents et le conjoint, conflits qui placent l'enfant au milieu de feux croisés, entre deux sentiments de loyauté qui s'opposent.

Certains parents s'attaquent au couple avec des critiques, des sarcasmes, des prédictions d'échec. D'autres, comme dans le cas de Michel, refusent d'accepter la nouvelle venue ou vont même jusqu'à ignorer son existence. D'autres encore persécutent ouvertement le nouveau conjoint. Il n'est pas rare que de tels agissements engendrent des bouleversements tels qu'ils menacent la survie du mariage, comme en témoigne, à travers des problèmes financiers, le cas de Claire lorsqu'elle déclare : « *Pourquoi est-ce que je me laisse acheter par mes parents ?* »

L'argent, on le sait, a toujours été le langage premier du pouvoir, ce qui en fait logiquement un outil au service des parents dominateurs. Beaucoup de parents toxiques utilisent l'argent pour maintenir leurs enfants dans l'état de dépendance.

Claire vint me consulter pour diverses raisons. Elle avait quarante et un ans, était trop grosse, n'aimait pas son travail, venait de divorcer, avec deux enfants adolescents. C'était comme si elle ne parvenait pas à sortir de l'ornière ; car elle voulait perdre du poids, prendre des risques sur le plan professionnel et trouver un but dans sa vie. Mais elle était persuadée qu'il n'y avait qu'une façon de venir à bout de ses problèmes : rencontrer l'homme idéal.

Au cours de notre séance, je découvris que Claire croyait fermement n'être rien sans un homme pour s'occuper d'elle. Je lui demandai d'où elle tenait cette idée.

« Eh bien ! sûrement pas de mon mari. C'était plutôt à moi de m'occuper de lui. Je l'ai rencontré juste à la sortie de l'université. Il avait vingt-sept ans, vivait toujours chez ses parents et était très indécis quant à la façon dont il allait gagner sa vie. Mais il était sensible et romantique et je suis tombée amoureuse de lui. Mon père y était complètement opposé, mais je crois qu'en secret j'étais ravie d'avoir choisi quelqu'un incapable de se débrouiller. Lorsque j'ai déclaré que je tenais absolument à me marier avec lui, mon père m'a dit qu'il nous donnerait de quoi vivre pendant un certain temps et que, si les choses ne s'arrangeaient pas, il offrirait à mon mari un poste dans sa société. Bien sûr, à entendre cela, mon père passe pour un homme extraordinaire ; en fait, ça lui a donné sur nous un pouvoir incroyable. Bien que mariée, je restais la petite fille de papa. Mon père nous entretenait sur

le plan financier, mais en échange il nous disait comment vivre notre vie. Je tenais une maison, j'élevais des bébés, et pourtant... »

Claire s'arrêta au milieu de sa phrase. « Et pourtant quoi ? » demandai-je. Elle baissa les yeux vers le sol en terminant :

> « *Et pourtant... j'avais toujours besoin de papa pour s'occuper de moi.* »

Je demandai à Claire si elle voyait le lien entre sa relation avec son père et sa dépendance à l'égard des hommes pour lui apporter le bonheur.

> « *Je ne peux pas nier que mon père est la personne qui a le plus compté dans ma vie. Il m'adorait vraiment quand j'étais petite, mais il n'a pas supporté que je me mette à avoir mes propres idées. Il se mettait à hurler dès que j'osais le contredire. Il me traitait de tous les noms. Il était vraiment violent, effrayant. Quand je suis devenue adolescente, il s'est mis à utiliser l'argent pour m'obliger à rester dans le rang. Parfois il pouvait être incroyablement généreux et cela me donnait l'impression d'être aimée et protégée. Mais, à d'autres moments, il m'humiliait en m'obligeant à pleurer, à mendier pour tout, du billet de cinéma aux livres d'école. Je ne savais jamais vraiment quelle faute j'avais commise. Ce qui est sûr c'est que je passais énormément de temps à essayer de trouver comment lui plaire. Il n'était jamais le même deux jours de suite. Il ne cessait de rendre les choses plus difficiles.* »

Pour Claire, essayer de plaire à son père, c'était comme courir dans une course où il ne cessait de déplacer la ligne d'arrivée. Plus elle courait vite, et plus vite il déplaçait l'arrivée. Elle ne pouvait pas gagner. Il utilisait l'argent à la fois comme récompense et comme punition, sans logique ni cohérence. Il était tour à tour généreux et avare de son argent, tout comme il l'était de son affection. Elle recevait des messages contradictoires qui la perturbaient. Sa dépendance devint inextricablement liée à l'approbation de son père. Cette confusion s'était poursuivie dans la vie d'adulte de Claire.

> « *J'ai encouragé mon mari à aller travailler pour mon père. Quelle erreur! A partir de ce moment, nous étions vraiment à sa merci. Tout devait être fait à sa manière: du choix de l'appartement à l'apprentissage de la propreté pour nos enfants. Il a fait à Joël une vie tellement infernale au bureau que Joël a fini par donner sa démission. Mon père a pris ça comme une nouvelle preuve de l'incapacité de mon mari, bien que celui-ci ait trouvé un autre emploi. A cette occasion, mon père m'est tombé dessus à bras raccourcis, en me menaçant de ne plus nous aider, mais ensuite il a complètement changé de position et pour Noël il m'a acheté une nouvelle voiture. En me tendant les clés, il m'a dit: "Est-ce que tu ne voudrais pas que ton mari soit aussi riche que moi?" »*

Sous un air de magnanimité, le père de Claire utilisait sa puissance financière d'une façon destructrice et très cruelle. Il se servait de l'argent pour se rendre de plus en plus indispensable aux yeux de Claire et pour dévaloriser sans relâche le mari de celle-ci. De cette façon, il avait continué à contrôler sa vie, bien après son départ du nid familial. Mais, dans bien des cas, la seule dévalorisation peut suffire à être toxique, comme en témoigne Martin, lorsqu'il cite son père: « Tu ne peux t'empêcher de faire tout de travers? » Beaucoup de parents toxiques contrôlent leurs enfants adultes en les traitant comme s'ils étaient faibles et incapables, même lorsque c'est carrément opposé à la réalité.

Martin, un homme de quarante-trois ans, mince, légèrement chauve, était le président d'une petite société de matériel de construction; il vint me trouver dans un véritable état de panique. Il me dit:

> « *Je suis terrifié. Quelque chose se passe en moi. J'ai des accès de colère. Je ne peux plus me contrôler. J'ai toujours été quel-*

qu'un de tout à fait pacifique, mais depuis quelques mois, je m'emporte contre ma femme et mes enfants, je claque les portes et, il y a trois semaines, je me suis tellement énervé que j'ai fait un trou dans le mur en tapant dedans. J'ai vraiment peur de finir par blesser quelqu'un. »

Je le félicitai d'avoir eu le courage et le bon sens de venir en thérapie avant que le problème l'ait complètement dépassé. Je lui demandai qui il aurait aimé frapper au moment où il avait démoli ce mur. Il se mit à rire amèrement.

« C'est facile – mon père. Quels que soient mes efforts, il me fait toujours sentir que j'ai tort. Est-ce que vous me croiriez si je vous disais qu'il a le front de me dénigrer en présence de mes employés ? »

En constatant mon air déconcerté, il expliqua :

« Mon père m'a fait entrer dans sa société il y a dix-huit ans, quelques années avant de prendre sa retraite. Je dirige cette affaire depuis quinze ans. Eh bien ! chaque bon Dieu de semaine, il faut que mon père vienne mettre son nez dans les comptes. Et puis il rouspète sur la façon dont je tiens les livres. Il me suit, hors de mon bureau, en hurlant que je coule sa société. En plein devant les employés. L'ironie du sort c'est que j'ai transformé cette affaire. J'ai doublé nos bénéfices au cours des trois dernières années ; mais il ne veut pas me lâcher. Qu'est-ce qu'il faut à cet homme pour être satisfait ? »

Martin devait sans cesse sauter à travers des cerceaux pour prouver sa valeur. Il avait une preuve irréfutable de sa réussite – les bénéfices qu'il avait réalisés –, mais cette preuve s'effaçait face à la désapprobation paternelle. Je suggérai à Martin que peut-être son père se sentait menacé par son succès. L'ego du vieil homme paraissait indissociable de la création de cette entreprise mais, à présent, sa réussite était éclipsée par celle de son fils.

Je demandai à Martin si, au cours de ces incidents, il ressentait autre chose que de la colère :

« Ça, c'est sûr. J'ai vraiment honte de vous l'avouer, mais chaque fois qu'il pénètre dans mon bureau, j'ai l'impression d'avoir à nouveau deux ans. Je ne suis même pas capable de répondre aux questions. Je me mets à bégayer, je m'excuse et je me sens effrayé. Il a l'air si plein de force que, bien que je sois physiquement aussi grand que lui, j'ai l'impression d'avoir à peine la moitié de sa taille. Il a ce regard glacial, ce ton critique. Pourquoi ne me traite-t-il pas comme un adulte ? »

Le père de Martin utilisait la société pour maintenir son fils dans un état subjectif d'incapacité, ce qui avait pour conséquence de permettre au père de se sentir lui-même mieux. Lorsque papa appuyait sur le bon bouton, Martin redevenait un enfant sans défense dans des vêtements d'adulte.

Cela a pris un certain temps, mais Martin a fini par se rendre compte qu'il fallait abandonner l'espoir que son père changerait un jour. A présent, Martin travaille sérieusement à modifier sa manière de se comporter avec son père.

Les parents manipulateurs et la capitulation des enfants

Il y a une autre puissante forme de domination qui, bien que plus subtile et plus insidieuse que le contrôle direct, est bien aussi destructrice : la manipulation. Les parents manipulateurs obtiennent ce qu'ils veulent sans jamais avoir à le demander, sans jamais risquer le refus puisqu'ils n'expriment pas ouvertement leurs désirs.

Tous, nous manipulons les autres, dans une certaine mesure. Rares sont ceux d'entre nous qui ont assez d'assurance pour simplement demander ce qu'ils désirent. En conséquence, nous élaborons des façons indirectes de demander. Nous ne demandons pas à notre épouse un verre de vin, nous demandons s'il y a une bouteille d'ouverte, nous ne demandons pas à nos invités de partir à la fin de la soirée, nous bâillons ; nous ne demandons pas à une belle inconnue son numéro de téléphone, nous engageons une conversation anodine. Les enfants manipulent leurs parents autant que les parents manipulent les enfants. Les conjoints, les amis, les membres d'une famille, tous se manipulent les uns les autres... Les vendeurs gagnent leur vie par la manipulation. Il n'y a là rien qui soit intrinsèquement mal ; c'est un mode de communication humain normal.

Mais, lorsqu'elle devient un instrument de contrôle délibéré, la manipulation peut être extrêmement destructrice, tout spécialement dans une relation parent/enfant. Les parents manipulateurs sont si experts dans l'art de cacher leurs véritables motivations que leurs enfants vivent dans un monde de confusion. Ils savent qu'ils sont en train de se faire avoir, mais ils sont incapables de découvrir comment, et cela va entraîner, on va le voir, des formes diverses de dépression, comme en témoigne Laure, quand elle s'exclame d'emblée : « Pourquoi faut-il toujours qu'elle m'aide ? »

En effet, un des types les plus courants de manipulateurs c'est le « bon Samaritain ». Au lieu de laisser les choses se faire, le bon Samaritain crée des situations telles que son enfant adulte ait besoin de lui – ou d'elle. Cette manipulation se présente souvent sous l'aspect d'une assistance pleine de bonnes intentions, mais qui n'est pas souhaitée.

Laure, une jeune femme sociable de trente-deux ans, était une ancienne championne de tennis amateur passée professionnelle et qui menait une carrière prospère dans un club de tennis. Malgré une vie sociale active, une réussite professionnelle évidente et un bon emploi, elle était régulièrement sujette à de profondes crises de dépression. Ses rapports avec sa mère devinrent rapidement le sujet dominant de notre première séance ensemble :

> « J'ai travaillé très dur pour en arriver là où j'en suis, mais ma mère croit que je suis incapable d'attacher mes lacets toute seule. Elle ne vit que pour moi, et cela n'a fait qu'empirer depuis la mort de mon père. Elle ne me laisse jamais en paix. Elle apporte toujours des provisions à mon appartement, parce que, d'après elle, je ne me nourris pas assez bien. Parfois, en rentrant chez moi, je découvre qu'elle est venue faire le ménage, comme ça, par pure gentillesse, et qu'elle a même mis de l'ordre dans mes vêtements et changé les meubles de place ! »

Je voulus savoir si Laure avait simplement demandé à sa mère d'arrêter tout cela :

> « Je le lui demande tout le temps. Elle se met alors à pleurer en disant : « Pourquoi est-ce qu'une mère n'aurait pas le droit d'aider une fille qu'elle aime ? » Le mois dernier, j'étais invitée à un tournoi à San Francisco. Ma mère ne cessait de me répéter encore et encore que c'était bien trop loin et que je ne pouvais absolument pas conduire toute seule jusque là-bas. Elle se proposait de venir avec moi. Quand je lui ai dit que ce n'était vraiment pas nécessaire, elle a réagi comme si j'essayais de la priver de vacances gratuites. J'ai donc dit oui. Je me réjouissais vraiment de passer un moment tranquille, mais que pouvais-je faire d'autre ? »

Au cours de nos séances de thérapie, Laure comprit peu à peu que ses sentiments de compétence avaient été en grande partie étouffés par sa mère. Mais, chaque fois que Laure essayait d'exprimer sa frustration, elle était submergée par la culpabilité parce que sa mère semblait si affectueuse et si préoccupée de son bien-être. Laure en voulait de plus en plus à sa mère et, comme elle ne pouvait exprimer sa colère, il fallait qu'elle la garde en elle. En fin de compte, elle trouva un exutoire : la dépression.

Bien entendu, la dépression ne faisait que renforcer le processus. Sa mère ne manquait jamais une occasion de lui dire : « Écoute, tu as vraiment l'air d'avoir le cafard. Je vais te préparer un petit repas pour te remonter le moral. »

Les rares fois où Laure rassemblait son courage pour dire à sa mère ce qu'elle ressentait, sa mère se transformait en martyre éplorée ! Laure se sentait invariablement coupable et essayait de s'excuser, mais sa mère l'arrêtait net en disant : « Ne t'en fais pas pour moi, je survivrai. »

Je suggérai que, si sa mère avait demandé ouvertement ce qu'elle voulait, Laure n'aurait pas été aussi contrariée. Laure acquiesça.

> « *Vous avez raison. Si seulement elle me disait : « Je me sens seule, tu me manques, j'aimerais que tu passes plus de temps avec moi », au moins je saurais à quoi m'en tenir. J'aurais le choix. De la façon dont les choses se passent, c'est comme si elle avait pris ma vie en main.* »

Lorsque Laure se plaignait de ne pas avoir le choix, elle ne faisait que répéter ce que croient beaucoup d'adultes enfants de parents manipulateurs. La manipulation met les gens au pied du mur : pour la combattre, il leur faut faire de la peine à quelqu'un dont le seul tort est de vouloir être « gentil ». Pour la plupart des gens, il est plus facile de céder. Frédéric nous donne ici un autre éclairage, à l'occasion des fêtes, dont on pourrait dire qu'elles sont une saison pour la mélancolie.

En effet, les fêtes fournissent aux parents manipulateurs l'occasion de se surpasser, de répandre la culpabilité à l'entour comme si c'était des vœux de Noël. Les fêtes ont tendance à aggraver les conflits familiaux déjà existants. Au lieu de se réjouir à l'avance, beaucoup de gens redoutent le surcroît de tension qui accompagne souvent les fêtes.

Un de mes patients, Frédéric, un employé d'épicerie de

vingt-sept ans, le plus jeune d'une famille de quatre enfants, me raconta l'histoire d'une manipulation bien classique :

> « *Ma mère a toujours beaucoup insisté pour que nous venions tous passer Noël chez elle. L'année dernière, au cours d'un jeu radiophonique, j'ai gagné un week-end gratuit à Aspen. J'étais vraiment fou de joie, car je n'avais pas les moyens de m'offrir un pareil voyage. J'adore skier, et c'était pour moi une occasion inespérée d'emmener ma fiancée dans un endroit super. Nous avions tous deux travaillé très dur, ces vacances, c'était le paradis. Mais, quand j'ai annoncé la nouvelle à maman, elle a paru sur le point de rendre l'âme. Elle avait les yeux mouillés, les lèvres tremblantes, vous savez, comme quelqu'un qui va pleurer. Et elle a dit : « D'accord, mon chéri. Amuse-toi bien. Nous allons peut-être nous passer du dîner de Noël, cette année », ce qui m'a donné le sentiment d'être un vrai salaud.* »

Je demandai à Frédéric s'il avait réussi à partir quand même.

> « *Oui, je suis parti. Mais pour vivre le pire moment de ma vie. J'étais de si mauvaise humeur que je n'arrêtais pas de me disputer avec ma fiancée. J'ai passé la moitié du séjour à téléphoner à ma mère, à mes frères, à ma sœur… Je n'arrêtais pas de m'excuser. Ce déplacement ne valait vraiment pas que je me mette dans cet état.* »

J'étais vraiment surprise que Frédéric soit quand même parti. J'ai vu des gens faire des concessions beaucoup plus extravagantes qu'un voyage pour éviter de se sentir coupables. Les parents manipulateurs sont maîtres en l'art de culpabiliser et la mère de Frédéric ne faisait pas exception.

> « *Bien entendu, ils ont fait leur dîner de Noël sans moi. Mais ma mère était si malheureuse qu'elle a laissé brûler la dinde pour la première fois depuis quarante ans. J'ai eu trois coups de téléphone de ma sœur pour me dire que j'avais tué la tradition familiale. Mon frère aîné m'a dit que mon absence* »

avait donné le cafard à tout le monde. Et enfin mon autre frère m'a asséné le coup de grâce. Il a déclaré : « Nous, ses enfants, c'est tout ce qu'elle a. Combien de Noëls penses-tu que maman ait encore à vivre ? » Comme si je l'avais abandonnée sur son lit de mort, en somme. Est-ce que c'est juste ? Elle n'a pas encore soixante ans, elle est en parfaite santé. Je suis persuadé qu'il ne faisait que répéter ses paroles à elle. Je peux vous dire que je ne suis pas près de manquer un nouveau Noël. »

Au lieu d'exprimer directement à Frédéric ce qu'elle ressentait, sa mère avait engagé ses autres enfants à le faire pour elle. C'est, pour beaucoup de parents manipulateurs, une tactique extrêmement efficace. Rappelez-vous que le but premier, c'est d'éviter la confrontation directe. Au lieu d'accuser Frédéric elle-même, sa mère a joué les martyrs au cours du dîner de Noël. Elle n'aurait pas exprimé une condamnation plus forte si elle avait mis une annonce dans le journal.

J'expliquai à Frédéric que sa mère, ses frères et sœur avaient choisi eux-mêmes de passer un mauvais Noël. Frédéric n'était pas responsable. Cela ne dépendait que d'eux-mêmes de boire à la santé de Frédéric en son absence et de passer une soirée pleine de joie.

Tant que Frédéric se croirait méchant parce qu'il avait osé faire quelque chose pour lui, sa mère continuerait à le contrôler en le culpabilisant.

Frédéric finit par comprendre cela, et il est à présent beaucoup plus affirmé dans ses relations avec sa mère. Bien qu'elle considère la nouvelle assurance de son fils comme une sorte de « punition », Frédéric a renversé l'équilibre des forces de sorte que chaque concession est faite parce qu'il l'a voulue et non parce qu'il a capitulé.

La rivalité fraternelle est une occasion pour les parents dominateurs d'exercer leur pouvoir manipulateur. Beaucoup de parents toxiques comparent défavorablement un enfant à l'autre pour reprocher à celui qui est en cause de ne pas faire assez d'efforts pour gagner leur affection. Ce qui pousse l'enfant à faire tout ce que désirent les parents, dans le but de regagner leurs faveurs. Cette technique qui consiste à diviser pour mieux régner est souvent utilisée à l'encontre des enfants qui prennent un peu trop d'indépendance et menacent ainsi l'équilibre du système familial.

Consciemment ou inconsciemment, ces parents manipulent une rivalité fraternelle par ailleurs normale, jusqu'à en faire une compétition sans merci qui bloque le développement de liens fraternels sains. Les conséquences vont loin. L'image que l'enfant a de lui-même est, bien évidemment, détériorée, mais, en plus, les comparaisons négatives provoquent des jalousies et des rancunes entre frères et sœurs qui peuvent marquer leurs rapports la vie durant.

Les parents manipulateurs et la révolte des enfants

Quand des parents toxiques nous contrôlent de façon intense, par l'intimidation, la culpabilisation ou la mutilation de nos émotions, nous avons deux réactions possibles : capituler ou nous révolter. Ces réactions bloquent toutes deux la séparation psychologique, quoique la révolte paraisse aboutir au contraire. La vérité c'est que, si notre révolte est une réaction contre nos parents, nous sommes aussi sûrement contrôlés que si nous nous soumettons.

Jean-François, cinquante-cinq ans, était un célibataire séduisant, à l'allure sportive, propriétaire d'une grande société d'informatique. Au cours de notre première séance, il s'excusa presque des sentiments intenses de panique et de solitude qu'il ressentait :

« *Surtout n'allez pas me plaindre. J'ai une magnifique maison. Je collectionne les voitures. Je possède toutes sortes de choses. Je mène une existence tout à fait agréable. Mais il y a des moments où je me sens très, très seul. J'ai tant de choses et je ne peux les partager avec personne. Parfois je me sens terriblement frustré; je regrette surtout l'affection que j'aurais pu trouver dans une relation intime. Je suis terrifié à l'idée de finir tout seul.* »

Je demandai à Jean-François s'il avait une idée de la raison pour laquelle il avait tant de difficulté à se lier avec quelqu'un :

« *Chaque fois que je me suis attaché à une femme, ou même que j'ai songé à l'épouser, j'ai paniqué et je me suis enfui. Je ne sais pas pourquoi… Je voudrais bien le savoir. Ma mère est toujours là à me pousser.* »

Je demandai à Jean-François comment il ressentait cette pression que lui imposait sa mère :

« *Elle est obsédée par mon mariage. Elle a quatre-vingt-un ans, elle est en bonne santé et a beaucoup d'amis, mais elle me donne l'impression de consacrer tout son temps à ma vie sentimentale. Je l'aime vraiment, mais je ne peux pas la supporter à cause de cela. Elle vit pour mon bonheur. Elle m'étouffe de ses bonnes intentions. Cette femme me colle à la peau et je ne peux pas m'en débarrasser. Elle est sans cesse à vouloir me dire comment vivre ma vie… depuis toujours. Je veux dire que si elle pouvait respirer pour moi, elle le ferait.* »

La dernière phrase de Jean-François était une parfaite description de la « fusion ». Sa mère était tellement intimement liée avec lui qu'elle en oubliait la limite entre eux deux. Elle « fusionnait » leurs deux vies. Son fils était devenu un prolongement d'elle-même, comme si sa vie à lui était sa vie à elle. Jean-François avait besoin de se libérer de son contrôle étouffant, et il se révoltait. Il refusait tout ce qu'elle désirait pour lui, y compris ce qu'il pouvait vouloir par ailleurs, comme le mariage.

Je suggérai à Jean-François qu'il pouvait avoir mis tant de détermination dans sa révolte contre le contrôle maternel qu'il en avait ignoré ses propres désirs. C'était devenu si important pour lui de ne pas céder aux souhaits de sa mère qu'il s'était privé d'entretenir avec une femme une relation qu'il avouait rechercher. En agissant ainsi, il se donnait à lui-même l'illusion qu'il était « son propre maître », mais, en réalité, son besoin de révolte dominait sa liberté de choix.

J'appelle ce comportement la révolte autodestructrice. C'est le revers de la capitulation. Une saine révolte est une manifestation active de libre choix. Elle développe la personnalité et l'individualité. La révolte autodestructrice est une réaction contre un parent dominateur, une façon d'agir dans laquelle les moyens essaient de justifier une fin décevante. Rarement au mieux de nos intérêts.

Où l'on retrouve le pouvoir des parents morts

Une participante à une thérapie de groupe a déclaré une fois : « Mes parents sont tous deux morts, donc ils n'ont plus aucun pouvoir sur moi. » Un autre participant s'est exclamé : « Ils sont peut-être morts, ma chère amie, mais ils continuent à vivre dans votre tête. » La révolte autodestructrice et la capitulation peuvent toutes deux subsister longtemps après la mort d'un parent qui exerce une sorte de contrôle d'outre-tombe.

Beaucoup de gens croient qu'une fois le parent dominateur mort, ils seront libres ; en réalité, le cordon ombilical psychologique traverse non seulement les continents, mais aussi la pierre tombale. J'ai vu des centaines d'adultes qui manifestaient une loyauté indéfectible à l'égard des exigences et des critiques de leurs parents longtemps après la mort de ceux-ci.

Éric, un homme d'affaires très prospère de soixante ans,

doué d'une intelligence hors du commun et d'un humour grinçant, définit sa situation avec beaucoup de finesse : « Je suis une doublure dans ma propre vie. »

Quand je fis la connaissance d'Éric, bien que multimillionnaire, il vivait dans un studio, conduisait un vieux tacot et menait l'existence d'un homme qui a du mal à joindre les deux bouts. Éric était extrêmement généreux avec ses deux filles adultes, mais restait un grippe-sou obsessionnel en ce qui le concernait.

Je me rappelle un jour où il vint me voir après son travail. Je lui demandai comment s'était passé la journée et, en riant, il me dit qu'il avait presque manqué une affaire de dix-huit millions de dollars en arrivant en retard à un rendez-vous. Éric était habituellement ponctuel, mais il avait tourné autour du pâté de maisons pendant plus de vingt minutes en cherchant une place pour se garer dans la rue, afin d'éviter le garage – payant – de l'immeuble. Il avait risqué de perdre dix-huit millions pour économiser un ticket de parking de cinq dollars !

Au fur et à mesure que nous découvrions certaines racines de son obsession pour les économies, il apparut que la voix de son père – pourtant mort depuis douze ans – résonnait sans cesse aux oreilles d'Éric :

> *« Mes parents étaient de pauvres immigrants. J'ai grandi dans la plus grande misère. Mes parents, surtout mon père, m'apprirent à avoir peur de tout. Il avait l'habitude de dire : « Dehors, c'est un monde féroce, et si tu ne fais pas attention où tu mets les pieds, tu te feras manger tout cru. » Il me donnait l'impression que je n'avais rien à espérer que le danger, et il n'a jamais cessé de se comporter ainsi, même après mon mariage, même après que j'ai gagné beaucoup d'argent. Il me cuisinait sans cesse sur ce que je dépensais et sur ce que j'achetais. Et, quand je commettais l'erreur de lui répondre, sa réaction était immanquablement : « Espèce d'idiot ! Tu dilapides ton argent en luxe inutile. Tu devrais économiser le moindre sou. Les temps difficiles viendront, c'est inévitable,*

et c'est alors que tu auras besoin de cet argent. » J'en arrivais
à être terrifié de dépenser un sou. Mon père n'a jamais consi-
déré que la vie puisse être agréable, c'était pour lui une
épreuve. »

Le père d'Éric avait projeté en son fils les terreurs et les
difficultés de sa propre vie. Quand Éric s'était mis à réussir, il se faisait sermonner par son père chaque fois qu'il
essayait de profiter des fruits de son labeur. Les prédictions catastrophiques de son père étaient dans la tête
d'Éric comme un disque qui ne s'arrêtait jamais. Et,
même si Éric se décidait à acheter quelque chose pour se
faire plaisir, la voix de son père l'empêchait d'en profiter.

La méfiance globale que son père éprouvait vis-à-vis du
futur se retrouvait dans son opinion des femmes. Comme
le succès, les femmes se retournaient inévitablement un
jour contre vous. Ses soupçons sur les femmes touchaient
à la paranoïa. Son fils avait aussi assimilé ce point de vue :

« Je n'ai eu que de la malchance avec les femmes. Je n'ai
jamais pu leur faire confiance. Ma femme a divorcé parce
que je l'accusais d'avoir la folie des grandeurs. J'étais ridicule.
Il suffisait qu'elle s'achète un sac ou n'importe quoi d'autre
pour que je me sente au bord de la faillite. »

Au cours de nos séances de travail, il se révéla que l'argent n'était pas le seul problème qui existait entre Éric et
sa femme. Il avait beaucoup de difficultés à exprimer ses
sentiments, surtout son affection, et elle en avait éprouvé
une croissante frustration. Ce problème persistait dans sa
vie de célibataire. Comme il le disait :

« Chaque fois que je sors avec une femme, j'entends la voix de
mon père qui me dit : « Les femmes adorent piéger les
hommes. Elles te prendront tout ce que tu as, si tu es assez
stupide pour les laisser faire. » Je suppose que c'est la raison
pour laquelle j'ai toujours recherché les femmes médiocres. Je
sais qu'elles sont incapables de me surpasser. Je leur fais tou-
jours des tas de promesses – que je prendrai soin d'elles sur le

plan financier, ou que je leur trouverai une place dans mes affaires, mais je ne donne jamais suite. J'imagine que j'essaie de les piéger avant qu'elles ne me piègent. Est-ce que je trouverai jamais une femme à qui je puisse faire confiance? »

Cet homme brillant et perspicace se laissait contrôler par des forces puissantes venues d'outre-tombe, alors qu'intellectuellement il comprenait ce qui arrivait. Il était prisonnier de la peur et de la méfiance de son père.

Éric travailla avec beaucoup d'acharnement au cours de sa thérapie. Il prit des risques et se força à adopter de nouveaux comportements. Il se mit à regarder en face beaucoup de ses terreurs intérieures. Enfin, il acheta un luxueux appartement – un grand pas en avant pour lui. Il continue à en éprouver de la culpabilité, mais c'est un sentiment qu'il a appris à supporter.

La voix à l'intérieur de sa tête sera toujours présente, mais il sait maintenant comment baisser le son. Éric vit toujours sous l'influence de sa méfiance envers les femmes, mais il sait maintenant que c'est un héritage de son père. Il fait de gros efforts pour faire confiance à la femme avec laquelle il sort à présent et se sert de cette confiance comme d'une arme pour reprendre le contrôle de sa vie.

Je n'oublierai jamais le jour où il est entré et m'a déclaré qu'il avait réussi à surmonter un accès de jalousie le soir précédent et qu'il en avait retiré un sentiment particulièrement vif de succès. Il me regarda, les larmes aux yeux, et me dit: « Vous savez, il n'y a vraiment rien dans ma vie actuelle qui justifie la peur que j'éprouvais. » Ce n'était pas encore le cas de Barbara qui déclarait: « J'ai l'impression de ne pas pouvoir respirer. »

Grande femme mince de trente-neuf ans, compositeur de musique de fond pour les émissions télévisées, Barbara était très gravement dépressive lorsqu'elle vint me voir:

« *Je me réveille la nuit, et il y a en moi un vide, comme une sorte de mort. J'ai été un enfant prodige, je jouais les concertos de Mozart à l'âge de cinq ans, à douze ans, j'avais obtenu une bourse de l'Académie Julliard. Ma carrière marche très bien, mais à l'intérieur de moi, je me sens mourir. J'ai été hospitalisée pour dépression il y a six mois. Je crois que je suis en train de me perdre. Je ne sais pas vers qui me tourner.* »

Je demandai à Barbara si son hospitalisation avait été précipitée par un événement particulier, et elle me dit qu'elle avait perdu son père et sa mère en l'espace de trois mois. Je me sentais désolée pour elle, mais elle se hâta de me dissuader de toute compassion :

« *Ce n'est pas ce que vous croyez. Nous ne nous étions pas parlé depuis plusieurs années, j'avais l'impression de les avoir déjà perdus.* »

Je lui demandai de me dire ce qui avait causé cette séparation.

« *Lorsque Jacques et moi avons décidé de nous marier, il y a un peu plus de quatre ans, mes parents ont absolument voulu venir chez nous pour nous aider aux préparatifs. Il ne me manquait vraiment que cela... les avoir sur le dos comme lorsque j'étais enfant. Je veux dire qu'ils se mêlaient toujours de tout... C'était l'inquisition : qu'est-ce que j'allais faire, avec qui j'allais le faire, où je partais... Bref, je leur ai proposé de les installer à l'hôtel, car Jacques et moi nous étions déjà suffisamment sur les nerfs avant ce mariage, et ça les a rendus absolument fous. Ils m'ont dit que, s'ils ne pouvaient pas venir s'installer chez moi, plus jamais ils ne m'adresseraient la parole. Pour la première fois de ma vie, je leur ai tenu tête. Quelle erreur ! D'abord ils ne sont pas venus au mariage, puis ils ont rapporté à toute la famille mon scandaleux comportement. Maintenant plus personne ne m'adresse la parole. Quelques années plus tard, ma mère a appris qu'elle avait un cancer inopérable. Elle a fait jurer à tous les membres de la famille de ne pas m'avertir de sa mort. Je l'ai* » *apprise avec cinq mois de retard, et seulement parce que je suis tombée sur un ami de la famille qui m'a présenté ses condoléances. Voilà comment j'ai appris la mort de ma mère! J'ai couru directement chez moi pour téléphoner à mon père. Pourquoi, je n'en sais rien, j'imaginais que nous pourrions nous raccommoder. La première chose qu'il m'a dit fut: « Tu dois être contente à présent, tu as tué ta mère! » J'étais accablée. Au bout de trois mois, il est mort de chagrin. Chaque fois que je pense à eux, j'entends les accusations de mon père et j'ai l'impression d'être un assassin. Ils continuent à me torturer avec leurs accusations bien qu'ils soient tous deux à six pieds sous terre. Comment puis-je les faire sortir de ma tête, de ma vie? »*

Comme Éric, Barbara était sous l'emprise d'un contrôle d'outre-tombe. Pendant plusieurs années, elle s'était sentie responsable de la mort de ses parents, ce qui avait altéré gravement sa santé mentale et presque détruit son mariage. Elle était prête à tout pour échapper à ce sentiment de culpabilité.

« Depuis qu'ils sont morts, j'ai des envies suicidaires. J'ai l'impression que c'est le seul moyen de faire taire les voix qui ne cessent de me répéter: " Tu as tué ton père. Tu as tué ta mère. " J'ai été a deux doigts de me supprimer, et savez-vous ce qui m'en a empêchée? »

Je secouai la tête. Pour la première fois en une heure, je la vis sourire et elle répondit:

« J'avais peur de retomber sur mes parents. C'est déjà assez pénible qu'ils m'aient gâché la vie sur terre; je ne voulais pas leur donner l'occasion de détruire aussi l'existence que j'allais trouver de l'autre côté. »

Comme la plupart des adultes élevés par des parents toxiques, Barbara pouvait reconnaître que ses parents lui avaient causé certains torts. Mais ce n'était pas suffisant pour l'aider à transférer ses sentiments de responsabilité sur eux. Cela nous demanda quelque peine, mais nous sommes venues à bout de ce problème et elle a fini par accepter l'idée que ses parents étaient entièrement responsables de leur comportement cruel. Ses parents étaient morts, mais il fallut encore une année avant qu'ils ne laissent Barbara en paix.

Dans toutes ces situations, c'est l'absence d'une identité propre qui émerge en fait. Les parents qui se sentent bien dans leur peau n'éprouvent pas le besoin de contrôler la vie de leurs enfants adultes. Mais les parents toxiques que nous avons rencontrés dans ce chapitre ont une conduite provoquée par une profonde insatisfaction et par la crainte d'être abandonnés. L'indépendance de leur enfant, c'est pour eux comme une amputation. Au fur et à mesure que l'enfant grandit, il est de plus en plus important pour les parents de tirer les ficelles qui le maintiennent sous leur dépendance. Aussi longtemps que les parents toxiques réussissent à donner à leur fils ou leur fille le sentiment qu'il est un enfant, ils peuvent conserver leur contrôle.

Le résultat c'est que les adultes élevés par des parents trop autoritaires ont souvent un sens de leur identité très confus. Ils ont du mal à se voir comme des êtres séparés de leurs parents. Ils ne peuvent distinguer leurs besoins des besoins de leurs parents. Ils ont le sentiment d'être impuissants.

Tous les parents contrôlent leurs enfants jusqu'à ce que ceux-ci parviennent à contrôler leur propre vie. Dans les familles normales, la transition s'effectue tôt, après l'adolescence. Dans les familles toxiques, cette saine séparation est retardée pendant des années – ou pour toujours. Elle ne peut avoir lieu que lorsque vous aurez effectué les changements vous permettant de récupérer la maîtrise de votre propre vie.

4

Les parents alcooliques

Gilles, un homme de haute taille, à l'air bourru, patron d'une petite usine, vint chercher de l'aide auprès de moi avant tout parce que sa timidité, son manque d'assurance lui posaient des problèmes dans sa vie personnelle et dans sa vie professionnelle. Il déclara qu'il se sentait presque tout le temps nerveux et inquiet. Au travail, il avait surpris quelqu'un qui parlait de lui comme d'un « gnangnan » et d'un « dépressif ». Il sentait un malaise chez les gens qu'il rencontrait et il avait à cause de cela des difficultés pour transformer des relations mondaines en relations amicales.

Vers le milieu de notre première séance, Gilles se mit à parler d'une autre cause de stress au travail :

> « *Il y a environ six ans, j'ai pris mon père dans ma société, en espérant que cela l'aiderait à s'en sortir. Je pense que les pressions du travail ont eu juste l'effet contraire. Aussi loin que je me souvienne, mon père a toujours été un alcoolique. Il boit, il insulte les clients et il me fait rater beaucoup d'affaires. Il faut que je le fasse partir, mais ça me panique. Comment s'y prendre pour renvoyer son propre père ? Ça l'achèverait. Chaque fois que j'essaie de lui en parler, tout ce qu'il me dit, c'est : "Tu me parles avec respect ou bien tu te tais. » Je deviens fou."* »

Le sens exacerbé des responsabilités de Gilles, son besoin de sauver son père, son manque de confiance en lui, sa colère refoulée, étaient les symptômes classiques des adultes qui ont été enfants d'alcooliques.

Un secret de famille

Si l'entourage de Richard Nixon, à la Maison Blanche, avait pris des leçons de dissimulation auprès de la famille d'un alcoolique, le « Watergate » n'aurait jamais été autre chose qu'un hôtel de Washington. La dénégation prend des proportions gigantesques pour quiconque habite le foyer d'un alcoolique. L'alcoolisme, c'est comme un dinosaure au milieu du salon. Pour une personne de l'extérieur, il est impossible d'ignorer le dinosaure, mais pour ceux qui vivent dans la maison, il est impossible de chasser le monstre ; alors ils sont forcés de faire comme s'il n'était pas là. C'est la seule façon de coexister. Dans ces maisons, on ment, on excuse ou dissimule constamment, ce qui entraîne un grand chaos émotionnel chez les enfants.

Le climat émotionnel et psychologique qui règne dans les familles d'alcooliques est semblable en grande partie à celui des familles où les parents se droguent, soit de façon illégale, soit par le moyen de prescriptions médicales. J'ai choisi pour ce chapitre d'étudier le cas de parents alcooliques, mais les douloureuses expériences des enfants de toxicomanes sont tout à fait similaires.

L'expérience de Gilles était caractéristique :

« Mes plus vieux souvenirs de mon père me le montrent rentrant du travail pour se précipiter vers le placard des alcools. C'était un rite. Après quelques apéritifs, il venait à table le verre à la main, et ce bon Dieu de verre n'était jamais vide. Après le dîner, il se mettait aux choses sérieuses. Il ne fallait pas faire de bruit pour ne pas le déranger. Bon sang ! On aurait pu penser qu'il faisait quelque chose de vraiment important, mais ce fils de pute était tout bonnement en train de se soûler. Combien de fois, je me rappelle, ma sœur, ma mère et moi nous devions le traîner jusqu'à son lit. Ma tâche, c'était de lui enlever ses chaussures et ses chaussettes. Le plus cinglé, c'est qu'aucun de nous ne parlait jamais de ce que

nous faisions. Et ça arrivait toutes les nuits. Il a fallu que je devienne un peu plus grand pour me rendre compte que traîner son père au lit n'était pas une activité familiale normale. Quelque chose qui se faisait dans toutes les familles. »

Gilles avait appris tôt que l'alcoolisme de son père était un secret. Sa mère lui avait dit de ne pas parler du « problème de papa », mais sa honte seule aurait suffi à lui tenir la langue. Pour le monde extérieur, la famille prenait l'air de gens chez qui tout va bien. Ils étaient unis par la nécessité de coexister avec leur ennemi commun. Ce secret devint le ciment qui maintenait la cohésion de cette famille torturée.

Le secret de famille repose sur trois éléments :

• La négation par l'alcoolique de son état, face à l'accablante évidence du contraire, et face à un comportement qui est à la fois terrifiant et humiliant pour les autres membres de la famille.

• La négation du problème par le conjoint de l'alcoolique et souvent par les autres membres de la famille. Il est courant de les entendre excuser le buveur avec des phrases comme « Maman boit juste pour se détendre », « Papa s'est pris les pieds dans le tapis », ou « Papa a perdu son travail parce que son patron était méchant ».

• La comédie de la « famille normale » est une apparence que les membres de la famille se présentent les uns aux autres, et qu'ils présentent au monde extérieur.

La comédie de la « famille normale » cause à l'enfant des dommages spécialement importants dans la mesure où ça le force à nier la validité de ses propres sentiments et de son propre jugement. Il est presque impossible que se développe en l'enfant un sentiment assuré de confiance en lui s'il doit constamment mentir sur ce qu'il pense et sur ce qu'il ressent. Son sentiment de culpabilité le pousse à se demander si les gens le croient. Quand il devient plus vieux, l'impression que les gens doutent de ce qu'il dit peut persister : par timidité, il évite de révéler quoi que ce soit sur lui ou d'avancer une opinion. Comme Gilles, beaucoup d'enfants d'alcooliques deviennent douloureusement timorés à l'âge adulte.

Il faut une énergie considérable pour maintenir cette comédie. L'enfant doit sans cesse être sur ses gardes. Il vit dans la crainte continuelle de révéler le secret et de trahir sa famille. Pour empêcher cela, il évite souvent de se faire des amis, et devient solitaire.

Cette solitude l'enfonce encore plus dans le bourbier familial. En lui se développe une sorte de loyauté pervertie, sans limite, à l'égard des seules personnes qui partagent son secret, ceux qui trempent avec lui dans la conspiration : la famille. La loyauté intense, crédule, à l'égard de ses parents se transforme en une seconde nature. Lorsqu'il devient adulte, sa loyauté aveugle reste un élément dominateur, destructeur dans sa vie. C'est cela qui empêchait Gilles de demander à son père de quitter la société, bien que les affaires eussent à pâtir de sa présence.

De l'enfant ignoré à l'enfant adultisé

Il faut tant d'énergie pour venir en aide à l'alcoolique et pour sauver les apparences qu'il ne reste pas beaucoup de temps ou d'attention pour les besoins fondamentaux des enfants. Comme les enfants de parents déficients ou incompétents, les enfants d'alcooliques se sentent souvent invisibles. Cela devient une espèce de partie de cache-cache d'autant plus douloureuse que plus le foyer est perturbé et plus les enfants ont besoin de soutien émotionnel.

Comme Gilles et moi cherchions les rapports entre ses difficultés actuelles et l'instabilité émotionnelle de son enfance, il se rappela :

« *Mon père ne faisait jamais rien comme les autres pères avec leurs enfants. Il ne nous arrivait jamais de taper dans un ballon de foot ou même de regarder un match ensemble. Il disait toujours: "Je n'ai pas le temps – peut-être plus tard"»,* *mais il avait toujours le temps de s'asseoir pour s'enivrer. Ma mère disait: "Cesse de m'ennuyer tout le temps avec tes problèmes. Va donc jouer avec tes amis." Mais je n'avais aucun ami. J'avais peur de ramener quelqu'un à la maison. Mes parents m'ignoraient tout simplement, et semblaient se moquer des bêtises que je pouvais faire tant qu'ils n'avaient pas à s'en occuper. »*

Je dis à Gilles: « Donc, ils vous trouvaient bien tant qu'ils n'avaient pas à vous voir ou à vous entendre. Quel effet ça fait d'être invisible? » Gilles eut une expression douloureuse en évoquant ses souvenirs:

« C'était horrible. La plupart du temps, je me sentais orphelin. Je faisais n'importe quoi pour attirer leur attention. Une fois, je devais avoir quinze ans, je me trouvais chez un ami et son père avait oublié son portefeuille sur une table, dans l'entrée. J'ai pris cinq dollars, en espérant me faire attraper. Ça m'était égal que mes parents me fassent une vie d'enfer, pourvu qu'ils remarquent ma présence. »

Gilles comprit très tôt que son existence était plus un fardeau qu'une bénédiction pour ses parents. Son invisibilité émotionnelle était renforcée par le fait que c'était le plus sûr refuge contre les fréquents accès de violence de son père. Il continua d'évoquer ses souvenirs:

« Mon père me faisait taire chaque fois que j'essayais de parler. Si j'osais lever la voix contre lui, il me rouait de coups. Je n'ai pas mis longtemps à apprendre à ne pas le contrarier. Si je tenais tête à maman, elle se mettait à brailler comme un bébé, et alors il devenait furieux et frappait l'un de nous, et je me sentais deux fois plus méchant pour avoir semé la discorde. J'ai donc appris à rester le plus possible loin de la maison. A douze ans, j'ai trouvé un petit travail après l'école et je mentais sur mon emploi du temps, ce qui me permettait de rentrer le plus tard possible chaque soir. Et puis je partais à

l'école avec une heure d'avance le matin, comme ça je pouvais quitter la maison avant son réveil. Je n'ai pas oublié combien je me sentais seul, assis dans la cour vide, tous les matins, à attendre l'arrivée de quelqu'un. Le plus drôle, c'est qu'à mon avis, mes parents ne remarquaient même pas que je n'étais jamais là. »

Je demandai à Gilles si, selon lui, sa vie d'adulte était contrôlée par les mêmes frayeurs qui l'avaient empêché de s'affirmer enfant.

« Je suppose que oui. Je suis incapable de prononcer une parole offensante envers qui que ce soit, quelle qu'en soit mon envie. Je ravale tant de mots qu'un jour ça va sûrement me faire vomir. Je n'arrive pas à tenir tête aux autres. Même quand ce sont des gens dont je me fiche éperdument. S'il me semble que ce que je veux dire va blesser quelqu'un, je deviens incapable de le dire. Point final. »

Comme beaucoup d'enfants d'alcooliques, Gilles se sentait responsable des sentiments de tout le monde, tout comme il s'était chargé de la responsabilité des sentiments de son père et de sa mère quand il était jeune. Il avait poussé les choses jusqu'à l'héroïsme pour éviter tout affrontement avec ses parents, parce qu'il ne voulait pas causer de chagrin à quiconque (lui compris). Il ne pouvait pas exprimer ses émotions, comme tout enfant le devrait. Il lui fallait supprimer ces émotions, et il avait continué sur cette lancée à l'âge adulte. Quand Gilles aidait à mettre son père au lit, quand il se chargeait d'éviter toute contrariété à son père, il agissait en parent, pas en enfant. Quand un enfant est forcé d'adopter le rôle du parent, il perd ses modèles, ce qui perturbe l'élaboration de son identité. Ce renversement de rôles destructeur est courant dans les familles d'alcooliques.

Comme nous l'avons vu, et comme nous le verrons encore, le renversement des rôles survient dans presque toutes les familles où sévissent des parents toxiques. Dans la famille alcoolique, le parent qui boit usurpe effectivement le rôle de l'enfant par son comportement irrationnel, dépendant, pathétique. Il est tellement « enfant terrible » qu'il ne reste pas de place pour aucun autre enfant dans la famille.

Gilles avait grandi en croyant que son rôle dans la vie était de prendre soin des autres sans espérer quoi que ce soit pour lui.

« *Je me rappelle que ma mère se précipitait vers moi chaque fois que papa perdait son contrôle, et elle pleurait, me répétant combien elle était malheureuse. Elle disait: " Qu'est-ce que je vais faire? Vous les enfants, vous avez besoin d'un père et moi je ne peux pas sortir pour aller travailler. " Rien que d'en parler, cela me bouleverse. Je rêvais de l'emmener sur une île où mon père ne pourrait pas nous trouver. Je lui promettais que je m'occuperais d'elle dès que je le pourrais. Et c'est ce que je fais à présent. Je lui donne de l'argent tout le temps, bien que je n'en aie pas les moyens. Et je m'occupe de papa, bien que cela ruine mes affaires. Pourquoi ne puis-je trouver quelqu'un qui s'occupe de moi pour changer?* »

Gilles continuait à être accablé sous un sentiment de culpabilité, à cause de son incapacité, enfant et maintenant adulte, à arranger la vie de ses parents. Il rêvait de trouver une femme qui s'occupe de lui, pourtant la femme avec laquelle il s'était installé était fragile et dépendante. Gilles pressentait qu'elle n'était pas ce qu'il lui fallait lorsqu'il l'avait épousée, mais son besoin de transposer dans la réalité les rêves salvateurs de son enfance avait obscurci son jugement.

La répétition
et le mythe du passé reconstruit

Gilles ne mit pas longtemps à découvrir que la femme qu'il avait épousée buvait en cachette. L'aurait-il su avant son mariage, il l'aurait probablement épousée quand même. Il se serait simplement persuadé qu'il pouvait la faire changer. Les enfants d'alcooliques se marient souvent avec des alcooliques. Beaucoup de gens ne comprennent pas comment quelqu'un qui a grandi dans le chaos d'une famille alcoolique peut choisir de revivre le même traumatisme.

Mais la recherche des mêmes schémas émotionnels familiers est une pulsion commune à tout le monde, même si les sentiments qu'ils entretiennent sont douloureux ou destructeurs. Ce qui est familier procure une impression de confort et une structure pour notre vie. Nous connaissons les règles et nous savons à quoi nous attendre. Plus important, nous reconstituons les conflits du passé parce que cette fois, nous espérons leur trouver une bonne solution : « Je vais gagner la bataille, cette fois, je vais y arriver. » Cette reconstitution de vieilles expériences douloureuses est appelée « répétition obsessionnelle ».

Je ne peux assez insister sur la place dominante que cette obsession particulière tient dans notre vie. Presque tous les comportements autodestructeurs, spécialement ceux qui concernent les relations intimes, la façon dont on les crée ou dont on les entretient deviennent beaucoup plus compréhensibles quand on les examine à la lumière de la « répétition obsessionnelle ». Gilles en fournit un exemple parfait :

« Lorsque j'ai rencontré Denise, je ne savais pas qu'elle buvait. Lorsque je l'ai découvert, elle a renoncé à le cacher. Je

la voyais ivre trois, quatre fois par semaine. Je l'ai suppliée de s'arrêter. Je l'ai emmenée consulter des médecins. Je l'ai implorée d'aller aux Alcooliques anonymes[1]. J'ai mis toutes les bouteilles sous clé, mais vous savez comment sont les ivrognes... elle se débrouillait toujours. La seule fois où elle a arrêté, c'est quand je l'ai menacée de la quitter. Mais, peu après, elle a rechuté, et nous nous sommes retrouvés à la case départ. »

Étant donné que le mensonge et la dissimulation lui paraissaient chose normale pendant ses années d'enfance, Gilles s'était facilement installé dans une relation adulte où revenaient les mêmes éléments. Mais, cette fois, il pensait réussir à sauver sa femme, alors qu'il avait échoué enfant à sauver ses parents. Gilles, comme presque tous les enfants d'alcooliques, s'était fait à lui-même une promesse solennelle : jamais plus d'alcoolique dans sa vie. Mais une obsession de répétition profondément ancrée dans le subconscient est bien plus forte que n'importe quelle promesse faite au niveau du conscient.

Il y a une autre promesse qui s'en va souvent en fumée sous l'emprise du passé, c'est celle de ne jamais revivre les traitements violents et abusifs qui font souvent partie intégrante d'un foyer alcoolique.

Jeanine, une petite femme de vingt-six ans, aux cheveux noirs et aux grands yeux, travaillait comme conseiller de réhabilitation dans un hôpital privé pour toxicomanes ; ce fut son directeur qui lui suggéra de se joindre à l'un de mes groupes de thérapie. Comme beaucoup des conseillers de ce programme, Jeanine était elle-même une alcoolique et une toxicomane en cours de guérison. Notre première rencontre eut lieu dans son service, au cours

---

[1] Cette association existe en France et a son siège 3, rue Frédéric-Sauton, 75005 Paris. (N.d.T.)

d'une petite fête donnée pour célébrer sa deuxième année de sobriété.

Jeanine avait récemment rompu avec un homme violent qui la brutalisait. Son directeur, craignant qu'elle ne soit tentée de revenir à cet homme, lui avait suggéré de me voir.

Au cours de notre première séance, Jeanine fut dure et agressive, pas du tout convaincue d'avoir besoin d'aide. Je me posais des questions sur la souffrance qui se cachait derrière cette façade. Ses premiers mots furent : « Ils m'ont dit que j'avais intérêt à me manier le train pour aller en thérapie, sans quoi j'allais rechuter. Vous devriez me lâcher et leur dire que je vais superbien et que je n'ai pas besoin de revenir.

– Je vois que vous êtes vraiment ravie d'être là », lui répondis-je. Nous avons ri toutes les deux, ce qui a détendu l'atmosphère. Je lui dis que je savais qu'elle n'avait pas choisi de venir me voir, mais, puisqu'elle était là de toute façon, autant essayer d'en tirer quelque chose. Elle accepta de faire un essai dans l'un de mes groupes.

Je commençai par lui dire combien ses collègues craignaient qu'elle ne retourne vivre avec son ami, l'homme violent. Jeanine admit que ce n'était pas sans raison.

> « Je suis malheureuse sans cet espèce d'ours. Dans le fond, c'est un type super. Seulement, parfois, je ne peux pas m'empêcher d'ouvrir ma grande gueule et ça le fout en rogne. Je sais qu'il m'aime, et j'espère toujours qu'on finira par s'en sortir. »

J'avançai l'idée qu'elle avait confondu amour et brutalité, comme si, inconsciemment, elle avait besoin de provoquer chez son amant une colère violente pour avoir la preuve de sa passion. Je lui demandai si cela lui rappelait quelque chose, si elle avait déjà vécu cela avec quelqu'un d'autre. Elle réfléchit un moment et répondit :

« *Je pense que c'était la même chose avec mon paternel. C'était un ivrogne de première, un vrai de vrai, et il nous foutait des trempes pas possibles. Il revenait ivre à la maison, pas loin de cinq soirs sur sept. Et tout était bon pour nous battre. Il frappait mon frère jusqu'au sang. Ma mère ne pouvait rien faire pour l'arrêter. Elle avait bien trop peur. Moi je le suppliais d'arrêter, bon Dieu, mais il était comme fou. Je ne voudrais pas que vous vous imaginiez que c'était une sorte de monstre, parce que, quand il ne buvait pas, il pouvait être gentil. En fait, il était mon meilleur ami. J'adorais quand on se promenait tous les deux, comme des copains. J'aime toujours ça.* »

Beaucoup d'enfants d'alcooliques deviennent extrêmement tolérants pour accepter l'inacceptable. N'ayant aucune idée de la façon dont se comporte un père affectueux, Jeanine était réduite à supposer que, pour avoir de bons moments avec son père, il fallait supporter les mauvais. Elle avait établi un lien psychologique entre amour et violence. Elle en était venue à croire que l'on ne peut avoir l'un sans l'autre.

Enfant complaisant, enfant copain : enfant abusé

Le père de Jeanine lui avait appris par son exemple qu'on devait faire l'impossible pour rendre un homme heureux et éviter d'être battue. Pour rendre son père heureux, elle était devenue son compagnon de beuverie à l'âge de dix ans.

« *Papa a commencé par me donner un coup à boire peut-être une fois par semaine. Je détestais ça, mais ça lui faisait toujours plaisir que j'en prenne un peu. Quand j'ai eu onze ans, il a pris l'habitude d'aller chez un marchand d'alcools pour chercher une bouteille. On restait dans la voiture et on partageait, et puis on partait pour une randonnée. Au début, c'était excitant, mais au bout d'un moment j'avais vraiment peur. Bien sûr, je n'étais qu'une enfant, mais je voyais bien qu'il n'était pas tout à fait maître de sa voiture. Je continuais à faire ça parce que c'était quelque chose que j'étais la seule à partager avec lui. C'était une chose spéciale entre lui et moi. Je me suis vraiment mise à aimer l'alcool parce que papa m'aimait davantage quand je buvais. C'est devenu de pire en pire et, à la fin, je buvais jusqu'à ce que je perde complètement les pédales. »*

Au moins un enfant d'alcooliques sur quatre devient lui-même alcoolique, et beaucoup de ces adultes ont bu leur premier verre très jeune, servi par le parent alcoolique. La boisson crée un lien très spécial – et souvent secret – entre parent et enfant. Ce type particulier de conspiration, l'enfant le ressent comme de la camaraderie. C'est souvent pour l'enfant ce qu'il peut trouver de plus proche de l'amour et de l'acceptation.

Même si un enfant n'a pas été poussé à boire par l'alcoolique, il risque fort de devenir alcoolique. On ne sait pas exactement pourquoi – peut-être une prédisposition génétique à une conduite de dépendance ou un déséquilibre biochimique. Je soupçonne un autre facteur important, qui est la façon dont nous formons nos comportements et nos idées à travers l'imitation de nos parents et l'identification avec eux. Les enfants d'alcooliques ont reçu ainsi en héritage, et non comme une hérédité, un caractère emporté, dépressif, incapable de joie, soupçonneux, et parfois l'impuissance à nouer des relations humaines normales associée à un sens des responsabilités surdéveloppé. On leur transmet aussi un modèle de comportement dangereux pour supporter cette sorte d'héritage pervers : l'habitude de boire.

De l'enfant méfiant à l'enfant culpabilisé

La première relation importante dans leur vie leur a appris que les gens qu'ils aiment leur feront du mal et seront affreusement imprévisibles ; la plupart des enfants d'alcooliques ont donc très peur de devenir intimes avec quelqu'un d'autre. Pour réussir des relations amoureuses ou amicales entre adultes, il faut posséder une bonne dose de vulnérabilité, de confiance et d'ouverture d'esprit. Les éléments mêmes qui sont détruits par un foyer alcoolique. En conséquence, beaucoup d'enfants d'alcooliques sont attirés vers des gens qui sont bloqués sur le plan émotionnel parce que tourmentés eux-mêmes par de graves conflits ; de cette façon, ils peuvent se donner l'illusion d'une relation sans affronter leur terreur d'une véritable intimité.

L'ami de Jeanine, avec ses manières Jekyll et Hyde, était une réplique de son père – parfois merveilleux, parfois terrifiant. En choisissant un homme brutal et versatile, Jeanine répétait les expériences familières de son enfance, mais se garantissait aussi contre les risques de pénétrer les eaux inexplorées de la véritable intimité. Elle s'accrochait désespérément au mythe que son père était encore à présent le seul homme qui la comprenait vraiment. Sa répugnance à regarder le mythe en face détériorait ses relations non seulement avec ses amis, mais aussi avec moi et avec d'autres participants à la thérapie. En fait, le mythe était si fort qu'en fin de compte elle se sacrifia à lui.

Je me rappelle la tristesse que j'ai éprouvée le soir où elle a annoncé qu'elle quittait le groupe. Je lui ai rappelé qu'elle savait à l'avance que ce travail serait douloureux, que la douleur faisait partie du processus. Pendant une fraction de seconde, elle a semblé prête à changer d'avis, puis :

« *Écoutez, je ne veux pas renoncer à papa. Je ne veux pas me fâcher avec lui. Et je ne veux pas sans cesse le défendre contre vous. Papa et moi, nous avons vraiment besoin l'un de l'autre. Pourquoi est-ce que je vous ferais plus confiance qu'à lui ? Je pense que vous n'avez rien à faire de moi, ni vous ni qui que ce soit dans ce groupe. Je ne crois pas qu'un seul d'entre vous soit là pour m'aider quand j'aurai des problèmes.* »

Le groupe de Jeanine était composé d'autres adultes qui avaient été brutalisés dans leur enfance et ils comprenaient ce qu'elle endurait. Ils étaient extrêmement encourageants et affectueux avec elle, mais elle n'arrivait pas à l'accepter. Pour Jeanine, le monde était un endroit perfide, plein de barbarie émotionnelle. Elle était persuadée que, si elle laissait quiconque l'approcher de trop près, on lui ferait du mal avant de la laisser tomber. L'ironie de la chose, c'est que ces mots convenaient tout à fait pour décrire le comportement de son père.

L'incapacité de Jeanine à faire confiance était une perte majeure, entraînée par l'alcoolisme de son père. Si on ne peut se fier à son père, à qui se fier ? Dans le domaine de la confiance et de nos émotions, nous ressemblons au plus petit animal d'une portée : si les conditions sont mauvaises, il est habituellement le premier à mourir.

Les enfants d'alcooliques perdent habituellement la capacité à faire confiance. Écoutez Gilles à ce propos :

« *J'avais toujours peur lorsque ma femme voulait faire quelque chose sans moi — même simplement sortir pour dîner avec ses amies. J'avais peur qu'elle ne m'abandonne. En fait je ne lui faisais pas confiance. Je craignais qu'elle ne trouve quelqu'un de mieux que moi et qu'elle ne me quitte pour lui. Je voulais la contraindre à être toujours là pour que je ne sois pas éternellement inquiet.* »

La jalousie, la domination possessive et la suspicion caractérisent souvent les relations de beaucoup d'enfants d'alcooliques. Pour eux, c'est comme s'ils avaient appris trop tôt que les relations humaines peuvent mener à la trahison et que l'amour peut mener à la souffrance.

Charlotte, une spécialiste en hygiène dentaire, grande, à la voix douce, entreprit une thérapie sur la recommandation de son médecin qui émit l'hypothèse que ses maux de tête chroniques pouvaient avoir une cause psychologique. Étant donné que les maux de tête sont souvent un symptôme de colère refoulée, une des premières choses que je lui demandai fut : « Pourquoi êtes-vous en colère ? » Ma question la prit par surprise, mais au bout d'un moment, elle répondit :

> « *Vous avez raison. Je suis bel et bien en colère. J'ai quarante-sept ans et ma mère continue à diriger mon existence. Le mois dernier, par exemple. J'étais fin prête pour un magnifique voyage au Mexique. J'étais vraiment folle de joie, mais trois jours avant mon départ j'ai eu un coup de téléphone de maman. Juste au bon moment. Ça ne m'a même pas étonnée. Je pouvais deviner qu'elle avait bu, car elle bredouillait, avec la voix de quelqu'un qui aurait pleuré. Elle me dit que papa était parti pêcher pendant deux semaines et qu'elle était vraiment déprimée... Est-ce que je pourrais venir passer quelques jours avec elle ? Je lui ai répondu que j'avais organisé ces vacances, et elle s'est mise à pleurer. J'ai essayé de la persuader d'aller chez ma tante, mais elle a commencé par dire que je ne l'aimais pas et, de fil en aiguille, en moins de temps qu'il ne faut pour le dire, je lui avais promis d'annuler le Mexique et de venir. De toute façon, je n'aurais pas pu m'amuser sachant qu'elle avait à nouveau touché le fond.* »

Je dis à Charlotte que cela ne paraissait pas nouveau pour elle. Elle acquiesça :

> « *Hé oui, ça arrivait tout le temps quand j'étais petite. Il fallait toujours que je m'occupe d'elle. Et elle ne m'en était jamais reconnaissante. Elle passait son temps à me gronder.*

Je ne savais jamais à l'avance auquel des nombreux visages de ma mère j'allais avoir droit, et je ne pouvais jamais prévoir d'un jour à l'autre ce qui lui ferait plaisir. Je me rappelle une fois où j'avais obtenu une mauvaise note en histoire ; j'avais peur de rentrer à la maison. Une mauvaise note, ça signifiait environ quatre heures à m'entendre dire que j'étais une ingrate, une incapable et qu'aucun homme ne voudrait jamais de moi. Quand je suis finalement arrivée à la maison, il s'avéra qu'elle était de bonne humeur. Elle a juste signé mon bulletin et en déclarant : Tu es intelligente ; tu n'as pas à t'en faire pour tes notes. » Je n'en croyais pas mes oreilles. Et puis elle a pris comme d'habitude ses quatre apéritifs. En mettant le couvert, j'ai oublié de sortir le sel et le poivre. Quand elle s'est assise, elle a explosé, comme si j'avais déclenché la Seconde Guerre mondiale ou une catastrophe de ce genre. Je n'arrivais pas à comprendre pourquoi elle pouvait cesser de m'aimer simplement parce que j'avais oublié le sel et le poivre. »

Le comportement de la mère de Charlotte passait d'une affection étouffante à la cruauté la plus extrême, selon son humeur, sa consommation d'alcool ou, comme le disait Charlotte, les « phases de la lune ». Charlotte me dit qu'avec sa mère c'était rarement l'état intermédiaire, l'humeur normale de tous les jours. Et, donc, Charlotte essayait sans cesse de deviner comment obtenir l'approbation de sa mère. Malheureusement, le sol se dérobait toujours sous ses pieds ; le même comportement qui avait plu un jour à sa mère la mettait hors d'elle le lendemain.

Tous les parents sont inconséquents dans une certaine mesure, mais le syndrome du « bien un jour, mal le lendemain », est exacerbé de façon spectaculaire par l'alcool. Étant donné que les signaux et les règles changent sans cesse, sans avertissement, l'enfant n'est jamais à la hauteur. Le parent utilise la critique systématique comme moyen de contrôle, et, quoi que l'enfant fasse, le parent trouve toujours quelque chose à critiquer. L'enfant devient un exutoire pour la frustration de ses parents, un bouc émissaire pour tout ce qui ne va pas chez eux. Les parents alcooliques ont une façon insidieuse de justifier leurs propres insuffisances en les admettant publiquement : « Si tu ne faisais pas tout de travers, maman n'aurait pas besoin de boire. » Comme le dit Charlotte :

> « *Je me rappelle un jour – je devais avoir sept ans – où ma mère avait passé la matinée à boire comme un trou. J'en avais profité pour inviter une amie après l'école. D'habitude je n'invitais personne à la maison, parce que je ne savais jamais dans quel état elle serait, mais cette fois j'imaginais qu'au milieu de l'après-midi elle serait encore en train de cuver son petit déjeuner. Mon amie et moi, nous étions en train de jouer à nous déguiser, en mettant ses chaussures et son rouge à lèvres, et tout le reste, quand soudain la porte s'est ouverte avec fracas et ma mère a surgi en titubant. J'ai eu tellement peur que j'en ai presque mouillé ma culotte. Son haleine aurait pu nous mettre KO. Quand elle a vu que nous avions touché à ses affaires, elle est devenue folle de rage et s'est mise à hurler : « Je sais pourquoi tu as amené cette petite amie ici… pour m'espionner ! Tu n'arrêtes pas de m'espionner. C'est à cause de cela que je suis obligée de boire tout le temps. Tu pousserais n'importe qui à boire ! » »*

La mère de Charlotte ne se contrôlait plus du tout. En plus d'humilier sa fille, elle la rendait responsable de son éthylisme. Charlotte était trop jeune pour déceler l'incohérence du raisonnement de sa mère et elle se sentait coupable.

Inconsciemment, Charlotte continue à se croire responsable de l'éthylisme de sa mère. C'est pourquoi elle accepte de faire de telles concessions dans l'espoir de se racheter. Cette annulation des vacances attendues depuis longtemps n'était qu'une vaine tentative pour gagner l'approbation de sa mère.

Le rôle de bouc émissaire familial n'est que trop habituel pour les enfants de foyers alcooliques. Certains essaient d'aller jusqu'au bout de leur opinion négative d'eux-mêmes en se livrant à des comportements autodestructeurs ou délinquants. D'autres trouvent des moyens de se punir eux-mêmes en manifestant des symptômes émotionnels et même physiques variés – tels que les maux de tête de Charlotte.

L'« enfant en or »

Alors que certains enfants d'alcooliques sont forcés d'être des boucs émissaires, d'autres se voient attribuer le rôle du « héros » de la famille – l'« enfant en or ». L'enfant croule sous les compliments de ses parents et du monde extérieur à cause de l'énorme responsabilité qu'il doit assumer. A première vue, cette approbation semblerait mettre l'enfant héroïque dans une situation beaucoup plus positive que celle de bouc émissaire, mais en réalité les manques affectifs et les démons personnels sont très similaires. L'enfant en or s'épuise sans pitié pour lui-même vers une perfection impossible à atteindre, que ce soit dans la vie enfantine ou adulte.

Il y a quelques années, j'ai reçu au cours de mon émission radiophonique un appel d'un chercheur chimiste appelé Stéphane, qui me dit :

> « *Je suis tout à fait bloqué. J'ai quarante et un ans, et ma carrière me donne toute satisfaction. Mais, depuis peu, je suis incapable de prendre une décision. Je suis en plein milieu du plus grand projet de ma vie et je n'arrive pas à me concentrer. Beaucoup de gens dépendent de moi. Je suis pétrifié. Toute ma vie, j'ai si bien réussi... vous savez... toujours premier en classe, tous les honneurs à l'université... j'ai toujours été devant les autres. Mais maintenant je me sens paralysé.* »

Je lui demandai s'il était arrivé quelque chose dans sa vie qui puisse expliquer le changement. Il me dit que son père venait d'être hospitalisé pour de graves lésions du foie. Partant de cet indice, je demandai à Stéphane si son père était alcoolique. Au bout d'un moment, il répondit que ses parents l'étaient tous deux. Stéphane avait grandi en s'enterrant sous le travail scolaire et en collectionnant les succès, pour supporter l'atmosphère tumultueuse du foyer familial.

> *« Tout le monde pensait que j'étais un super-enfant... Mes grands-parents, mes professeurs, même mes parents... quand ils étaient à jeun. J'ai été un fils parfait, un étudiant parfait, et plus tard, un scientifique, un mari, un père parfait. (A ce moment, sa voix se brisa.) J'en ai tellement assez d'être tout le temps parfait! »*

Enfant, Stéphane obtenait l'approbation générale en assumant des tâches au-delà de ses capacités et en les exécutant avec une maturité au-delà de son âge. Au lieu de se forger une profonde estime de soi en étant traité comme un être humain d'une valeur innée, il devait prouver sa valeur, cela par le seul moyen de sa réussite extérieure. Son estime personnelle devint tributaire des félicitations, des récompenses et des notes, au lieu d'être fondée sur une confiance intérieure.

Parmi les forces qui le poussaient en avant, il pouvait bien y avoir un élément de compensation. En développant des capacités supérieures, Stéphane essayait sans doute inconsciemment de compenser les incapacités de ses parents.

Je dis à Stéphane que la maladie de son père avait de toute évidence remué toutes sortes de choses inachevées pour lui-même; j'étais capable de voir sa souffrance, mais je trouvai qu'il avait là une excellente occasion d'affronter certains problèmes vraiment cruciaux. Je lui demandai de s'interroger pour savoir s'il n'était pas devenu le héros de la famille pour supporter à sa façon une enfance affreuse. Ce rôle apportait à sa vie une certaine sécurité et une certaine structure. Malheureusement, il n'avait jamais appris à se ménager. A présent, bien des années plus tard, sa recherche de la perfection dans tous les domaines de sa vie en était arrivée à le paralyser, chose courante chez les perfectionnistes.

Comme je l'y encourageai vivement, Stéphane accepta de se faire aider à la fois pour mieux vivre sa situation actuelle et pour assumer les manques de son enfance.

Les enfants qui grandissent dans un foyer alcoolique sont le jouet de circonstances et de personnalités imprévisibles et changeantes. En réaction, ils grandissent souvent avec le besoin irrépressible de diriger tout et tout le monde dans leur vie. Gilles réagissait à l'impuissance qu'il ressentait enfant en adoptant à sa façon, malgré sa timidité, un comportement dominateur :

> « *Chaque fois que je sortais avec une fille, je faisais en sorte de la laisser tomber alors que tout allait bien. Je craignais peut-être qu'elle finisse par me quitter, si je ne la quittais pas, et donc c'était une façon de garder le contrôle de la situation. Aujourd'hui, je passe mon temps à dire à ma femme et à mes enfants comment tout faire. Je ne peux pas m'en empêcher, il faut que je dirige tout. Je mène mon entreprise de la même façon. En réalité, je suis toujours incapable de crier contre quelqu'un, mais mes employés savent toujours quand je suis mécontent. Ils disent que j'émets des vibrations – ça les rend fous. Mais c'est mon entreprise, non ?* »

Gilles croyait que, en dirigeant tous les aspects de sa vie, il pourrait éviter de revivre la folie et l'incohérence qui avaient caractérisé son univers d'enfant. Bien sûr, comme il avait des problèmes pour s'imposer ouvertement, il avait dû trouver d'autres moyens de contrôle, et il s'était rabattu sur les techniques de manipulation, par exemple faire la tête ou harceler, et il était passé maître en cet art.

Malheureusement, son comportement manipulateur l'éloignait des personnes qu'il aimait et suscitait du ressentiment de leur part. Comme beaucoup d'enfants d'alcooliques, le besoin que Gilles éprouvait de diriger les gens avait pour conséquence la chose qu'il craignait le plus – le rejet. L'ironie du sort, c'est que le système de défense qu'il avait élaboré contre la solitude au cours de son enfance était justement responsable de sa solitude d'adulte.

L'enfant accusé

Si vous avez été élevé dans une famille alcoolique, il y a des chances pour que – contrairement à Stéphane, dont les deux parents buvaient – votre drame familial ait comporté un parent avec un problème d'alcool, mais pas l'autre. Ces dernières années, nous avons commencé à en savoir davantage sur le rôle du conjoint sobre, dans ces relations. Comme nous l'avons vu au chapitre 2, ce partenaire est fréquemment « permissif » ou « codépendant ».

C'est le partenaire qui, en dépit des souffrances que l'alcoolique lui inflige, soutient inconsciemment l'éthylisme du buveur. Par leur acceptation de la situation, les codépendants font savoir qu'ils seront toujours là pour s'occuper des effets destructeurs du comportement de leur partenaire. Même si les codépendants récriminent, pleurnichent, supplient, se plaignent, menacent et donnent des ultimatums, ils sont rarement décidés à prendre des mesures assez énergiques pour changer d'autorité le cours des choses.

Charlotte et moi commencions à faire des progrès notables en thérapie. Je voulais voir moi-même comment elle se comportait avec ses parents et je lui demandai de les inviter à une séance. Lorsqu'ils arrivèrent, je vis tout de suite que la mère de Charlotte était déjà bouleversée. Le simple fait de lui demander de venir semblait avoir provoqué sa culpabilité. Quand je me mis à évoquer la douloureuse réalité de l'enfance de Charlotte, sa mère éclata en sanglots :

*« J'ai tellement honte. Je sais que je n'ai pas été une bonne
mère pour elle. Je suis si désolée, je le dis vraiment sincèrement. Je vais vraiment arrêter de boire. Je vais même aller en
thérapie si vous le désirez. »*

Je dis à la mère de Charlotte que la psychothérapie était
notoirement inefficace dans les cas d'éthylisme ou de tout
autre comportement de dépendance si elle n'est pas associée à un programme en douze étapes, comme celui des
Alcooliques anonymes. La mère de Charlotte me supplia :

*« Je vous en prie, ne m'obligez pas à aller aux Alcooliques
anonymes. Je ferai n'importe quoi pour Charlotte, sauf ça. »*

Le père de Charlotte intervint alors avec colère :

*« Bon Dieu, ma femme n'est pas une alcoolique ! C'est une
femme merveilleuse qui prend un verre ou deux pour se
détendre. Il y a des millions de gens qui prennent un verre de
temps en temps, tout comme elle. »*

Je lui fis voir quels effets destructeurs avaient eus sur
Charlotte le comportement de sa mère, combiné avec son
propre détachement. Il explosa :

*« Je suis un homme qui a réussi et j'ai une maison magni-
fique ! Pourquoi est-ce que vous nous traînez là-dedans, ma
femme et moi ? Contentez-vous de vous concentrer sur les problèmes de ma fille et laissez-nous en dehors. Ma fille vous
paie pour vous occuper d'elle – pas de nous. Ma femme et
moi, nous n'avons que faire de ce genre d'outrance. D'accord,
peut-être que ma femme boit un peu plus que la plupart des
gens. Mais elle sait se tenir. En fait, après quelques verres, elle
est foutrement plus agréable ! »*

Le père de Charlotte refusa de venir à d'autres séances,
mais sa mère finit par accepter de s'inscrire aux AA et de
se faire suivre par un de mes confrères. Il s'ensuivit une
série d'événements fascinants, mais pas tellement imprévisibles. Comme la mère de Charlotte s'arrêtait de boire,

son père se mit à souffrir de graves problèmes gastro-intestinaux auxquels – me dit Charlotte – le docteur ne trouvait pas d'explication.

Il était clair que l'on avait dérangé l'équilibre de la
famille. Il apparut que le père de Charlotte ne pouvait
vivre, fonctionner, que dans un état de complète dénégation. Il s'établit dans les familles alcooliques un équilibre
précaire, dans lequel chacun joue le rôle qui lui est attri-
bué. Dès que Charlotte et sa mère se mirent à s'occuper
sérieusement de leurs propres problèmes, cela provoqua
une tempête qui secoua dramatiquement le navire familial. Dans leur entourage, le père de Charlotte était admiré
comme un modèle de dévouement et de courage. Charlotte se souvenait d'avoir entendu dire par un membre de
sa famille que son père pouvait prétendre à la sainteté tellement il était indulgent et tolérant. En fait, c'était un
codépendant classique qui, par son refus de la réalité, permettait à sa femme de rester une pitoyable alcoolique.
Lui, en retour, il en tirait du pouvoir. Tant qu'elle dispa-
raissait dans un brouillard éthylique, il avait toute liberté
pour mener sa famille à sa guise.

Je continuai à voir Charlotte et sa mère ensemble pour
une thérapie familiale. La mère de Charlotte commença à
comprendre que son mari tirait sa satisfaction de son pouvoir à contrôler la famille seul. L'alcoolisme de sa femme,
les problèmes physiques et émotionnels de sa fille le faisaient apparaître comme la seule personne normale dans
le foyer. Malgré le masque autoritaire qu'il présentait au
monde extérieur, le père de Charlotte – comme beaucoup
de codépendants – était terriblement peu sûr de lui.
Comme nous le faisons presque tous, il avait choisi une
partenaire qui reflétait sa véritable opinion de lui-même.
Prendre pour conjoint quelqu'un qui avait des problèmes
lui permettait de se sentir supérieur par comparaison.

La mère de Charlotte est en train de guérir de son éthylisme et elle effectue des changements très positifs dans ses

relations avec sa fille et son mari. Comme c'était prévisible, son mari continue à avoir des problèmes gastro-intestinaux.

A la différence du père de Charlotte, la mère de Gilles était une codépendante qui reconnaissait tout à fait les horreurs que provoquait l'éthylisme de son mari, et les sévices contre les enfants qui allaient de pair. Néanmoins, elle n'était ni plus capable ni plus désireuse de prendre des mesures effectives. Comme me le dit Gilles :

> « *Ma mère a presque soixante-dix ans, et j'en suis toujours à me demander pourquoi elle a laissé mon père nous terroriser comme il l'a fait. Pourquoi laissait-elle ses enfants se faire tabasser ? Il y avait bien quelqu'un qui aurait pu l'aider si elle avait voulu. Mais elle parle comme un disque rayé... tout ce qu'elle répète c'est :* « *Tu ne sais pas comment c'était pour les femmes à cette époque. Il fallait être du côté de son mari, quoi qu'il arrive. Personne ne parlait tout haut de ces choses, comme à présent. Où voulais-tu que j'aille ? Qu'est-ce que je pouvais faire ?* » *»*

La mère de Gilles était tout simplement dépassée par le désordre familial. Sa faiblesse, à laquelle s'ajoutait son sens perverti de la loyauté, permettait à son mari de poursuivre son outrageante conduite. La mère de Gilles, comme beaucoup de codépendants, était intrinsèquement devenue une enfant, laissant les véritables enfants sans protection. Jusqu'à ce jour, Gilles est pris entre son besoin d'aller au secours de sa mère infantile et son ressentiment envers elle pour n'avoir pas su se comporter en mère avec lui.

Quel devenir, quelle prévention ?

Les fins à la manière des contes de fées sont rares dans les familles d'alcooliques. Dans le meilleur des mondes possibles, vos parents accepteraient la totale responsabilité de leur éthylisme, s'inscriraient à un programme de réhabilitation et deviendraient sobres. Ils reconnaîtraient que vous avez vécu une enfance horrible et feraient des efforts pour devenir des parents aimants et responsables.

Malheureusement, la réalité n'est généralement pas à la hauteur de l'idéal. L'éthylisme, la dénégation et la déformation de la réalité continuent souvent jusqu'à la mort d'un des parents ou des deux. Beaucoup d'enfants d'alcooliques arrivés à l'âge adulte s'accrochent à l'espoir que leur vie de famille va magiquement se changer en un conte de fées, mais conserver cet espoir ne peut que mener à un échec complet. Gilles découvrit cela d'une façon particulièrement poignante :

> *« Il y a environ un an, papa m'a dit pour la première fois qu'il m'aimait. Je l'ai serré dans mes bras et je l'ai remercié, mais cela ne pouvait racheter toutes ces années où il m'avait dit que j'étais un raté. Quelle ironie, toute ma vie j'avais rêvé de ce jour. »*

Gilles avait finalement obtenu le « je t'aime » qu'il désirait depuis si longtemps, mais ce n'était pas suffisant. Cela lui avait laissé une sensation de vide. Ce n'étaient que des mots, pas des actes. Son père continuait à boire. L'erreur de Gilles c'était d'espérer que son père change.

Si vous avez été élevé par un alcoolique, la clé pour reprendre le contrôle de votre vie, c'est de vous souvenir que vous, vous pouvez changer sans changer vos parents. Votre bien-être ne doit pas dépendre de vos parents. Vous pouvez surmonter les traumatismes de votre enfance et le pouvoir qu'ils exercent sur votre vie adulte, même si vos parents restent les mêmes. Il faut seulement que vous vous engagiez à faire le travail nécessaire.

Je suggère à tous mes patients issus de foyers contaminés par l'alcool ou la drogue de s'inscrire à une organisation comme Adultes-Enfants d'alcooliques[2], ce qui

---

[2] Cf. note p. 95.

accélérerait beaucoup notre travail commun. En effet, il s'agit de groupes qui offrent un excellent soutien ; en partageant expériences et sentiments, les enfants d'alcooliques et de toxicomanes en viennent à se rendre compte qu'ils ne sont pas seuls. Ils peuvent alors faire face au dinosaure du salon, ce qui est le premier pas menant à sa destruction.

5

Les violences verbales

ou

Lorsque les marques sont intériorisées

Les Américains ont un vieux dicton : « Bâtons et pierres peuvent me briser les os, mais les mots ne pourront jamais me faire de mal. » Eh bien ! il est faux. Des insultes, des commentaires dégradants, des critiques humiliantes peuvent constituer pour les enfants autant de messages extrêmement négatifs sur eux-mêmes, des messages capables d'avoir des effets dramatiques sur leur bien-être futur. Comme le disait un de mes correspondants lors de mon émission radiophonique :

> « Si je devais choisir entre des violences physiques ou des violences verbales, je préférerais être battu, sans hésiter. Les marques sont visibles, on peut au moins se faire plaindre. Tout ce qui est dit, ça vous rend fou. Les blessures sont invisibles. Personne ne s'en occupe. De vrais bleus guérissent foutrement plus vite que les traces des insultes. »

En tant que membres d'une société, nous considérons par tradition que discipliner les enfants relève du domaine privé, que c'est quelque chose qui se passe en famille et qui dépend du père. De nos jours, beaucoup d'instances civiques ont reconnu la nécessité de nouvelles procédures destinées à s'attaquer aux abus sexuels et physiques dont sont victimes les enfants. Mais même les autorités les plus attentives ne peuvent rien contre l'enfant brutalisé verbalement. Il est tout seul.

Le pouvoir des mots cruels

La plupart des parents tiennent de temps en temps des propos qui attentent à la dignité de leurs enfants. Ce n'est pas automatiquement un abus verbal. Mais c'est un abus que de lancer des attaques répétitives contre l'aspect physique de l'enfant, contre ses capacités intellectuelles, sa compétence ou sa valeur en tant qu'être humain.

Comme les parents dominateurs, les responsables d'abus verbaux ont deux manières distinctes de se conduire. Ils peuvent accuser leurs enfants d'être stupides, bons à rien ou laids. Ou bien dire qu'ils aimeraient qu'ils n'aient jamais vu le jour. Ils ne tiennent pas compte des sentiments de leur enfant, ni des effets à long terme de leurs constantes attaques contre l'image de soi qui est en train de se développer chez l'enfant.

D'autres abus verbaux sont moins directs : l'enfant est assailli d'un tir constant de railleries, de sarcasmes, de surnoms insultants et de remarques subtilement dévalorisantes. Ces parents cachent souvent leurs abus sous le masque de l'humour. Ils font de petites plaisanteries comme : « La dernière fois que j'ai vu un aussi gros nez c'était au mont Rushmore », ou « Voilà une veste élégante… pour un clown », ou « Tu devais être cloué au lit à la maison le jour où on a distribué les intelligences ».

Si l'enfant, ou un autre membre de la famille se plaint, le responsable de ces remarques l'accuse invariablement de ne pas avoir le sens de l'humour. « Elle sait bien que je plaisante », dit-il, comme si la victime de ses attaques était de son côté.

Philippe, quarante-huit ans, avait l'apparence d'un homme sûr de lui. Il était dentiste ; de haute taille, d'allure robuste, il aimait porter des vêtements à la mode. Mais, lorsqu'il parlait, sa voix était si faible que j'avais du mal à l'entendre. Plusieurs fois, je dus lui demander de se répéter. Il expliqua qu'il recherchait de l'aide pour venir à bout de sa douloureuse timidité.

> « *Je ne peux plus continuer comme ça. J'ai presque cinquante ans et je suis hypersensible à peu près à tout ce qu'on me dit. Je suis incapable de prendre les choses pour ce qu'elles paraissent. J'ai toujours l'impression qu'on veut se moquer de moi. Je pense que ma femme se moque de moi… Je pense que mes patients se moquent de moi. La nuit, je ne dors pas, je pense à ce que les gens m'ont dit la veille… et je trouve du mal partout. Parfois je crois que je deviens fou.* »

Philippe parlait ouvertement de sa vie actuelle, mais il se referma sur lui-même lorsque je m'enquis de ses premières années. Je le questionnai un peu, avec ménagement, et il me dit que les souvenirs les plus vifs de son enfance, c'étaient les moqueries incessantes de son père ; des plaisanteries toujours faites à ses dépens, et qui souvent l'humiliaient. Lorsque le restant de la famille riait, il se sentait encore plus exclu.

« C'était déjà assez désagréable quand il se moquait de moi, mais parfois il me faisait vraiment peur en disant des choses comme : " Ce garçon ne peut pas être notre fils, regarde son visage. Je parie qu'ils nous ont donné le mauvais bébé à l'hôpital. Et si on le rapportait pour l'échanger contre le bon ? " Je n'avais que six ans, et je croyais vraiment qu'on allait me laisser à l'hôpital. Un jour, j'ai fini par lui dire : " Papa, pourquoi est-ce que tu es toujours en train de me disputer ? " Il a dit : " Je ne te dispute pas. C'est juste pour rire. Tu n'es pas capable de comprendre ça ? " »

Comme tous les jeunes enfants, Philippe n'était pas capable de faire la distinction entre la vérité et une plaisanterie, une menace et une taquinerie. Un humour positif est un des moyens les plus précieux pour renforcer les liens familiaux. Mais l'humour qui rabaisse peut causer de grands dommages au sein de la famille. Les enfants prennent pour argent comptant sarcasmes et exagérations humoristiques. Ils n'ont pas assez d'expérience sociale pour comprendre qu'un parent plaisante quand il dit quelque chose comme : « Il va falloir que l'on t'envoie à la maternelle en Chine. » Au contraire, l'enfant peut avoir des cauchemars en croyant qu'il va être abandonné dans un pays lointain et effrayant.

Nous sommes tous coupables d'avoir fait des plaisanteries aux dépens de quelqu'un. La plupart du temps, les plaisanteries de ce genre peuvent être relativement inoffensives. Mais, comme dans d'autres formes de toxicité parentale, c'est la fréquence, la cruauté et l'origine de ces plaisanteries qui en font des actes abusifs. Les enfants croient ce que leurs parents disent d'eux et ça les marque. Les parents qui font des plaisanteries répétitives aux dépens d'un enfant vulnérable se conduisent de façon sadique et destructrice.

Philippe était constamment en butte à des humiliations et à des reproches. Lorsqu'il faisait une tentative pour s'opposer au comportement de son père, il était accusé d'être incapable de « comprendre la plaisanterie ». Philippe n'avait aucun recours pour tout ce qu'il éprouvait.

Au fur et à mesure que Philippe exprimait ses sentiments, je voyais bien qu'il était encore gêné – comme s'il se trouvait bête de se plaindre ainsi. Je le rassurai par ces mots : « Je comprends tout ce que les plaisanteries de votre père avaient d'humiliant pour vous. Elles vous faisaient terriblement mal et pourtant personne ne prenait votre peine au sérieux. Mais nous sommes là pour aller au fond de votre peine, et non pas pour la prendre à la légère. Vous êtes ici en sécurité, Philippe. Personne ne va vous empêcher de parler. »

Il fit une pause pour se pénétrer de mes paroles. Il était

au bord des larmes, mais il fit un très gros effort pour le cacher en disant :

> *« Je le déteste. C'était tellement lâche de sa part. Je veux dire que je n'étais qu'un petit enfant. Il n'avait pas le droit de s'attaquer à moi comme ça. Il continue à faire des plaisanteries à mes dépens. Il ne rate jamais une occasion. Si je baisse la garde une seconde, je me fais descendre ! Et ensuite, il prend son air de petit saint. Bon sang, j'ai vraiment horreur de ça ! »*

Au début de son traitement, Philippe ne faisait aucun rapport entre son hypersensibilité et les sarcasmes de son père. Petit garçon, il n'avait aucun recours parce que le comportement de son père n'était jamais considéré comme abusif. Il se trouvait dans une situation typique de cercle vicieux : « Les plaisanteries de mon père me font du mal et je suis faible parce que je ne les supporte pas. »

Dans son enfance, Philippe était la cible des plaisanteries de son père, et il faisait de gros efforts pour cacher ses sentiments d'incapacité. Adulte, Philippe n'avait pas changé. Mais il évoluait dans un monde beaucoup plus vaste, et il avait donc transféré ses frayeurs et son pessimisme sur d'autres gens. Il traversait la vie, les nerfs à vif, s'attendant à être blessé, humilié. C'est par son hypersensibilité, sa timidité et sa méfiance envers les autres qu'il tentait inévitablement, mais inefficacement, de se protéger contre les blessures.

« *Je ne dis cela que pour ton bien* » : beaucoup de parents assènent leurs violences verbales sous couvert de bons conseils. Pour justifier des remarques cruelles et blessantes, ils utilisent des raisonnements tels que : « Le monde est sans pitié et nous t'apprenons à l'affronter. » Parce que cet abus porte le masque de l'éducation, il est spécialement difficile pour un adulte de reconnaître son caractère destructeur.

Véronique avait trente-quatre ans lorsqu'elle commença sa thérapie. C'était une femme séduisante qui travaillait comme chef comptable dans une grosse société commerciale, mais sa confiance en elle était faible au point de compromettre son avancement :

« Voilà six ans que je travaille pour cette société, et j'ai eu une belle promotion. J'ai progressé lentement, vous savez, de secrétaire à chef de bureau, à chef comptable… je suis sortie du rang. Mais la semaine dernière il m'est arrivé une chose incroyable. Mon patron m'a dit que je pourrais vraiment aller loin si j'avais un diplôme d'expert-comptable, et il m'a proposé de prendre en charge ma formation ! Je n'en croyais pas mes oreilles ! Je devrais normalement être ravie, mais je ne ressens que de la panique. Cela fait dix ans que je n'ai plus étudié. Je ne sais pas si je suis capable de réussir l'expertise comptable. Même mes proches me disent que je m'embarque dans quelque chose qui me dépasse. »

Je lui fis remarquer que ceux qui exprimaient ce jugement était de curieux amis, car les vrais amis sont ceux qui donnent des encouragements. Elle fut gênée par mes paroles. Je lui demandai pourquoi elle paraissait mal à l'aise. Elle répondit que par « ses proches », elle entendait sa mère.

« Quand j'ai appelé ma mère pour lui demander si elle pensait que je devais le faire, elle a soulevé quelques bonnes objections. Vous savez… Qu'est-ce qui va se passer pour mon travail si je ne réussis pas ? Et avais-je pensé qu'avec une expertise comptable j'allais effaroucher beaucoup d'hommes avec qui j'aurais pu me marier ? Et puis je suis tout à fait satisfaite de ce que je fais actuellement. »

« Mais, une des raisons pour lesquelles vous êtes satisfaite, c'est que vous avez su progresser, dis-je. Est-ce que vous ne voulez pas continuer ? » Elle fut d'accord. J'émis l'hypothèse que son avancement au travail et que l'opportunité offerte par son patron attestaient de sa valeur. Cette évidence ne cadrait pas avec les doutes de sa mère. Je demandai si sa mère avait toujours été tellement négative en ce qui concernait les capacités de Véronique.

« *Maman a toujours désiré que je sois la parfaite petite femme du monde. Elle voulait que je sois gracieuse et élégante, que je parle bien… Quand ça n'allait pas, elle essayait de me corriger en me faisant honte. Elle le faisait vraiment par gentillesse. Elle m'imitait si je prononçais mal un mot. Elle se moquait de mon apparence. Le pire, c'était les spectacles de danse. Maman avait rêvé de devenir danseuse mais, au lieu de cela, elle s'était mariée. Je suppose que je devais vivre son rêve pour elle, mais je n'ai jamais dansé aussi bien qu'elle, ou du moins c'est ce qu'elle m'a toujours dit. Je n'oublierai jamais une représentation, je devais avoir une douzaine d'années. Je pensais que j'avais plutôt bien dansé, mais maman est arrivée dans les coulisses et a dit – devant toute la classe : " Tu as dansé comme un hippopotame. " J'aurais voulu disparaître sous le plancher. Comme je boudais en rentrant à la maison, elle m'a dit que je devais apprendre à accepter quelques petites critiques parce que c'était la seule façon de progresser. Et puis elle m'a tapoté le bras et je m'attendais à quelque chose de gentil, mais savez-vous ce qu'elle m'a dit : " Regardons les choses en face, chérie, tu n'es vraiment bonne en rien, n'est-ce pas ? " C'est comme si elle disait : " Sois la meilleure. Mais je sais d'avance que tu vas échouer. "* »

La mère de Véronique paraissait avoir tout fait pour que sa fille ait le sentiment d'être une incapable. Elle s'y prenait en transmettant une série de messages incohérents, à double sens. D'un côté, elle poussait sa fille à exceller et, de l'autre, elle lui disait qu'elle était lamentable. Véronique se sentait toujours en porte-à-faux, n'était jamais sûre de bien faire. Quand elle pensait avoir bien fait, sa mère la remettait à sa place ; quand elle pensait avoir réalisé une médiocre performance, sa mère lui disait qu'elle était incapable de mieux faire. Au moment où Véronique aurait dû acquérir de la confiance en elle, sa mère faisait tout pour l'en empêcher – et sous prétexte de rendre Véronique meilleure.

Mais que faisait en réalité cette mère abusive ? La mère de Véronique combattait ses propres sentiments d'incapacité. Sa propre carrière de danseuse avait échoué, peut-être à cause de son mariage. Mais peut-être le mariage lui avait-il servi d'excuse et n'avait-elle pas eu assez de confiance en elle pour poursuivre sa carrière. En marquant sa supériorité sur sa fille, la mère de Véronique réussissait à nier ses propres sentiments d'incapacité. Toutes les occasions étaient bonnes, même s'il fallait pour cela humilier sa fille devant ses amies. Il est particulièrement terrifiant pour une adolescente de se voir ainsi mise dans l'embarras, mais les besoins du parent toxique passent en premier.

Le parent rival à l'adolescence

Le besoin de donner à quelqu'un le sentiment d'être incapable pour se sentir soi-même capable évolue rapidement en une compétition outrancière. De toute évidence, la mère de Véronique en était arrivée à voir dans sa jeune fille une menace : celle-ci devenant plus grande et plus jolie, plus mûre et plus compétente, sa mère éprouvait davantage de difficultés à se sentir supérieure. Il lui fallait donc maintenir la pression, continuer à rabaisser sa fille pour se défendre contre la menace.

Les parents sains réagissent avec excitation et joie en face de la croissance de leur enfant. Les parents rivaux, au contraire, se sentent souvent dépossédés, anxieux, terrifiés même. La plupart des parents rivaux ne sont pas conscients des causes de ces sentiments. Mais ils savent que c'est l'enfant qui les provoque.

Pendant l'adolescence, les petites filles commencent à devenir des femmes et les petits garçons à devenir des hommes. L'adolescence de l'enfant est une époque particulièrement menaçante pour un parent peu assuré. Les femmes ont peur de devenir vieilles et de perdre leur beauté. Elles peuvent voir en leur fille une rivale et éprouvent le besoin de la dénigrer, surtout en présence de leur mari. Les hommes peuvent ressentir une menace peser sur leur virilité et leur autorité. Il n'y a de place que pour un seul homme à la maison, et ils utilisent les humiliations et le ridicule pour que leur fils continue à se sentir petit et faible. Beaucoup d'adolescents aggravent cette situation en se posant ouvertement en rival, un moyen pour eux de tester les rivages de l'âge adulte.

Il arrive souvent que les parents rivaux aient vécu une enfance marquée par des privations, soit matériellement, soit sur le plan affectif. Quoi qu'ils possèdent, ils continuent à vivre dans la peur de ne pas avoir assez. Beaucoup de ces parents recréent avec leurs enfants la situation de compétition qu'ils ont vécue avec leurs propres parents ou leurs frères et sœurs. Cette lutte inégale fait peser sur l'enfant une pression énorme.

Véronique, quant à elle, avait renoncé purement et simplement à accomplir quoi que ce soit :

> « *Pendant de nombreuses années, je n'ai pas fait grand-chose, laissant tomber même ce que j'aimais vraiment, parce que j'avais peur d'être humiliée. Adulte, je continuais à entendre sa voix, qui me démolissait. Elle n'était pas grossière, elle ne me traitait pas de tous les noms. Mais sa façon de toujours me comparer à elle me donnait tellement l'impression d'être une ratée. Ça me faisait si mal.* »

Malgré ce que les parents rivaux peuvent affirmer quant à ce qu'ils veulent pour leurs enfants, leur programme secret, c'est de faire en sorte que leurs enfants ne puissent les surpasser. Leurs messages inconscients sont forts : « Tu ne peux pas réussir mieux que moi », ou « Tu ne peux pas être plus séduisante que moi », ou « Tu ne peux pas être plus heureux que moi ». En d'autres termes : « Nous avons tous nos limites, et la tienne c'est moi. »

Comme ces messages sont profondément enfouis dans leur subconscient, les enfants de parents rivaux éprouvent souvent une grande culpabilité quand ils parviennent à exceller dans un domaine. Plus ils réussissent et plus ils deviennent malheureux, ce qui les conduit parfois à saboter leur réussite. Pour les enfants de parents toxiques, réussir au-dessous de leurs capacités est le prix à payer pour avoir l'esprit en paix. Ils contrôlent leur culpabilité en se limitant inconsciemment eux-mêmes de façon à ne pas surpasser leurs parents. En ce sens, ils réalisent les prophéties négatives de leurs parents.

La trace indélébile des insultes

Certains parents abusifs verbalement ne se préoccupent pas de se cacher derrière la rationalisation. Au lieu de cela, ils bombardent leurs enfants d'insultes cruelles, de sermons, d'accusations et de noms avilissants. Ces parents n'ont absolument aucune conscience du mal qu'ils font et des dommages durables qu'ils causent. Des abus verbaux si flagrants peuvent marquer l'estime de soi d'un enfant comme un fer rouge, laissant de profondes cicatrices psychologiques.

Carole, cinquante-deux ans, était une femme extrêmement belle, ancien mannequin devenue décoratrice. A notre première séance, elle me parla de son dernier divorce – le troisième. Le divorce datait d'environ un an avant que Carole vienne me voir. Une expérience douloureuse qui l'avait laissée effrayée quant à son avenir. En même temps, elle était en pleine ménopause et paraissait affolée à l'idée de perdre sa beauté. Elle ne se sentait plus désirable. Elle me dit qu'une récente visite chez ses parents, pour les fêtes de Thanksgiving, avait avivé ses craintes.

> *« Ça se termine toujours de la même façon. Chaque fois que je vois mes parents, j'en ressors blessée et déçue. Le plus dur, c'est que je continue à croire que, si je reviens à la maison pour leur dire que je suis malheureuse, que quelque chose n'a pas marché, peut-être, pour une fois, ils diront : " Oh ! ma chérie, nous sommes vraiment désolés ", au lieu de " C'est ta faute. De si loin que je me le rappelle, ça a toujours été ta faute. " »*

Je dis à Carole que ses parents semblaient encore exercer un énorme pouvoir sur elle. Je lui demandai si elle désirait explorer les racines de ce pouvoir avec moi, afin que nous puissions commencer à changer les schémas de domination et de contrôle. Carole hocha la tête et se mit à me parler de son enfance dans une riche famille du Middlewest. Son père était un éminent médecin et sa mère une nageuse de niveau olympique qui avait abandonné la compétition pour élever cinq enfants. Carole était l'aînée.

> *« Je me rappelle que je me sentais souvent triste et seule quand j'étais petite. Mon père m'avait toujours taquinée, mais, quand j'ai eu onze ans, il s'est mis à me dire des choses vraiment horribles. »*

« Par exemple ? » lui demandai-je. Elle me dit que cela n'avait pas d'importance. Elle se mit à se mordre les ongles nerveusement. Je savais qu'elle essayait de garder le contrôle de ses émotions : « Carole, dis-je, je vois combien c'est douloureux pour vous. Mais il faut sortir cela au grand jour, et alors vous pourrez régler ce problème. » Elle commença lentement :

> *« Pour je ne sais quelle raison, mon père a décidé… bon sang, que c'est difficile… il a décidé que… je sentais mauvais. Il*

ne s'arrêtait jamais. Je veux dire que les autres me disaient que j'étais belle, mais tout ce qu'il savait me dire c'était... »

Carole s'arrêta de nouveau et détourna son regard. « Allez, Carole, dis-je, je suis de votre côté. »

« Il disait: " Tes seins sentent mauvais... ton derrière pue. Si seulement les gens savaient combien ton corps est sale et malodorant, ils seraient dégoûtés. " Je jure devant Dieu que je me douchais trois fois par jour. Je changeais sans cesse de vêtements. J'utilisais des tonnes de déodorant et de parfum, mais cela ne faisait aucune différence. Une de ses phrases favorites c'était: " Si quelqu'un te retournait comme un gant, on verrait la puanteur sortir de tous tes pores. " Rappelez-vous que cela venait d'un éminent médecin. Et ma mère ne disait jamais un mot. Elle ne m'a même jamais dit que ce n'était pas vrai. Je passais mon temps à me demander comment être mieux... comment l'empêcher de me dire que j'étais affreuse et malodorante. Lorsque j'allais aux toilettes, je pensais toujours que si je tirais la chasse d'eau plus rapidement, il ne penserait peut-être pas que j'étais si répugnante. »

Je dis à Carole que son père avait eu une réaction irrationnelle à l'égard de sa féminité naissante parce qu'il ne savait comment se comporter avec les sentiments qu'elle lui inspirait. Il est très courant que des pères éprouvent de la gêne et même de l'agressivité envers les premières manifestations de la sexualité de leur fille. Même un père qui est gentil et affectueux quand sa fille est petite peut créer un conflit pendant son adolescence, pour mettre une barrière entre lui et une attirance sexuelle qu'il trouve inacceptable.

Pour un père toxique comme celui de Carole, le développement sexuel d'une fille peut déclencher des sentiments d'anxiété exacerbés, justifiant dans son esprit les persécutions qu'il lui fait subir. En projetant sa gêne et sa culpabilité sur elle, il parvenait à dénier toute responsabilité pour ses sentiments. C'était comme s'il disait: « Tu es mauvaise et malsaine parce que tu me fais éprouver pour toi des choses mauvaises et malsaines. »

Je demandai à Carole si, parmi mes propos, il y en avait qui sonnaient juste à ses oreilles :

> « *Maintenant que j'y pense, c'était effectivement quelque chose de sexuel. Je sentais toujours son regard sur moi. Et il n'arrêtait pas de m'embêter pour avoir des détails sur ce que je faisais avec les garçons – en réalité pratiquement rien. Mais il était convaincu que je couchais avec tous ceux avec qui je sortais. Il disait des choses comme : " Dis-moi la vérité, je ne te punirai pas. " Il voulait vraiment m'entendre parler de sexe. »*

Pendant la tourmente émotionnelle de l'adolescence, Carole avait le plus grand besoin d'un père affectueux et encourageant qui lui donne confiance en elle. Au lieu de cela, il la soumettait à des dénigrements incessants. Les abus verbaux de son père, associés à la passivité de sa mère, avaient porté gravement préjudice à la confiance que Carole avait en elle-même, en sa propre valeur, dans le fait qu'elle pouvait être aimée. Quand les gens lui disaient combien elle était jolie, elle ne faisait que se demander s'ils pouvaient la sentir. Aucun témoignage extérieur de valorisation ne pouvait rivaliser avec les messages destructeurs de son père.

> « *J'ai commencé à être mannequin à dix-sept ans. Bien sûr, plus j'avais de succès et pire c'était avec mon père. Il a vraiment fallu que je quitte la maison. Je me suis donc mariée à dix-neuf ans, avec le premier qui me l'a demandé. Un vrai trésor : il me frappait pendant ma grossesse et m'a abandonnée après la naissance du bébé. Naturellement, je me suis sentie coupable. Je m'imaginais que j'avais dû faire une erreur. Peut-être que je sentais mauvais, je ne savais pas. Environ un an plus tard, je me suis mariée avec un type qui ne me battait pas, mais il ne m'adressait presque jamais la parole. J'ai supporté celui-là pendant dix ans, parce que j'aurais été incapable de regarder mes parents en face si mon deuxième mariage avait échoué. Mais, en fin de compte, je*

l'ai laissé. Dieu merci, j'avais mon travail de mannequin et je pouvais nous faire vivre, mon fils et moi. J'ai même renoncé aux hommes pendant plusieurs années. Et puis j'ai rencontré Gérard. J'ai cru que la chance m'avait enfin souri, que j'avais trouvé l'homme parfait. Les cinq premières années de notre mariage ont été les plus heureuses de ma vie. Et puis j'ai découvert qu'il m'avait trompée pratiquement dès le premier jour. J'ai beaucoup pardonné au cours des dix années suivantes, simplement parce que je ne voulais pas d'un autre échec. L'année dernière il m'a quittée pour une femme deux fois plus jeune que moi. Pourquoi est-ce que je suis incapable de réussir quoi que ce soit ? »

Je rappelai à Carole qu'elle avait beaucoup de réussites à son actif : elle avait été une mère disponible et affectueuse ; elle avait élevé un fils qui se débrouillait bien dans la vie ; elle avait mené à bien deux carrières. Mais aucune de mes affirmations ne pesait bien lourd. Carole avait assimilé l'image d'elle-même projetée par son père, celle d'un être humain repoussant, sans valeur. En conséquence, sa vie adulte était en grande partie animée par une recherche délibérément vouée à l'échec de l'amour qu'elle avait tant attendu de son père quand elle était jeune. Elle choisissait des hommes cruels, violents ou distants – comme son père – et essayait de les amener à l'aimer de la façon dont son père ne l'avait jamais fait.

J'expliquai à Carole qu'en demandant à son père, ou aux hommes qu'elle choisissait pour le remplacer, de faire en sorte qu'elle se sente en accord avec elle-même, elle mettait son estime personnelle entre leurs mains. Il ne fallait pas être un génie pour voir combien ces mains avaient causé de dégâts. Il fallait qu'elle reprenne le contrôle de son estime personnelle en affrontant les idées autodestructrices que son père lui avait inculquées pendant son enfance. En quelques mois, elle parvint à se rendre compte, progressivement, qu'elle n'avait pas perdu son estime personnelle ; en fait elle la cherchait au mauvais endroit.

Les parents perfectionnistes

D'irréalisables ambitions de perfection pour les enfants constituent une autre source d'attaques verbales graves. Beaucoup de parents au discours abusif ont eux-mêmes connu une grande réussite, mais bien trop souvent leur foyer devient un lieu pour se défouler de leur stress professionnel. (Les parents alcooliques peuvent aussi imposer à leurs enfants des exigences impossibles à satisfaire, et ensuite utiliser l'échec de leurs enfants pour justifier leur éthylisme.)

Les parents perfectionnistes paraissent fonctionner selon l'illusion que, s'ils parviennent seulement à rendre leurs enfants parfaits, ils auront une famille parfaite. Ils chargent l'enfant du poids de la stabilité, pour éviter de regarder en face le fait qu'ils sont incapables de l'assurer eux-mêmes. L'enfant échoue et il devient un bouc émissaire pour les problèmes familiaux. Une fois encore, c'est l'enfant qui endosse la responsabilité.

Les enfants ont besoin de faire des erreurs et de découvrir que ce n'est pas la fin du monde. C'est ainsi qu'ils acquièrent de l'assurance pour tenter de nouvelles expériences dans leur vie. Les parents toxiques imposent à leurs enfants des buts, des ambitions impossibles à atteindre, des règles toujours changeantes. Ils attendent de leurs enfants que ceux-ci réagissent avec un degré de maturité impossible à atteindre sans avoir vécu des expériences inaccessibles à un enfant. Les enfants ne sont pas des adultes miniatures, et pourtant c'est ainsi que les parents toxiques voudraient qu'ils agissent.

Paul, trente-trois ans, un technicien de laboratoire brun aux yeux bleus, vint me trouver pour des troubles d'ordre professionnel. Il était notoirement timide, mal à l'aise et sans assurance, et s'engageait de façon réitérée dans de violentes querelles avec ses supérieurs immédiats. Ce qui, ajouté à des problèmes croissants de concentration, constituait une menace pour son emploi.

Comme Paul et moi parlions de son travail, je vis qu'il avait des difficultés à se comporter avec les représentants de l'autorité. Je lui posai des questions sur ses parents, et je découvris que Paul, comme Carole, avait été marqué au fer rouge des insultes. Comme il le racontait :

> *« J'avais neuf ans lorsque ma mère s'est remariée. Ce type avait sûrement suivi les mêmes cours que Hitler. Quand il est venu s'installer chez nous, il a commencé par mettre les choses au point : la démocratie s'arrêtait à notre porte. S'il nous disait de sauter du haut d'une falaise, il fallait sauter. Sans poser de question. Il s'est plus acharné sur moi que sur ma sœur. Il était tout le temps après moi, surtout pour ma chambre. Il faisait sa foutue inspection chaque jour comme si on vivait dans un baraquement de l'armée. Quand on a neuf ou dix ans, les affaires sont toujours un peu en désordre, mais il ne voulait rien savoir. Tout devait être parfait, rien ne pouvait traîner. Si je laissais un livre sur le bureau, il se mettait à hurler que j'étais un porc dégoûtant. Il me traitait de foutu petit trou du cul, ou de fils de pute, ou de bâtard morveux. On aurait dit qu'il se livrait à son sport préféré quand il m'assenait ces horribles mots. Il ne m'a jamais frappé, mais ses foutues injures faisaient tout aussi mal. »*

Je me doutais que quelque chose en Paul avait dû susciter des sentiments violents chez son beau-père. Cela ne fut pas long à élucider. Paul avait été un enfant timide, sensible, réservé, petit pour son âge.

> *« Quand mon beau-père était jeune, il était le plus petit enfant de son école. Tout le monde se moquait de lui. Quand ma mère l'a rencontré, il était costaud parce qu'il s'était mis à s'entraîner. Mais on pouvait dire que tout ça c'était du rajouté. Tous ces muscles, ils avaient toujours un peu l'air de ne pas être à lui. »*

Quelque part dans le beau-père de Paul, un petit garçon effrayé, incapable, existait encore. Et, comme Paul avait tellement de caractères communs avec lui, il était devenu le symbole de l'enfance pénible de son beau-père. Parce que son beau-père ne s'était jamais accepté lui-même comme enfant, il avait ressenti une rage immédiate devant le jeune garçon qui lui rappelait ce qu'il était. Il utilisait Paul comme un bouc émissaire pour les incapacités qu'il était incapable d'affronter lui-même. En tyrannisant Paul avec d'impossibles exigences de perfection, puis en usant de violence verbale à son égard, son beau-père réussissait à se persuader qu'il était fort et plein d'autorité. Il ne lui était probablement jamais venu à l'esprit qu'il faisait du tort à Paul. Il pensait qu'il aidait l'enfant à devenir parfait.

La mère de Paul divorça de son deuxième mari quand Paul avait dix-huit ans, mais, à ce moment-là, le caractère de Paul avait déjà subi de sérieux dommages. Paul savait qu'il ne serait jamais assez « parfait » pour son beau-père et il avait donc tout simplement renoncé :

> « *Quand j'avais quatorze ans, je me suis mis à la drogue. C'est quasiment le seul moment de ma vie où je me sois senti accepté. Ce n'est pas la force physique qui pouvait me gagner des admirateurs, je n'avais aucun talent pour faire rire les autres, alors qu'est-ce qu'il me restait? Juste avant d'en finir avec le lycée, j'ai acheté de la came complètement pourrie et j'ai frôlé l'overdose. Alors, j'ai laissé tomber… il n'était pas question que je repasse par là.* »

Paul alla à l'université pendant une année, mais il abandonna, malgré son envie – et ses capacités – de préparer une carrière scientifique. Il n'arrivait pas à se concentrer. Son QI était extrêmement élevé, mais il s'effondrait devant une difficulté. Il s'était habitué à renoncer.

Quand il entra sur le marché du travail, il se trouva entraîné dans des schémas relationnels hostiles avec ses patrons, une façon pour lui de rejouer son enfance. Il passa d'un emploi à l'autre jusqu'à ce qu'il en trouvât un à son goût. C'est alors qu'il vint me trouver pour que je l'aide à le conserver. Je lui dis que je pensais pouvoir faire cela. En fait, se posait pour lui le problème des trois plus du perfectionnisme.

Bien que le beau-père de Paul fût sorti de sa vie, il continuait à exercer une forte emprise sur Paul, parce que ses messages dévalorisants retentissaient toujours dans la tête de celui-ci. En conséquence, Paul restait empêtré dans ce que j'appelle les « trois plus » : toujours plus (perfectionnisme), plus tard (remise au lendemain) et plus rien (paralysie).

> « J'aime vraiment ce nouveau laboratoire où je travaille, mais j'ai toujours très peur de ne pas accomplir parfaitement mon travail. Et je remets une grande partie de ce que j'ai à faire à plus tard, bien après le délai fixé, ou alors j'exécute ça à toute vitesse, à la dernière minute, et c'est bâclé. Et plus je bâcle, plus je m'attends à être renvoyé. Chaque fois que mon surveillant fait une remarque, je le prends personnellement et je réagis violemment. Je pense toujours que le monde va s'écrouler parce que j'ai bâclé mon travail. Récemment je me suis trouvé tellement en retard que je me suis fait porter malade. Je ne peux vraiment pas faire face. »

Le beau-père de Paul avait implanté en lui le besoin d'être parfait, d'en faire toujours plus. La crainte de ne pas arriver à faire les choses parfaitement poussait Paul à reculer le moment de les faire, à les remettre toujours à plus tard. Mais, plus Paul remettait les choses, plus elles le submergeaient, et ses angoisses faisaient boule de neige et finissaient par l'empêcher de faire quoi que ce soit : plus rien.

J'aidai Paul à établir une stratégie pour aborder franchement ses employeurs, afin de leur dire qu'il avait des problèmes personnels qui interféraient avec son travail et de leur demander un congé. Ils furent impressionnés par son honnêteté, par l'intérêt qu'il manifestait pour la qualité de son travail et ils lui accordèrent deux mois. Ce n'était pas suffisant pour que Paul fasse le tour de ses problèmes, mais c'était assez pour que nous le tirions du trou où il s'était volontairement enterré. Quand il reprit le travail, il avait accompli les premiers pas vers la prise de conscience de ce que son beau-père lui avait fait, ce qui l'aida à distinguer les véritables conflits avec ses supérieurs et les conflits causés par ses blessures internes. Et, bien qu'il eût encore huit mois de thérapie à effectuer, tout le monde, à son travail, lui dit qu'il paraissait un homme nouveau.

A l'âge adulte, les enfants de parents perfectionnistes ont généralement choisi entre deux voies. Ou bien ils s'épuisent sans relâche à gagner l'affection et l'approbation de leurs parents, ou ils se sont révoltés au point de craindre le succès.

Il y a ceux qui se comportent comme si quelqu'un comptait sans relâche les points. La maison n'est jamais assez propre. Ils ne ressentent jamais de plaisir après avoir fait quelque chose, parce qu'ils sont convaincus qu'ils auraient pu mieux faire. Ils ressentent une véritable panique s'ils font la plus petite erreur.

Et puis, il y a ceux qui, comme Paul, vivent une existence d'échec parce qu'ils ne peuvent pas supporter le mot « réussite ». Pour Paul, réussir aurait signifié capituler devant les exigences de son beau-père. Paul aurait probablement continué à échouer dans chacun de ses emplois si nous n'avions pas réduit au silence la voix qu'il entendait toujours en lui, celle de son beau-père.

Les mots meurtriers

Un des exemples les plus outranciers de ravages causés par les abus verbaux me fut donné par Jean, quarante-deux ans, un séduisant officier de police, qui participa à un de mes groupes à l'hôpital, il y a plusieurs années de cela. Les autorités de la police de Los Angeles exigeaient qu'il soit hospitalisé parce que le psychologue du service estimait que Jean avait un comportement suicidaire. A la réunion de l'équipe hospitalière, j'appris que Jean se mettait sans cesse dans des situations où il risquait sa vie. Par exemple, il avait récemment essayé de faire une saisie de drogue tout seul, sans appeler le renfort nécessaire. Il avait été à deux doigts de se faire tuer. D'extérieur, cela apparaissait comme une action héroïque, mais, en réalité, c'était un comportement irréfléchi et irresponsable. Le mot était passé parmi ses collègues : Jean essayait de se suicider en service commandé.

Il fallut plusieurs séances de groupe pour que je gagne la confiance de Jean. Mais, à partir de là, nous avons établi de bonnes relations de travail. Je me rappelle encore nettement la séance au cours de laquelle il évoqua ses rapports bizarres avec sa mère :

> « *Mon père a décampé quand j'avais deux ans parce que ma mère était impossible à vivre. Son départ n'a d'ailleurs pas arrangé les choses. Elle avait un caractère violent, et elle était toujours après moi, surtout parce qu'il se trouvait que j'étais le portrait tout craché de mon père. Autant que je m'en souvienne, il ne se passait pas un seul jour sans qu'elle me dise qu'elle aurait aimé que je ne sois jamais né. Les bons jours, elle disait : "Tu ressembles tout à fait à ton salaud de père et tu es bien aussi pourri que lui." Dans les mauvais jours, c'était des choses comme : "Je voudrais que tu sois mort, tout comme je voudrais que ton père soit mort, et qu'il pourrisse au fond de sa tombe."* »

Je dis à Jean que, d'après ce discours, sa mère me semblait perturbée.

> « *C'est ce que je pensais moi aussi, mais qui fait attention aux paroles d'un enfant ? Une voisine connaissait la situation. Elle a essayé de me faire entrer dans un orphelinat parce*

qu'elle était persuadée que je risquais de me faire tuer par ma mère. Mais personne ne l'a écoutée, elle non plus. »

Il fit une pause et secoua la tête :

« Bon sang, je ne pensais pas que toutes ces conneries continueraient à me travailler, mais je me sens tout glacé chaque fois que je me rappelle combien elle me détestait. »

La mère de Jean lui avait envoyé un message clair : elle ne voulait pas de lui. En plus, son père était parti et il ne faisait aucune tentative pour participer à la vie de son fils ; tout cela le confortait dans son opinion que son existence n'avait aucune valeur.

A travers ses actions dans les forces de police, Jean, inconsciemment, essayait d'être un fils obéissant, soumis. En réalité, Jean essayait d'effacer son existence, de se suicider indirectement, afin de contenter sa mère. Il savait exactement comment la satisfaire, parce qu'elle lui avait dit très explicitement : « J'aimerais que tu sois mort. »

Cette forme d'abus verbal inflige une souffrance et une confusion considérables, mais en plus elle peut devenir une prophétie qui a tendance à se réaliser d'elle-même. Les tendances suicidaires de Jean sont relativement fréquentes chez les enfants de semblables parents. Pour ces adultes, regarder en face les rapports toxiques qu'ils entretiennent avec le passé, les combattre, c'est souvent littéralement une question de vie ou de mort.

L'intériorisation des violences verbales

Les vexations provenant d'amis, d'enseignants, de frères ou sœurs ou d'autres membres de la famille peuvent laisser des séquelles, c'est indubitable ; mais les enfants sont avant tout vulnérables à ce qui vient de leurs parents. Après tout, les parents sont le centre de l'univers pour un jeune enfant. Et si vos parents qui savent tout pensent du mal de vous, ils doivent avoir raison. Si maman dit tout le temps : « Tu es stupide », alors c'est que vous êtes stupide. Si papa dit sans cesse : « Tu n'es bon à rien », c'est vrai. Un enfant n'a aucun recul pour pouvoir douter de ces déclarations.

Quand on prend ces opinions négatives de la bouche de personnes extérieures et qu'on les intègre dans son inconscient, on les « intériorise ». L'intériorisation d'opinions négatives – c'est-à-dire le changement de « tu es » en « je suis » – établit les fondements d'une mauvaise estime personnelle. Non seulement les abus verbaux altèrent votre conscience de vous-même en tant que personne capable, estimable, digne d'amour, mais encore ils peuvent générer des prévisions négatives, se réalisant elles-mêmes, de ce que sera votre vie dans le monde. Dans la seconde partie de ce livre, je vous montrerai comment vaincre des prévisions paralysantes en vous faisant extérioriser tout ce que vous avez intériorisé.

6

Les sévices corporels

Un crime « bien de chez nous »

« Je me sens furieuse contre moi-même à longueur de temps, et parfois je pleure sans aucune raison. C'est probablement par frustration. Je n'arrête pas de penser à tout ce que mes parents m'ont fait, les coups et les humiliations. Je ne garde pas d'amis bien longtemps. J'ai l'habitude de me séparer de groupes entiers d'amis d'un seul coup. Je ne veux pas qu'ils découvrent tout le mal qu'il y a en moi. »

Catherine, quarante ans, blonde, l'expression sévère, dirigeait le service du contrôle de qualité dans une grande société ; elle vint me voir à la recommandation de son médecin. Elle avait eu des accès de panique dans sa voiture et dans l'ascenseur du bâtiment où elle travaillait. Son médecin lui avait prescrit des tranquillisants, mais il était inquiet parce que Catherine ne supportait pas de quitter son appartement, sinon pour aller travailler. Il la pressa de se faire aider sur le plan psychologique.

La première chose que je remarquai chez Catherine fut que son expression triste, sévère, paraissait moulée sur son visage – comme si elle n'avait jamais appris à sourire. Je ne mis pas longtemps à découvrir pourquoi :

« J'ai été élevée dans une banlieue habitée par la bonne bourgeoisie de Saint-Louis. Nous avions tout ce que l'argent peut procurer. De l'extérieur, nous avions l'air d'une famille parfaite. Mais de l'intérieur… Mon père avait des crises de rage. Habituellement, ça lui arrivait après une dispute avec ma

mère. Il s'attaquait au premier qui lui tombait sous la main. Il enlevait sa ceinture et se mettait à frapper, ou moi, ou ma sœur... sur les jambes... sur la tête... n'importe où. Quand il commençait, j'avais toujours peur qu'il ne s'arrête plus. »

La dépression et les peurs de Catherine étaient l'héritage d'une enfant battue : un crime, en fait, « bien de chez nous ».

Dans des millions de foyers, de tout niveau social, économique ou d'éducation, on commet chaque jour un terrible crime – des violences physiques envers des enfants.

Il y a beaucoup de controverse et de confusion quant à la définition de l'abus physique. Beaucoup de gens croient encore que les parents ont non seulement le droit, mais aussi la responsabilité d'utiliser des punitions corporelles sur leur enfant. Le dicton le plus courant en matière d'éducation, en langue anglaise, est : Spare the rod and spoil the child (« Épargne le bâton, tu auras un enfant gâté » – en France, on a : « Qui aime bien châtie bien », plus abstrait). Jusque récemment, les enfants n'avaient virtuellement aucun droit légal. Ils étaient généralement considérés comme du mobilier, comme des biens « possédés » par leurs parents. Pendant des centaines d'années, les droits parentaux étaient tenus pour inviolables – au nom de la discipline, les parents pouvaient faire à peu près n'importe quoi à leurs enfants, à condition de ne pas les tuer.

Aujourd'hui, nos normes se sont restreintes : le problème de l'abus physique envers les enfants est tellement répandu que la prise de conscience publique a forcé notre système juridique à fixer des limites aux châtiments corporels. Dans un effort pour clarifier la notion d'abus corporel, le Congrès américain a promulgué l'Acte fédéral sur la prévention et le traitement des violences à enfants, en 1974. Cet acte définit l'abus corporel comme « le fait d'infliger des blessures physiques, tels des hématomes, des brulûres, des estafilades, des coupures, des fractures des os ou du crâne ; blessures causées par des coups de pied, des coups de poing, des morsures, des coups de bâton, de couteau, de ceinture, etc. ». La façon dont cette définition est appliquée par la loi est souvent une question d'interprétation. Chaque Etat a ses propres lois sur les abus envers les enfants et la plupart comportent des définitions similaires à la définition fédérale qui est d'une portée assez vague. Un enfant qui a une fracture a de toute évidence été victime d'un abus, mais la majorité des procureurs hésiterait à poursuivre un parent qui a causé des hématomes à un enfant en lui donnant une fessée.

Je ne suis pas un magistrat ni un policier, mais depuis plus de vingt ans je vois les souffrances que les châtiments corporels « légaux » peuvent entraîner. J'ai ma propre définition de l'abus corporel : tout comportement qui inflige une importante douleur physique à un enfant, qu'il laisse ou non des marques. Mais comment des parents peuvent-ils battre leurs enfants ?

Ceux d'entre nous qui ont des enfants ont presque tous ressenti, à un moment ou un autre, une vive envie de les frapper. Ces sentiments peuvent être spécialement forts quand un enfant ne veut pas s'arrêter de pleurer, de nous harceler ou de nous provoquer. C'est parfois moins lié au comportement de l'enfant qu'à notre état : fatigue, niveau de stress, angoisse ou tristesse. Beaucoup d'entre nous résistent à l'impulsion de frapper l'enfant. Malheureusement, bien des parents ne sont pas si mesurés.

On ne peut que spéculer sur les raisons des choses, mais les parents coupables d'abus corporels semblent avoir certains caractères communs. D'abord, ils ont un extraordinaire manque de contrôle de leurs impulsions. Ces parents s'attaquent à leurs enfants chaque fois qu'ils éprouvent de forts sentiments négatifs pour lesquels ils ont besoin de se défouler. Ces parents paraissent n'avoir que très peu de conscience – si jamais ils en ont – des conséquences de ce qu'ils font à leurs enfants. C'est presque une réaction automatique au stress. L'impulsion et l'action sont une seule et même chose.

Ces personnes promptes aux coups viennent souvent de familles où les abus étaient courants. Une grande partie de leur comportement d'adulte est la répétition de ce qu'ils ont vécu et appris au cours de leur jeunesse. Pour tout modèle, ils avaient la brutalité. La violence était le seul outil qu'on leur apprenait à utiliser pour régler leurs problèmes et assumer leurs sentiments – particulièrement leurs sentiments de colère.

Beaucoup de parents portés aux violences physiques arrivent à l'âge adulte avec sur le plan émotionnel des déficiences et des carences considérables ; sur ce plan, ils sont encore des enfants. Ils considèrent souvent leurs propres enfants comme des parents de substitution qui vont combler des besoins émotionnels jamais satisfaits par leurs véritables parents. Ils deviennent enragés quand l'enfant se révèle incapable de satisfaire leurs besoins. Ils donnent libre cours à leur violence. A ce moment, l'enfant est plus que jamais un parent de substitution, puisque c'est contre leurs véritables parents que toute cette rage est dirigée.

Beaucoup de ces parents ont aussi des problèmes d'alcool ou de drogue. L'abus des stupéfiants est un élément qui contribue fréquemment à détruire le contrôle des impulsions, bien qu'il ne soit certainement pas le seul.

Parmi les parents coupables de violences, il y a de nombreux types, mais tout en bas de la gamme, on trouve ceux qui paraissent n'avoir d'enfants que dans le but de les brutaliser. Beaucoup de ces gens ont l'allure, le discours et le comportement d'êtres humains, mais ils sont totalement dépourvus des caractéristiques et des sentiments qui nous rendent humains. Ces gens défient notre compréhension ; il n'y a pas de logique dans leur façon de se comporter.

Le père de Catherine était un banquier respecté qui fréquentait l'église et paraissait dévoué à sa famille – pas du tout le type qu'on imaginerait en général lorsqu'on entend parler de violences physiques envers des enfants. Mais Catherine ne vivait pas dans une réalité imaginée, elle vivait un cauchemar bien réel.

> *« Ma sœur et moi, nous avions décidé de fermer notre porte à clé la nuit, tellement nous avions peur. Jamais je n'oublierai ce qui est arrivé quand j'avais onze ans… et elle neuf. Nous nous étions cachées sous nos lits et, lui, il n'arrêtait pas de donner des coups dans la porte. Je n'ai jamais eu aussi peur de ma vie. Et puis, soudain, il a enfoncé la porte et il est entré, comme au cinéma. La porte a volé à l'intérieur de la chambre. Nous avons essayé de nous échapper, mais il nous a attrapées toutes les deux, il nous a poussées dans un coin et il s'est mis à nous frapper avec sa ceinture. Il hurlait et hurlait :* " *Je vous tuerai si vous recommencez à m'interdire d'entrer !* " *Je pensais qu'il allait nous tuer, tout de suite. »*

Le climat de terreur que Catherine décrivait est celui qui envahit complètement les foyers des enfants battus. Même pendant les moments calmes, ces enfants vivent dans la peur que le volcan de la rage n'entre brutalement en éruption. Et, quand ça arrive, tout ce que la victime fait pour esquiver les coups ne peut qu'exaspérer davantage l'agresseur. Les tentatives désespérées de Catherine pour se protéger en verrouillant la porte et en se cachant sous son lit ne faisaient qu'aggraver le comportement irrationnel de son père. Face à un parent brutal, il n'y a aucune cachette sûre, aucune fuite possible, aucun protecteur vers qui courir.

Sur le qui-vive

J'ai rencontré Jérôme, vingt-sept ans, à un séminaire que je dirigeais dans une faculté de psychologie où il préparait sa maîtrise. Je mentionnai, en me présentant, que j'étais en train d'écrire un livre sur les parents toxiques. Jérôme vint me trouver pendant la pause du déjeuner et se proposa comme sujet d'étude pour mon livre. Par mon cabinet, j'avais plus de documentation qu'il ne m'en fallait, mais quelque chose dans la voix de ce jeune homme me dit qu'il avait besoin de parler à quelqu'un. Nous nous sommes donc retrouvés le lendemain et avons parlé pendant plusieurs heures. J'étais impressionnée non seulement par sa franchise et sa douceur, mais aussi par son sincère désir d'utiliser ses expériences pour aider les autres.

> « *C'était toujours dans ma chambre que j'étais maltraité, et je ne me rappelle même pas pourquoi. Je pouvais être occupé à n'importe quoi, mon père entrait en trombe et se mettait à crier, à hurler à tue-tête. Et puis, brusquement, il me bourrait de coups de poing jusqu'à ce qu'il m'ait coincé contre le mur. Là, il continuait à me donner des coups si forts que j'étais tout étourdi et que je ne savais plus du tout ce qui se passait. Le plus effrayant c'était de ne jamais savoir ce qui provoquait ces crises !* »

Jérôme avait passé une grande partie de son enfance à attendre les raz de marée de la rage paternelle, en sachant qu'il n'avait aucun moyen de les éviter. Cette expérience généra une forte crainte, durable, d'être blessé et trahi. Deux mariages se terminèrent par un divorce parce qu'il ne pouvait apprendre à faire confiance.

> « *Ça ne s'arrête pas juste parce qu'on quitte la maison ou qu'on se marie. J'ai continuellement peur de quelque chose et je me déteste à cause de cela. Mais quand votre père, qui devrait vous aimer et prendre soin de vous, vous traite ainsi, alors que diable pensez-vous qu'il va vous arriver dans le véritable monde ? J'ai gâché beaucoup de relations parce que je ne supporte pas que quelqu'un devienne trop proche de moi. J'ai tellement honte d'être comme cela, j'ai tellement honte d'avoir toujours cette peur au ventre. Mais la vie me terrorise. Je travaille vraiment dur en thérapie pour surmonter tout cela, parce que, sinon, je sais que je ne serai jamais*

bon à grand-chose, ni pour moi ni pour les autres. Mais, bon sang, c'est un véritable combat que je livre. »

Il est extrêmement difficile de retrouver les sentiments de confiance et de sécurité quand ceux-ci ont été piétinés par les parents. Chacun de nous apprend à anticiper le comportement des gens à son égard, à partir des relations qu'il entretient avec ses parents. Si ces relations sont en majorité fécondes sur le plan émotionnel, respectueuses de nos droits et de nos sentiments, nous grandissons en attendant des autres le même traitement. Ces anticipations positives nous rendent modérément vulnérables et sont un atout pour nos relations adultes à venir. Mais si, comme dans le cas de Jérôme, l'enfance est une époque continue d'angoisse, de tension et de souffrance, alors des anticipations négatives et des moyens de défense rigides se développent en nous.

Jérôme attendait le pire des autres. Il s'attendait à être blessé et maltraité comme il l'avait été au cours de son enfance. Il avait donc enfermé ses émotions dans une armure. Il ne laissait personne devenir proche. Malheureusement, cette armure s'était révélée plus une prison émotionnelle qu'une protection.

La justification ou « c'est pour ton bien »

Jérôme n'avait jamais compris ce qui déchaînait son père. D'autres parents abusifs éprouvent le besoin d'être compris. Ils battent leurs enfants, puis ils les supplient de comprendre et leur demandent même pardon. Revenons à Catherine :

« Je me souviens d'un soir particulièrement épouvantable, après le dîner, alors que ma mère était sortie faire des courses. Mon père s'acharnait vraiment sur moi avec cette foutue ceinture. Je criais si fort qu'un de nos voisins a appelé la police, mais mon père est parvenu à les convaincre que tout

allait bien. Il a raconté aux policiers que le bruit venait du téléviseur, et ils l'ont cru. Moi j'étais là, le visage ruisselant de larmes, avec des marques sur les bras, et ils l'ont quand même cru. Pourquoi pas ? Mon père était l'un des hommes les plus puissants de la ville. Mais, au moins, ils l'ont calmé. Après leur départ, il m'a dit qu'il avait été très stressé ces derniers temps. Je ne savais même pas ce que signifiait stressé, mais il voulait vraiment me faire comprendre ce qu'il endurait. Il m'a dit que ma mère n'était plus gentille avec lui... qu'elle ne voulait plus dormir avec lui, et que ce n'était pas bien pour une femme de ne pas dormir avec son mari. C'est à cause de cela qu'il était tout le temps contrarié. »

Le père de Catherine avait révélé des faits d'ordre intime, incompatibles avec l'intelligence d'une enfant si jeune. Pourtant il attendait d'elle qu'elle le réconforte émotionnellement. Ce renversement de rôle était perturbant et stupéfiant pour Catherine, mais il est courant chez les parents abusifs. Ils veulent que leurs enfants leur apportent à la fois un moyen de défoulement et l'absolution ; ils les frappent, et puis ils rejettent la responsabilité sur quelqu'un d'autre.

Au lieu de s'occuper directement de ses problèmes matrimoniaux, le père de Catherine transférait sur sa fille sa rage et sa frustration sexuelle ; et puis il rationalisait sa violence en accusant sa femme. La violence physique envers un enfant est souvent une réaction au stress professionnel, à un conflit avec un autre membre de la famille ou avec un ami, ou une tension générale due à une existence frustrante. Les enfants sont des cibles faciles : ils ne peuvent pas riposter et on peut les forcer à garder le silence. Malheureusement, à la fois pour l'agresseur et pour la victime, le fait de transférer sa colère sur un autre objet ne procure au premier qu'un soulagement temporaire. La véritable cause de colère demeure intacte, destinée à se déchaîner à nouveau ! Et, hélas, la cible sans défense de cette colère ne disparaît pas non plus, destinée elle aussi à absorber cette colère et à la transporter avec elle jusqu'à l'âge adulte.

D'autres parents abusifs, au lieu de rendre quelqu'un responsable de leur conduite, essayent de la justifier en invoquant l'intérêt de leur enfant. Beaucoup de parents croient toujours que les châtiments corporels sont la seule façon efficace de bien faire entrer dans la tête un point de morale ou une manière de se comporter. Beaucoup de ces « leçons » sont données au nom de la religion. Aucun livre n'a été aussi dévoyé que la Bible quand il s'agissait de justifier des corrections.

Mon attention fut un jour attirée par une lettre publiée dans une rubrique de courrier des lecteurs :

Chère Madame,
Je suis déçue par votre réponse à la fille à qui sa mère donnait le fouet. Le professeur de gym avait remarqué les bleus sur ses jambes et sur son dos et avait déclaré qu'il s'agissait de « mauvais traitements à enfant ». Pourquoi êtes-vous opposée au fouet, alors que la Bible nous dit en toutes lettres que les parents doivent justement y avoir recours ? Le Livre des Proverbes, XXIII, 13, dit : « Ne te retiens pas de corriger l'enfant, car, si tu le frappes de ton bâton, il n'en mourra pas. » Le Livre des Proverbes, XXIII, 14, dit : « Tu le battras avec ton bâton et tu délivreras son âme de la mort. »

Les mêmes parents croient souvent que le mal est inhérent aux enfants. Ils croient qu'une bonne correction empêchera un enfant de mal tourner. Ils disent des choses comme : « J'ai été élevé à coups de canne, une raclée de temps en temps ne m'a pas fait de mal », ou : « Elle doit apprendre qui commande », ou : « Il a besoin de savoir ce qui l'attend, ça le fera obéir ».

D'autres parents excusent les coups comme un rite de passage obligatoire, des épreuves destinées à rendre un enfant plus endurant, plus brave ou plus fort. C'est ce que Jérôme avait été amené à croire :

> « Mon père a perdu sa mère à l'âge de quatorze ans. Il ne s'en est jamais remis. Il n'en est toujours pas remis et il va avoir soixante-quatre ans. Il m'a dit récemment qu'il était dur avec moi parce qu'il ne voulait pas que j'aie de sentiments. Si fou que cela paraisse, il m'a sorti la théorie que, si on n'a pas de sentiments, on n'est pas obligé de supporter les souffrances de l'existence. Honnêtement, je crois qu'il pensait me protéger, m'éviter des blessures. Il ne voulait pas que je souffre comme lui à la mort de sa mère. »

Au lieu de rendre Jérôme plus dur ou moins vulnérable, les coups en avaient fait un être craintif et méfiant, bien moins armé pour réussir dans le monde. Il est absurde de croire qu'un sévère châtiment corporel puisse avoir un effet positif sur un enfant.

En fait, les recherches montrent que la discipline fondée sur les coups n'est pas particulièrement efficace, même pour certains comportements indésirables. On a la preuve que les coups n'ont qu'un effet dissuasif temporaire et qu'ils créent chez l'enfant de forts sentiments de rage, des rêves de vengeance, et la haine de soi. Il est tout à fait clair que les préjudices mentaux émotionnels et souvent physiques causés par les abus physiques dépassent de beaucoup aucun des éventuels avantages momentanés.

La violence passive

Jusqu'à présent, je me suis presque entièrement consacrée au parent coupable d'abus actifs. Mais il y a un autre acteur dans le drame familial à qui revient une part de responsabilité. C'est le parent qui laisse perpétrer l'abus, par peur, par dépendance ou par besoin de maintenir le statu quo familial. Ce parent est coupable d'abus passifs.

Je demandai à Jérôme ce que faisait sa mère pendant qu'il était battu.

« Elle ne faisait pas grand-chose. Parfois, elle s'enfermait dans la salle de bains. Je me suis toujours demandé pourquoi elle n'empêchait pas ce salaud, ce dingue de me flanquer tout le temps ces foutues raclées. Mais je suppose qu'elle avait bien trop peur. Vous voyez, mon père est chrétien et ma mère juive. Elle a été élevée dans une famille très pauvre, très religieuse et, là d'où elle vient, les femmes ne disent pas aux hommes ce qu'ils doivent faire. Je crois qu'elle était reconnaissante à son mari d'avoir un toit au-dessus de la tête et une vie confortable. »

La mère de Jérôme ne battait pas ses enfants, mais, parce qu'elle ne les protégeait pas de la brutalité de son mari, elle était associée aux abus dont ils étaient victimes. Au lieu de prendre des dispositions pour défendre ses enfants, elle était devenue elle-même un enfant effrayé, faible, passif, face à la violence de son mari. En fait, elle avait abandonné son fils.

Jérôme se sentait isolé, dépourvu de protection, mais en plus il était écrasé de responsabilités :

« Je me rappelle, je devais avoir dix ans à l'époque, une nuit, mon père avait flanqué à ma mère une raclée épouvantable. Je me suis réveillé très tôt le matin suivant et j'attendais à la cuisine quand il est descendu en robe de chambre. J'avais le trouillomètre à zéro, mais j'ai dit : « Si tu recommences à battre maman, je viendrai te chercher avec ma batte de baseball. » Il s'est contenté de me regarder et de rire. Et puis, il est monté prendre sa douche et il est parti au travail. »

Jérôme avait accompli le renversement classique de l'enfant battu, prenant la responsabilité de la protection de sa mère comme si lui était le parent et elle l'enfant.

En se laissant submerger par sa faiblesse, le parent inactif peut facilement nier sa complicité silencieuse des abus.

Et en devenant protecteur, ou en rationalisant la passivité du parent silencieux, l'enfant battu peut plus facilement nier le fait que ses deux parents l'ont trahi.

Catherine en est l'exemple :

> « *Quand mon père a commencé à nous battre, ma sœur et moi, nous appelions toujours maman à l'aide. Mais elle ne venait jamais. Elle restait assise en bas et nous écoutait hurler au secours. Nous avons vite compris qu'elle ne viendrait pas. Jamais elle ne s'est opposée à mon père. Je suppose qu'elle ne pouvait pas faire autrement.* »

Dieu sait à combien de reprises j'ai entendu des phrases comme : « Je suppose qu'elle ne pouvait pas faire autrement », mais, chaque fois, ça me bouleverse. La mère de Catherine aurait pu faire autrement. Je dis à Catherine qu'il était important pour elle de considérer le rôle de sa mère d'une façon réaliste. Sa mère aurait dû s'opposer au père de Catherine, ou si elle avait peur de lui, elle aurait dû appeler la police. Un parent qui reste là en laissant ses enfants se faire brutaliser n'a aucune excuse.

Dans le cas de Catherine et de Jérôme, le père était coupable d'abus actifs et la mère était le partenaire silencieux. Cependant ce n'est là, en aucun cas, le seul scénario familial. Dans certaines familles, la mère a le rôle actif et le père le rôle passif. Les sexes peuvent changer, mais la dynamique de l'abus passif reste le même. J'ai eu des patients qui étaient brutalisés par leurs deux parents, mais la combinaison actif/passif est beaucoup plus courante.

Beaucoup d'adultes excusent le parent passif parce qu'ils voient en lui une victime comme eux. Dans le cas de Jérôme, cette opinion était renforcée parce qu'il avait effectué un renversement de rôle dans lequel il se sentait protecteur de sa mère passive.

Pour Thierry, quarante-trois ans, représentant en marketing, la situation devint plus confuse encore lorsque le parent passif se mua en sympathisant et en consolateur.

Thierry, victime de brutalités de la part de sa mère pendant presque toute son enfance, idolâtrait son incapable de père :

> « *J'étais un enfant très sensible, beaucoup plus tourné vers les activités artistiques et la musique que vers les sports. Ma mère me traitait toujours de chochotte. Elle s'emportait très souvent contre moi et me battait avec tout ce qui lui tombait sous la main. J'ai l'impression que j'ai passé la plus grande partie de mon enfance caché dans les placards. Je ne savais jamais très bien pourquoi elle me battait autant, mais tout ce que je faisais la foutait hors d'elle. C'est comme si elle m'avait privé de toute mon enfance.* »

Je demandai à Thierry ce que faisait son père pendant que sa mère le terrorisait.

> « *Très souvent, quand je sanglotais, mon père me prenait dans ses bras et me disait combien il était désolé des crises de ma mère. Il disait toujours qu'il n'y pouvait rien et que, si je faisais un peu plus d'efforts, les choses iraient peut-être mieux pour moi. Mon père était vraiment un type gentil. Il travaillait très dur pour que sa famille ait une existence agréable. Il a été le seul à me témoigner véritablement de l'amour, d'une façon tangible, quand j'étais petit.* »

Je demandai à Thierry si, depuis qu'il était adulte, il avait parlé de son enfance avec son père.

> « *J'ai essayé une ou deux fois, mais il dit toujours :* » Le passé, c'est le passé. » *De toute façon, à quoi ça servirait de l'embêter ? C'est avec ma mère que j'ai des problèmes, pas avec lui.* »

Thierry niait la complicité de son père parce qu'il voulait préserver les seuls bons souvenirs de son enfance – les moments de tendresse de son père. Juste comme il se raccrochait à la tendresse de son père quand il n'était qu'un enfant effrayé, à présent, adulte effrayé, il s'y raccrochait encore. En troquant un placard noir pour une fausse réalité, il n'avait fait qu'éviter la vérité.

Thierry savait combien les brutalités de sa mère avaient affecté sa vie, mais il était beaucoup moins conscient de toute la colère refoulée qu'il ressentait vis-à-vis de son père. Thierry avait passé des années à nier que son père avait manqué à ses devoirs envers lui. Pire, son père avait placé une grande part de responsabilité sur la tête de Thierry en suggérant que, si celui-ci « faisait plus d'efforts », il pourrait éviter les corrections.

L'apprentissage de la culpabilité

Si difficile à croire que ce soit, les enfants battus acceptent d'être tenus pour coupables des crimes perpétrés à leur égard, tout comme les enfants brutalisés verbalement. Jérôme se souvenait :

> *« Mon père m'a toujours dit que j'étais un foutu bon à rien. Tous les gros mots qui pouvaient aller avec mon nom, il me les sortait quand il me battait. Quand il avait fini, je croyais sincèrement que j'étais la pire chose qui ait jamais existé. Et que, si je recevais des raclées, c'est bien parce que je les méritais. »*

Les ferments de culpabilité ont été dispensés tôt à Jérôme. Comment un petit enfant aurait-il pu résister à cette forte propagande à l'encontre de sa valeur ? Comme tous les enfants victimes de mauvais traitements, Jérôme croyait deux mensonges : qu'il était méchant et qu'il n'était battu qu'à cause de cela.

Étant donné que ces mensonges émanaient d'un père qui en principe savait tout, qui était tout-puissant, ce devait être vrai. Ces mensonges ne sont pas remis en question par la plupart des adultes qui ont été battus pendant leur enfance, y compris Jérôme. Comme il le décrit :

> *« Je m'en veux tellement… Je ne parviens pas à avoir de bons rapports avec qui que ce soit. J'ai du mal à croire que quelqu'un puisse vraiment s'intéresser à moi. »*

Catherine exprimait la même chose quand elle disait qu'elle ne voulait pas que les gens découvrent combien elle était mauvaise. Ces sentiments envahissants de piètre estime de soi se transforment en dégoût de soi et créent pour toute la vie des schémas de mauvaises relations avec les autres, de manque de confiance en soi, des sentiments d'incapacité, de peurs paralysantes et de colère sans objectif.

Catherine résuma cela par ces mots :

> « *Toute ma vie, j'ai été hantée par l'idée que je ne mérite pas d'être heureuse. Je crois que c'est pour ça que je ne me suis jamais mariée… que je n'ai jamais eu de bons amis… que je ne me suis jamais permis la moindre véritable réussite.* »

Une fois Catherine devenue grande, les violences physiques avaient cessé. Mais à travers le dégoût de soi, les mauvais traitements continuaient au niveau émotionnel. A la différence qu'à présent elle était devenue son propre agresseur.

Mauvais traitements et amour : une étonnante association

Les enfants victimes de mauvais traitements sont souvent exposés à un curieux mélange de plaisir et de douleur. Jérôme évoquait la coexistence de terreurs intermittentes et de moments de tendresse :

> « *A certains moments, mon père pouvait être drôle et, parfois, je vous jure qu'il était même gentil. Comme la fois où je m'étais inscrit pour une grande compétition de ski ; là il a vraiment participé. Il m'a conduit jusqu'à Jackson, dans le Wyoming, ce qui représentait dix heures de route, juste pour que je puisse m'entraîner sur de la bonne neige. Sur le chemin du retour, papa m'a dit que j'étais un garçon vraiment remarquable. Bien sûr, en même temps je me demandais :*

« Si je suis si remarquable, pourquoi est-ce que je me sens si mal ? » Mais il l'avait dit. C'est ce qui compte. Avec lui j'essaie toujours de retrouver ce que nous avons vécu ce jour. »

Ces messages de nature différente ne faisaient qu'ajouter à la confusion de Jérôme et lui rendaient encore plus difficile la confrontation avec la vérité sur son père. J'expliquai à Jérôme que quand un parent fait miroiter une promesse d'amour aux yeux d'un enfant tout en le maltraitant, il se produit une fusion parent/enfant incroyablement forte et perverse. L'univers de l'enfant est très étroit et, quels que soient les mauvais traitements dont ils se rendent coupables, les parents représentent toujours la seule source disponible d'amour et de confort. L'enfant battu passe son enfance entière à la recherche du saint Graal qu'est pour lui l'amour parental. Cette quête se poursuit au cours de l'âge adulte.

Catherine avait les mêmes souvenirs :

« Quand j'étais bébé, mon père me prenait dans ses bras, il était tendre avec moi, il me berçait. Quand je suis devenue un peu plus grande, il m'accompagnait toujours à mes cours de danse le week-end, ou au cinéma. A un moment de sa vie, il m'aimait vraiment. Je crois que mon plus grand souhait, c'est qu'il m'aime encore comme avant. »

L'enfant gardien du secret familial

Les rares manifestations de bienveillance de son père entretenaient en Catherine l'attente de son amour, l'espoir d'un revirement. Cet espoir avait maintenu un lien avec lui bien après qu'elle eut atteint l'âge adulte. Ce lien impliquait, croyait-elle, de garder le secret sur le comportement de son père. Une « bonne » fille ne trahirait jamais sa famille.

Le « secret de famille » est un fardeau supplémentaire pour les enfants maltraités. En ne parlant pas des mauvais traitements, l'enfant battu se coupe de tout espoir d'aide sur le plan affectif. Voici ce qu'en dit Catherine :

« Toute ma vie, j'ai eu l'impression de vivre un mensonge. C'est horrible de ne pas pouvoir parler franchement de quelque chose qui a tellement influencé mon existence. Comment surmonter la douleur causée par quelque chose si on ne peut pas en parler ? Bien sûr, j'en parle en thérapie, mais je ne peux toujours pas en parler aux gens qui ont eu un tel pouvoir sur moi pendant si longtemps. La seule personne à qui j'aurais pu en parler, c'était la femme de ménage. J'avais le sentiment que c'était la seule personne au monde en qui je pouvais avoir confiance. Un jour, après que mon père m'eut battue, elle m'a dit : « Chérie, ton papa est très malade. » Je ne pouvais pas comprendre pourquoi il n'allait pas à l'hôpital s'il était si malade. »

Je demandai à Catherine son avis sur ce qui arriverait si elle affrontait son père et sa mère à propos de son enfance. Elle me regarda fixement pendant quelques instants avant de répondre :

« En ce qui concerne mon père, je suis sûre que ça le mettrait hors de lui... et là on aurait les pires ennuis. Ma mère aurait probablement une crise de nerfs. Et ma sœur me reprocherait de vouloir déterrer le passé. Elle refuse d'en parler, même à moi. »

La fidélité de Catherine au « secret de famille » était la colle qui maintenait la cohésion familiale. Si elle rompait le lien du silence, la famille se désintégrerait.

« Tout ça, ça n'arrête pas de se développer en moi. Chaque fois que je me trouve avec eux... en fait, rien ne change jamais. Mon père continue à être très désagréable avec moi. J'ai envie d'exploser et de leur dire à tous combien j'ai de colère en moi, mais je reste assise à me mordre les lèvres. Quand mon père se met en colère contre moi maintenant, ma mère fait semblant de ne pas entendre ce qui se passe. Il y a quelques années, à une réunion d'anciens élèves, j'ai eu

*l'impression d'être la dernière des hypocrites. Tous mes cama-
rades de classe trouvaient ma famille si remarquable… Et je
pensais : " S'ils savaient… " Je voudrais pouvoir dire à mes
parents à quel point ils ont gâché mes années de lycée. Je veux
leur crier qu'ils m'ont fait tant de mal que je suis incapable
d'aimer quelqu'un. Je ne peux pas avoir une relation amoureuse avec un homme. Ils m'ont paralysée sur le plan émotionnel. Et ils continuent. Mais j'ai trop peur pour leur dire
quoi que ce soit. »*

L'adulte en Catherine criait son désir de mettre ses
parents face à la vérité, mais en elle l'enfant battu, effrayé,
avait bien trop peur des conséquences. Elle était persuadée
que tout le monde la détesterait pour avoir dévoilé le pot-
aux-roses. Elle croyait que tout le tissu familial allait se
défaire. Et le résultat, c'est que sa relation avec ses parents
était devenue une comédie. Chacun faisait semblant de
croire que rien de mal n'était jamais arrivé.

Je n'étais pas surprise que Catherine me dise que ses
camarades de classe trouvaient sa famille si remarquable.
Beaucoup de familles aux agissements coupables présentent aux yeux du monde un aspect extérieur très « normal ». La respectabilité apparente est en opposition
directe avec la réalité familiale. C'est le fondement du
« mythe familial ». Le mythe familial de Jérôme était
typique :

*« Les réunions familiales sont vraiment une sacrée farce. Rien
n'a changé. Mon père boit toujours, et je suis sûr qu'il continue à frapper ma mère. Mais à nous voir, à nous entendre,
vous nous prendriez pour la famille idéale. Est-ce que je suis
le seul à me rappeler comment ça se passait ? Est-ce que je suis
le seul à connaître la vérité ? Ce n'est pas vraiment important
puisque je ne dis jamais rien, de toute façon. Je suis aussi
hypocrite que les autres. Je crois que je ne peux pas abandonner l'espoir que, peut-être un jour, les choses changeront.
Peut-être que, si nous faisons vraiment beaucoup semblant,
nous serons une famille normale. »*

Jérôme était prisonnier du même conflit opposant son désir de confronter ses parents à la vérité et à sa peur de faire éclater la famille. Quand il était au lycée, il avait écrit des lettres sur ce qu'il éprouvait :

> « *Dans ces lettres, je déversais tout ce que j'avais sur le cœur, les coups, l'indifférence. Et je les laissais sur ma commode, en espérant que mes parents les liraient. Mais je n'ai jamais su si quelqu'un l'a fait. Personne n'en a jamais parlé. Personne n'a jamais dit un mot à ce propos. J'ai essayé de tenir un journal quand j'étais adolescent. Je l'ai laissé traîner aussi. Jusqu'à ce jour, je ne sais pas si mes parents en ont jamais lu une page et, devant Dieu, je jure que j'ai encore trop peur pour le leur demander.* »

Ce n'était pas la peur de nouveaux coups qui empêchait Jérôme de poser la question à ses parents à propos du journal ou des lettres. A l'âge du lycée, il était trop grand. Le problème, c'est plutôt que, s'ils avaient lu ses appels sans y répondre émotionnellement, il lui aurait fallu renoncer à son rêve : trouver un jour, par miracle, la clé de leur amour. Au bout de tant d'années, il avait toujours peur de découvrir qu'ils l'avaient une fois de plus ignoré.

La maltraitance : un carrefour émotionnel

Les enfants maltraités ont en eux un chaudron de rage qui bouillonne. On ne peut être battu, humilié, terrifié, dénigré et rendu responsable de sa propre souffrance sans en éprouver de la rage. Mais un enfant battu n'a aucun moyen de défouler sa colère. Quand il est adulte, cette colère doit trouver un exutoire.

Hélène, quarante et un ans, était femme au foyer ; elle avait les traits épais, l'expression sévère et des cheveux gris, courts, permanentés. On me l'avait envoyée car elle avait été dénoncée au département d'Aide sociale par un conseiller d'éducation pour brutalités envers son fils de dix ans. Son fils était temporairement installé chez ses beaux-parents. Bien que la thérapie prescrite fût de courte durée, elle se révéla une patiente très motivée.

> « *J'ai tellement honte de moi. Il m'est arrivé de lui donner une tape auparavant, mais cette fois je suis vraiment devenue folle de rage. Ce gosse me met dans des colères pas possibles... Vous savez, je me suis toujours promis que, si j'avais des enfants, je ne lèverais jamais la main sur eux. Bon sang, je sais ce que ça fait. C'est horrible. Mais sans même m'en rendre compte, je deviens aussi dingue que ma mère. En fait, mes parents me battaient tous les deux, mais c'était elle la pire. Je me souviens d'une fois où elle m'a poursuivie à travers la cuisine, un grand couteau à la main.* »

Hélène avait une longue histoire de passage à l'acte – c'est-à-dire qu'elle mettait à exécution ses fortes pulsions émotionnelles en se livrant à des actes agressifs. Pendant son adolescence, elle n'avait cessé d'avoir des problèmes et s'était fait exclure du lycée à plusieurs reprises. En tant qu'adulte, elle se décrivait comme un baril de poudre ambulant :

> « *Parfois il faut que je sorte de chez moi parce que j'ai peur de ce que je vais faire à mon gosse. J'ai l'impression que je ne peux pas me contrôler.* »

La colère d'Hélène éclatait sur son jeune fils. Dans d'autres cas extrêmes, la colère refoulée se manifeste dans des comportements violents, criminels, qui peuvent aller des coups administrés au conjoint jusqu'au viol et au meurtre. Nos prisons sont pleines d'adultes qui ont été maltraités quand ils étaient enfants et qui n'ont jamais appris à exprimer leur colère d'une manière appropriée.

Catherine, quant à elle, retournait sa colère vers l'intérieur :

> « *Quoi qu'on me dise ou qu'on me fasse, je ne peux jamais me défendre. Je ne m'en sens pas capable. Ça me donne des*

maux de tête. Je me sens presque tout le temps mal foutue. Tout le monde me marche sur les pieds et je ne sais pas comment les arrêter. L'année dernière, j'étais sûre d'avoir un ulcère. J'avais tout le temps mal à l'estomac. »

Catherine avait appris tôt dans sa vie à être une victime et elle n'avait jamais cessé de l'être. Elle n'avait aucune idée de la façon de se protéger, d'empêcher les autres de l'utiliser et de la persécuter. De cette façon, elle perpétuait la souffrance qu'elle avait ressentie quand elle était enfant. Il était prévisible que l'énorme colère accumulée en elle dût trouver un exutoire, mais comme elle avait peur de l'exprimer de façon directe, son corps et ses humeurs l'exprimaient pour elle sous la forme de maux de tête, de crampes d'estomac et de dépression.

Tel père, tel fils… tel fils, tel père? Dans certains cas, l'enfant maltraité s'identifie inconsciemment avec le parent qui le maltraite. Après tout, l'agresseur paraît puissant et invulnérable. Les enfants persécutés s'imaginent que, s'ils possédaient ces qualités, ils seraient capables de se protéger eux-mêmes. Et, dans un réflexe de défense inconscient, ils cultivent en eux certains des traits de caractère qu'ils détestent le plus en leurs parents toxiques. En dépit de fréquentes promesses envers eux-mêmes d'être différents, sous l'emprise du stress ils peuvent se conduire exactement comme les parents qui les ont maltraités. Mais ce syndrome n'est pas aussi répandu qu'on le suppose généralement.

Pendant longtemps, il était couramment admis que presque tous les enfants battus battaient leurs propres enfants. Après tout, c'était là le seul modèle qu'ils aient eu. Mais les études actuelles ont remis en question ces hypothèses. En fait, non seulement un grand nombre d'enfants battus deviennent des adultes non violents, mais encore nombre d'entre eux ont beaucoup de difficulté en tant que parents à appliquer une discipline, même modérée, même sans avoir recours à des sanctions physiques. Ces parents n'osent ni faire respecter des limites ni en fixer : c'est une façon de se révolter contre les souffrances de leur propre enfance. Cela aussi peut avoir une influence négative sur le développement de l'enfant parce que les enfants ont besoin de la sécurité apportée par les limites. Mais les dommages causés par le laxisme sont généralement moins importants que ceux causés par les coups.

Il faut savoir que les adultes maltraités par leurs parents ont la possibilité de surmonter le dégoût qu'ils éprouvent pour eux-mêmes, leur incapacité à se détacher de leurs parents, leur colère refoulée, leurs irrésistibles frayeurs et leur impuissance à faire confiance ou à se sentir en sécurité.

7

Violences et abus sexuels :

la trahison suprême

L'inceste est sans doute l'expérience humaine la plus cruelle, la plus perverse. C'est la trahison de la confiance la plus élémentaire entre enfant et parent. C'est destructeur sur le plan émotionnel. Les jeunes victimes sont complètement dépendantes de leur agresseur et elles n'ont donc aucun refuge, aucun recours. Les protecteurs se sont mués en persécuteurs, et la réalité est devenue une prison pour des secrets dégoûtants. L'inceste trahit le cœur même de l'enfance – son innocence.

Dans les deux chapitres précédents, nous avons examiné quelques-uns des aspects les plus sombres de la réalité des familles toxiques. Nous avons rencontré des parents manquant extraordinairement d'affection et de compassion pour leurs enfants ; qui brutalisent leurs enfants avec toutes les armes possibles, de la critique systématique et dégradante à la ceinture de cuir, et qui justifient quand même leurs abus en les faisant passer pour des actes de discipline ou d'éducation. Mais, maintenant, nous entrons dans un monde de comportement tellement pervers qu'il défie toute justification. Là, il me faut abandonner toute théorie strictement psychologique : je crois que le viol d'un enfant est un acte authentiquement maléfique.

Qu'est-ce que l'inceste ?
Idées reçues et réalités

L'inceste est difficile à cerner parce que les définitions légales et psychologiques se situent dans des univers différents. La définition légale est extrêmement étroite ; habituellement elle définit l'inceste comme un rapport sexuel entre parents du même sang. Le résultat c'est que des millions de personnes ne se sont pas rendu compte qu'elles étaient victimes d'inceste, parce qu'il n'y avait pas eu de pénétration. D'un point de vue psychologique, l'inceste recouvre un bien plus grand éventail de comportements et de rapports. On y inclut les contacts physiques avec la bouche, les seins, les parties génitales, l'anus d'un enfant, ou toute autre partie de son corps, effectués dans le but de provoquer l'excitation sexuelle de l'agresseur. L'agresseur n'est pas obligatoirement un parent par le sang. Il ou elle peut être toute personne que l'enfant considère comme un membre de la famille, comme un parent par alliance, ou par remariage d'un de ses géniteurs.

Il y a d'autres types de comportements incestueux qui sont extrêmement destructeurs, bien qu'ils puissent ne comporter aucun contact physique avec le corps de l'enfant. Par exemple, l'exhibitionnisme, la masturbation en présence de l'enfant ou le fait de persuader l'enfant de poser pour des photographies suggestives sont autant de formes d'inceste.

Nous devons ajouter à notre définition de l'inceste que c'est un comportement qui exige le secret. Un père qui serre affectueusement son enfant dans ses bras et qui l'embrasse ne fait rien qui doive être tenu secret. En fait, un tel contact est essentiel pour le bien-être émotionnel de l'enfant. Mais si un père caresse les parties génitales de l'enfant – ou fait caresser les siennes par l'enfant – c'est un acte qui doit être tenu secret. C'est un acte d'inceste.

Il y a aussi nombre de comportements bien plus subtils

que j'appelle inceste psychologique. Les victimes d'inceste psychologique peuvent ne pas avoir été réellement touchées ou assaillies sexuellement, mais avoir subi la violation de leur intimité ou de leur sécurité. Je parle d'actes invasifs comme d'épier un enfant qui s'habille ou qui se baigne, d'adresser avec insistance des remarques corruptrices ou sexuellement explicites à un enfant. Bien qu'aucun de ces comportements ne coïncide avec la définition littérale de l'inceste, les victimes se sentent souvent violées, et souffrent des mêmes symptômes psychologiques que les victimes de véritable inceste.

Lorsque j'ai commencé à attirer l'attention publique sur les proportions épidémiques de l'inceste, je me suis heurtée à une forte résistance. Il y a dans l'inceste quelque chose de particulièrement laid et répugnant qui empêche tout bonnement les gens d'admettre son existence. Au cours de ces dernières années, la négation a fini par reculer devant l'évidence accablante et l'inceste est devenu un sujet reconnu – bien que encore gênant – de discussion publique.

Mais il reste encore un obstacle : les idées reçues sur l'inceste. Ce sont autant d'articles de foi dans notre conscience collective, situés à un niveau que le doute n'atteint pas. Mais elles ne sont pas vraies et ne l'ont jamais été.

L'inceste serait un phénomène rare. En réalité, toutes les études et toutes les statistiques fiables, y compris celles du département américain des Affaires sociales, montrent qu'au moins un enfant sur dix est agressé sexuellement par un membre de sa famille apparemment digne de confiance, avant l'âge de dix-huit ans. Ce n'est que récemment, au début des années quatre-vingt, que nous avons commencé à prendre conscience de la réalité quasi épidémique de l'inceste. Avant cette époque, la plupart des gens croyaient que l'inceste ne concernait guère plus d'une famille sur mille.

L'inceste n'arriverait que dans les familles pauvres, sans éducation, ou dans des milieux isolés et rétrogrades. En réalité, l'inceste est impitoyablement démocratique. Il touche tous les niveaux socio-économiques. L'inceste peut se produire aussi facilement dans votre famille que dans les collines reculées des Appalaches.

Dans l'inceste, les agresseurs seraient des inadaptés sociaux ou des détraqués sexuels. En réalité, l'agresseur typique peut être n'importe qui. Il n'y a aucun dénominateur ou profil commun. Ce sont souvent des hommes ou des femmes d'apparence banale, respectables, pratiquants, bon travailleurs. J'ai vu des agresseurs qui étaient officiers de police, maîtres d'école, magnats de l'industrie, femmes du monde, maçons, docteurs, alcooliques ou prêtres. Leurs caractères communs sont plus psychologiques que sociaux, culturels, raciaux ou économiques.

L'inceste serait une réaction à une privation sexuelle. En réalité, la plupart des agresseurs ont une vie sexuelle active dans le mariage, et souvent aussi dans des aventures extraconjugales. Ils se tournent vers leurs enfants soit par goût du pouvoir et de l'autorité, soit pour l'amour inconditionnel, rassurant, que seuls les enfants peuvent témoigner. Bien que ces besoins et ces impulsions deviennent sexuels, le manque d'activité sexuelle est rarement ce qui les provoque.

Les enfants – surtout les adolescents – seraient provocants et au moins partiellement responsables de leurs ennuis. En réalité, la plupart des enfants expérimentent leurs sensations et leurs impulsions sexuelles de façon innocente, par curiosité, sur les personnes auxquelles ils sont liés. Les petites filles flirtent avec leur père et les petits garçons avec leur mère. Certains adolescents sont franchement provocants. Cependant, c'est à l'adulte que revient toute la responsabilité de contrôler, comme il convient, ces situations et de ne pas se laisser aller à ses propres impulsions.

La plupart des histoires d'inceste ne seraient pas vraies, ce sont en fait des inventions qui proviendraient des propres désirs sexuels de l'enfant. En réalité, ce mythe est l'œuvre de Sigmund Freud et imprègne l'enseignement et la pratique psychiatrique depuis le début du siècle. Dans ses consultations psychanalytiques, Freud recevait tellement de témoignages d'inceste venant de filles appartenant à de respectables familles viennoises de la classe moyenne que, sans fondement, il décida que tous ne pouvaient être vrais. Pour expliquer leur fréquence, il conclut que ces faits arrivaient d'abord dans l'imagination de ses patientes. La conséquence de l'erreur de Freud est que des milliers de victimes de l'inceste ont été, et dans certains cas continuent à être, privées de la confiance et du soutien dont elles ont besoin, même quand elles sont capables de rassembler leur courage pour chercher de l'aide auprès d'un professionnel.

Les enfants seraient plus souvent agressés par des étrangers que par des familiers. En réalité, la majorité des crimes sexuels commis contre des enfants sont perpétrés par des membres de la famille apparemment dignes de confiance.

« Une si gentille famille »

Comme les familles où les enfants sont battus, la plupart des familles incestueuses paraissent normales au reste du monde. Les parents peuvent même exercer des responsabilités au plus haut niveau sur le plan associatif ou religieux, présenter les plus hautes garanties morales. C'est stupéfiant combien les gens peuvent changer une fois leur porte fermée.

Thérèse, trente-huit ans, était une femme mince, brune aux yeux bruns, qui possédait une petite librairie dans un faubourg de Los Angeles. Elle venait d'une de ces « familles normales » :

> *« Nous avions l'air de tout le monde. Mon père était représentant en assurances et ma mère secrétaire de direction. Nous allions à l'église tous les dimanches et partions tous les étés en vacances en famille. C'était exactement le train-train de tout un chacun... sauf que, quand j'ai eu une dizaine d'années, mon père a commencé à serrer son corps contre le mien. Environ un an plus tard, je l'ai surpris en train de me regarder m'habiller par un trou qu'il avait fait dans le mur de ma chambre. Comme je me développais, il avait l'habitude de venir par-derrière et de me prendre les seins. Ensuite, il me donnait de l'argent pour que je m'étende par terre sans vêtements... pour me regarder. Ça me semblait vraiment dégoûtant, mais j'avais trop peur pour dire non. Je ne voulais pas le gêner. Et puis, un jour il m'a pris la main et l'a mise sur son pénis. J'étais tellement effrayée... Quand il s'est mis à me caresser le sexe, je ne savais pas quoi faire, et j'ai donc fait comme il voulait. »*

Au vu du monde extérieur, le père de Thérèse était un père de famille typique de la moyenne bourgeoisie, une image qui augmentait la confusion de Thérèse. La plupart des familles où se déroule un inceste gardent cette apparence de normalité pendant de nombreuses années, parfois pour toujours.

Lise éditait des bandes vidéo ; elle avait les yeux bleus, l'allure sportive ; elle offrait un exemple particulièrement dramatique de cette scission entre l'apparence extérieure et la réalité :

> « *Tout était si faux. Mon beau-père, c'était ce pasteur popu-laire dans cette importante paroisse. Les gens qui venaient le dimanche à l'église l'adoraient. Je me rappelle quand je l'écoutais, assise, faire ses sermons sur le péché mortel. J'aurais voulu hurler que cet homme était un hypocrite. J'aurais voulu me lever et témoigner devant toute la communauté que ce merveilleux homme de Dieu baisait sa belle-fille de treize ans.* »

Lise, comme Thérèse, venait apparemment d'une famille modèle. Ses voisins auraient été stupéfaits de découvrir les agissements de leur pasteur. Mais il n'y a rien d'exceptionnel au fait qu'il exerçât une autorité et des res-ponsabilités d'ordre moral, avec la confiance de tous. Une carrière prestigieuse ou un grade universitaire ne dimi-nuent en rien les pulsions incestueuses.

Il ne manque pas de théories polémiques sur le climat familial et sur le rôle que jouent les autres membres de la famille. Cependant, d'après mon expérience, il y a un fac-teur permanent de vérité : l'inceste n'arrive jamais dans les familles qui ont des relations franches, aimantes et qui communiquent.

L'inceste, au contraire, arrive dans les familles où cha-cun souffre d'une grande solitude affective, où règnent la dissimulation, l'insatisfaction, le stress et le manque de respect. A beaucoup d'égards, l'inceste peut être considéré comme un anéantissement complet de la famille. Mais c'est l'agresseur et lui seul qui commet la violence sexuelle. Thérèse décrit l'ambiance de son foyer :

> « *Nous ne disions jamais comment nous nous sentions. Quand quelque chose m'ennuyait, je le gardais pour moi. Je me rappelle bien les câlins de ma mère quand j'étais petite. Mais je n'ai jamais noté aucune affection entre mon père et ma mère. Nous faisions des choses en famille, mais nous*

*n'étions pas véritablement proches. Je pense que c'est ça que
mon père recherchait. Parfois, il me demandait s'il pouvait
m'embrasser et je disais que je ne voulais pas. Alors il me sup-
pliait, il disait qu'il ne me ferait pas de mal, qu'il voulait
juste être proche de moi. »*

Il n'était pas venu à l'esprit de Thérèse que, si son père
se sentait seul et frustré, violenter sa fille n'était pas la
seule possibilité qui s'offrait à lui. Comme beaucoup
d'agresseurs, le père de Thérèse cherchait à l'intérieur de la
famille, en la personne de sa fille, la compensation pour le
manque dont il souffrait. Cette façon perverse d'utiliser
un enfant pour la satisfaction des besoins émotionnels
d'un adulte peut facilement prendre un tour sexuel si
l'adulte n'est pas capable de contrôler ses impulsions.

Il y a une énorme part de coercition psychologique
dans les relations parent/enfant. Le père de Thérèse
n'avait pas besoin de forcer sa fille pour avoir des rapports
sexuels avec elle :

*« J'aurais fait n'importe quoi pour le rendre heureux. J'étais
toujours terrifiée quand il me faisait tous ces trucs, mais au
moins il ne m'a jamais brutalisée. »*

Des victimes comme Thérèse, qui n'ont pas été
contraintes par la force, sous-estiment fréquemment les
torts qu'elles ont subis parce qu'elles ne se rendent pas
compte que la violence émotionnelle est en tout point
aussi destructrice que la violence physique. Les enfants
sont naturellement aimants et confiants ; ce sont des cibles
aisées pour un adulte insatisfait et irresponsable. La vulnérabilité émotionnelle de l'enfant est habituellement le seul
élément dont aient besoin les agresseurs pour commettre
l'inceste.

D'autres agresseurs renforcent leur avantage psychologique par des menaces de sévices corporels, d'humiliation
publique ou d'abandon. Une de mes patientes avait sept
ans quand son père lui dit qu'il la ferait adopter si elle ne

cédait pas à ses exigences sexuelles. La menace de ne jamais revoir sa famille et ses amis était assez terrifiante pour persuader une petite fille de faire n'importe quoi.

Pourquoi les enfants ne dénoncent pas

Les agresseurs ont aussi coutume d'utiliser les menaces pour s'assurer le silence de leurs victimes. Parmi les plus courantes :

- Si tu parles, je te tuerai.
- Si tu parles, je te battrai.
- Si tu parles, ça rendra maman malade.
- Si tu parles, les gens te prendront pour une folle.
- Si tu parles, personne ne te croira.
- Si tu parles, maman sera fâchée avec nous deux.
- Si tu parles, je te détesterai jusqu'à la fin de ta vie.
- Si tu parles, on m'enverra en prison et il n'y aura plus personne pour faire vivre la famille.

Ce genre de menace constitue un chantage émotionnel qui prend la victime au piège de ses craintes et de sa vulnérabilité.

En plus de la coercition psychologique, beaucoup d'agresseurs ont recours à la violence physique pour forcer leurs enfants à se soumettre à l'inceste. Les victimes de l'inceste sont rarement des enfants favorisés, même en dehors de l'abus sexuel. Certains peuvent recevoir de l'argent ou des cadeaux ou des traitements de faveur, ce qui fait partie de la coercition, mais la majorité d'entre eux sont maltraités sur le plan émotionnel et souvent physique.

Lise se souvient de ce qui est arrivé lorsqu'elle a essayé de résister à son beau-père, le pasteur :

« Vers la fin du lycée, j'ai eu un véritable accès de courage, et je lui ai annoncé que j'avais pris une décision : je voulais

*qu'il cesse de venir la nuit dans ma chambre. Il devint fou
furieux et se mit à m'étrangler. Et puis il commença à hurler
que Dieu ne voulait pas que je prenne moi-même de décision.
Dieu voulait que ce soit lui qui décide pour moi. Comme si
Dieu voulait vraiment qu'il ait des rapports sexuels avec
moi ! Quand il s'est arrêté de m'étrangler, je pouvais à peine
respirer. J'avais tellement peur que je l'ai laissé faire sur-le-
champ tout ce qu'il a voulu. »*

Quatre-vingt-dix pour cent de toutes les victimes d'in-
cestes ne disent jamais, à personne, ce qui leur est arrivé,
ou ce qui leur arrive. Ces enfants gardent le silence non
parce qu'ils ont peur qu'on leur fasse du mal, mais surtout
parce qu'ils craignent de désunir la famille en causant des
ennuis à un de leurs parents. L'inceste est terrifiant, mais
l'idée d'être responsable de la destruction de la famille est
encore pire. La loyauté familiale est incroyablement puissante dans la vie de la plupart des enfants, quel que soit le
degré de corruption de la famille.

Coralie, trente-six ans, une rousse dynamique responsable des prêts dans une grande banque, avait été une
enfant docile par excellence. Sa crainte de faire du mal à
son père et de perdre son amour était plus forte que le
désir de trouver de l'aide pour elle-même.

*« Quand je regarde en arrière, je me rends compte qu'il me
manipulait exactement comme il le voulait. Il m'avait dit
que, si je racontais quoi que ce soit de ce que nous faisions à
qui que ce soit, ce serait la fin de la famille ; ma mère le mettrait à la porte, et je n'aurais plus de papa, on m'enverrait
dans un orphelinat et toute la famille me détesterait. »*

Dans les rares cas où l'inceste est découvert, l'unité
familiale vole en effet très souvent en éclats. Quelles que
soient les conséquences, divorce ou autres arrangements
judiciaires, placement de l'enfant hors du foyer, stress
intense dû à la disgrâce publique, beaucoup de familles ne

peuvent survivre à la révélation de l'inceste. Et, même si la dispersion de la famille se trouve servir au mieux les intérêts de l'enfant, celui-ci se sent invariablement responsable, ce qui alourdit sérieusement la charge émotionnelle sous laquelle il ploie déjà.

Les enfants victimes de violences sexuelles se rendent compte tôt que leur crédibilité n'a rien à voir avec celle de leur agresseur. Il importe peu que le parent soit alcoolique, chômeur chronique ou enclin à la violence ; dans notre société, un adulte est presque toujours plus crédible qu'un enfant. Si le parent a atteint un certain degré de réussite dans la vie, l'écart de crédibilité devient un gouffre.

Daniel, quarante-cinq ans, ingénieur dans l'aérospatiale, fut victime d'abus sexuels de la part de son père à partir de l'âge de cinq ans, jusqu'à son départ de l'université.

> « *Même lorsque j'étais petit, je savais que je ne pourrais jamais raconter à personne ce que mon père me faisait. Ma mère était complètement sous sa domination et je savais qu'il n'y avait pas une chance sur un million pour qu'elle me croie. Il était dans les affaires au plus haut niveau, il connaissait tous les gens qu'il fallait connaître. Est-ce que vous pouvez m'imaginer en train d'essayer de faire croire que cette grosse légume obligeait son fils de six ans, tous les soirs, à lui tailler des pipes dans la salle de bains ? Qui m'aurait cru ? Tout le monde aurait pensé que je voulais causer des embêtements à mon père. Je n'avais pas la moindre chance.* »

Daniel était pris au piège, un piège épouvantable. Non seulement il était violenté, mais, en plus, par un parent du même sexe. De là sa honte et sa conviction que personne ne le croirait.

L'inceste entre père et fils est beaucoup plus courant que la plupart des gens ne l'imaginent. De tels pères ont habituellement l'apparence d'hétérosexuels, mais ils sont probablement poussés par de fortes pulsions homo-

sexuelles. Plutôt que de reconnaître leurs véritables tendances, ils essaient de réprimer leur homosexualité en se
mariant et en ayant des enfants. Sans possibilité de donner
libre cours à leur véritable préférence sexuelle, leurs pulsions refoulées continuent à se développer jusqu'à ce que,
parfois, elles l'emportent sur leurs défenses.

Les assauts du père de Daniel avaient commencé il y a
quarante ans, à une époque où l'inceste (comme l'homosexualité) était occulté par les erreurs et les mythes.
Comme la plupart des victimes d'inceste, Daniel sentait
bien qu'il était tout à fait vain de chercher de l'aide parce
qu'il semblait absurde qu'un homme du rang social de
son père puisse commettre un tel crime. Les parents, si
toxiques soient-ils, ont le monopole de l'autorité et de la
crédibilité.

La honte ressentie par la victime de l'inceste est incom-
parable. Même les très jeunes victimes savent que l'inceste
doit être tenu secret. Qu'on leur dise ou non de garder le
silence, ils perçoivent l'interdit et la honte dans le comportement de l'agresseur. Ils savent qu'ils sont violés,
même s'ils sont trop jeunes pour comprendre la sexualité.
Ils se sentent salis.

Les enfants victimes d'inceste intériorisent la faute, tout
comme ceux qui ont été maltraités verbalement ou physiquement. Cependant, dans les cas d'inceste, la faute est
associée avec la honte. Personne n'est plus intensément
persuadé que c'est « entièrement sa faute » qu'une victime
d'inceste. Cette assurance nourrit de forts sentiments de
dégoût de soi et de honte. En plus d'être obligé de subir
l'inceste en soi, la victime doit se garder d'être pris et
publiquement reconnu comme une personne « sale,
dégoûtante ».

Lise était terrifiée à l'idée qu'on découvre ce qu'elle faisait :

> *Je n'avais que dix ans, mais j'avais l'impression d'être la
> pire traînée que le monde ait connue. Je voulais vraiment*

dénoncer mon beau-père, mais j'avais peur que tout le monde, y compris maman, me déteste. Je savais que tout le monde penserait que j'étais mauvaise. Je ne pouvais supporter la pensée que c'était moi qui aurais l'air d'une vicieuse, même si c'est ce que je ressentais. Alors j'ai tout renfermé en moi. »

C'est difficile pour des gens de l'extérieur de comprendre pourquoi une fille de dix ans, que son beau-père oblige à avoir des rapports sexuels avec lui, se sent coupable. La réponse, naturellement, c'est que l'enfant refuse de considérer que ce parent digne de confiance est mauvais. Quelqu'un doit endosser la responsabilité de ces actes effrayants, humiliants, honteux et puisque ça ne peut pas être le parent, ça doit être l'enfant.

Les victimes d'inceste se sentent sales, vicieuses et responsables, et cela les place dans un grand isolement psychologique. Elles se sentent complètement seules, et à l'intérieur de leur famille, et dans le monde extérieur. Elles pensent que personne ne va croire leur horrible secret, et pourtant ce secret jette une telle ombre sur leur vie qu'il les empêche souvent de se faire des amis. Cet isolement, en revanche, peut les obliger à se retourner vers l'agresseur qui est souvent le seul à leur accorder de l'attention, quelle que soit sa perversité.

Si la victime ressent le moindre plaisir durant l'inceste, sa honte en est d'autant plus grande. Quelques adultes se rappellent avoir tiré de l'expérience une excitation sexuelle, malgré leur gêne ou leur confusion. C'est encore plus dur pour ces victimes de se débarrasser de leur culpabilité. Thérèse avait, en fait, des orgasmes. Elle expliqua :

« Je savais que c'était mal, mais c'était vraiment agréable. Ce type était un vrai salaud de me faire ça, mais je suis aussi coupable que lui parce que ça me plaisait. »

J'avais déjà entendu la même histoire, mais ça me

déchirait toujours le cœur. Je dis à Thérèse, comme je l'avais déjà dit aux autres avant elle :

> « *Il n'y a rien de mal à aimer la stimulation. Votre corps est programmé biologiquement pour aimer ces sensations. Mais ce n'est pas parce que cela vous plaisait que ce qu'il vous faisait était juste ni que vous étiez coupable. Vous étiez quand même une victime. C'était sa responsabilité, en tant qu'adulte, de se contrôler, quelles que fussent vos sensations.* »

Beaucoup de victimes d'inceste se sentent encore coupables d'une façon qui leur est spécifique : enlever papa à maman. Les filles victimes de leur père disent souvent avoir eu l'impression d'être « comme l'autre femme ». Il était alors bien sûr encore plus difficile pour elles de chercher de l'aide auprès d'une personne dont elles auraient eu des raisons d'attendre le concours – leur mère. Au contraire, elles avaient le sentiment de trahir leur mère, ajoutant ainsi un autre élément de culpabilité à leur monde intérieur.

Démente et possessive : la jalousie parentale

L'inceste lie la victime à l'agresseur d'une façon intense et folle. En particulier dans l'inceste père/fille, le père devient souvent obsédé par sa fille et fou de jalousie vis-à-vis des garçons avec qui elle sort. Il peut la battre ou la menacer verbalement pour bien lui mettre dans la tête qu'elle n'appartient qu'à un homme : papa.

Cette obsession perturbe complètement les étapes normales du développement au cours de l'enfance et de l'adolescence. Au lieu de réussir à devenir progressivement plus indépendante du contrôle parental, la victime d'inceste est de plus en plus liée à l'agresseur.

Dans le cas de Thérèse, elle savait que la jalousie de son père était démente, mais elle ne discernait pas son caractère cruel et dégradant parce qu'elle la confondait avec l'amour. Les victimes d'inceste prennent couramment l'obsession pour de l'amour. Non seulement cela altère gravement leur possibilité de comprendre qu'elles sont des victimes, mais cela peut avoir ultérieurement une répercussion dramatique sur ce qu'elles attendent de l'amour.

La plupart des parents ressentent une certaine anxiété quand leurs enfants commencent à sortir et à se lier à des personnes extérieures à la famille. Mais le père incestueux vit cette étape normale du développement comme une trahison, un rejet, une infidélité et même un abandon. La réaction du père de Thérèse était typique – rage, accusations et punitions :

> « *Quand je sortais avec un garçon, il attendait et, à mon retour, il me mettait à la question. Il m'interrogeait sans fin sur celui avec lequel j'étais sortie, me demandant où je l'avais laissé me toucher, si je l'avais laissé mettre sa langue dans ma bouche.* " *S'il arrivait à me surprendre en train d'embrasser un garçon à la porte, il sortait de la maison en hurlant : Traînée !* " *et ça faisait si peur au garçon qu'il s'enfuyait.* »

Quand le père de Thérèse lui adressait des qualificatifs insultants, avilissants, il faisait ce que font beaucoup de pères incestueux : se décharger du mal, du vice et de la faute pour les projeter sur elle. Mais d'autres agresseurs s'attachent leurs victimes par la tendresse ; il est alors encore plus difficile pour l'enfant de venir à bout de ses émotions conflictuelles de culpabilité et d'amour.

« *Tu es toute ma vie* », disait sa mère à Dominique, quarante-six ans, un petit homme tendu qui travaillait comme conducteur d'engins. Il vint me trouver à cause de toutes sortes de difficultés sexuelles, y compris une impuissance chronique. Il avait été violenté par sa mère de l'âge de sept ans jusqu'à la fin de son adolescence.

« Elle me caressait les parties génitales jusqu'à ce que j'aie un orgasme, mais je pensais toujours que, parce qu'il n'y avait pas de rapport, ce n'était pas grave. Il fallait que je lui fasse la même chose. Elle me disait que j'étais toute sa vie et que c'était sa façon à elle de me prouver son amour. Mais maintenant, chaque fois que je m'approche d'une femme, j'ai l'impression de tromper ma mère. »

Le monstrueux secret que Dominique partageait avec sa mère le liait étroitement avec elle. Son comportement morbide pouvait le perturber, mais son message était clair : elle était la seule femme dans sa vie. Le message était à beaucoup d'égards aussi destructeur que l'inceste lui-même. En conséquence, quand il essaya de se séparer de sa mère et d'avoir des relations adultes avec d'autres femmes, ses sentiments d'infidélité et de culpabilité handicapèrent gravement son bien-être émotionnel et sa sexualité.

Recouvrir le volcan

La seule façon de survivre aux traumatismes précoces causés par l'inceste consiste, pour beaucoup de victimes, à fabriquer un écran psychologique qui repousse ces souvenirs si profondément au-delà du champ de la conscience qu'ils peuvent y rester enfouis pendant des années sinon toujours.

Les souvenirs d'inceste resurgissent violemment, souvent de façon imprévisible, à cause de certains événements. Des patients m'ont rapporté que leurs souvenirs avaient été déclenchés par des expériences comme la naissance d'un enfant, leur mariage, la mort d'un membre de la famille, un reportage consacré à l'inceste dans les médias ou même un rêve qui leur faisait revivre le traumatisme.

Il est aussi courant que ces souvenirs resurgissent si la victime suit une thérapie, en plein travail sur un autre problème, bien que beaucoup de victimes se refusent alors à évoquer l'inceste sans y être poussées par le thérapeute.

Même quand ces souvenirs émergent, beaucoup de victimes s'affolent et essaient de les repousser en refusant d'y croire.

Une des expériences les plus aiguës auxquelles j'ai été confrontée en tant que thérapeute m'arriva avec Julie, quarante-six ans, docteur en biochimie, employée par un grand centre de recherches à Los Angeles. Julie vint me voir après m'avoir entendue parler de l'inceste dans une de mes émissions radiophoniques. Elle me raconta qu'elle avait été violentée par son frère entre huit et quinze ans.

« *J'étais terrorisée en imaginant que j'allais mourir ou devenir folle et finir dans un asile. Depuis peu, je passe tout mon temps au lit, la tête sous les couvertures. Je ne sors de chez moi que pour aller travailler, et là je suis à peine capable d'agir. Tout le monde s'inquiète sérieusement à mon sujet. Je sais que tout est lié à mon frère, mais je suis incapable d'en parler. J'ai l'impression que je sombre.* »

Julie était très fragile, apparemment au bord d'une grave dépression. Elle passait du rire hystérique aux sanglots convulsifs. Elle n'avait presque aucun contrôle sur les émotions qui la submergeaient.

« *Mon frère m'a violée pour la première fois quand j'avais huit ans. Il avait quatorze ans et il était vraiment fort pour son âge. Après cela, il me forçait à subir ses assauts au moins trois ou quatre fois par semaine. La douleur était tellement insoutenable que je perdais presque conscience. Je me rends compte à présent qu'il devait être drôlement dingue, car il m'attachait et me torturait avec des couteaux, des ciseaux, des lames de rasoir, des tournevis, tout ce qui lui tombait sous la main. La seule façon de survivre, pour moi, c'était de faire comme si ça arrivait à quelqu'un d'autre.* »

Je demandai à Julie où étaient ses parents pendant que se déroulaient ces horreurs.

« Je n'ai jamais rien raconté à mes parents sur ce que Thomas me faisait, parce qu'il menaçait de me tuer si je le disais, et je le croyais. Mon père était avocat : il travaillait seize heures par jour, y compris pendant le week-end, et ma mère était shootée aux médicaments. Pendant les rares heures qu'il passait à la maison, papa voulait avoir la paix, et il attendait de moi que je m'occupe de maman. Toute mon enfance m'apparaît comme un grand brouillard, avec rien que de la souffrance. »

Julie avait été gravement perturbée et elle redoutait la thérapie, mais elle rassembla son courage pour se joindre à un de mes groupes de victimes d'inceste. Pendant les mois suivants, elle travailla dur pour guérir des abus sexuels et des tortures infligées par son frère. Sa santé émotionnelle s'améliora notablement, et elle n'avait plus l'impression d'être sur la corde raide, entre hystérie et dépression. Pourtant, malgré ses progrès, mon instinct me disait qu'il manquait quelque chose. Il y avait encore, caché en elle, quelque chose de sombre qui couvait.

Un soir, elle arriva, l'air affolé. Il lui était brusquement venu un souvenir qui la terrifiait.

« Avant-hier soir, j'ai revu clairement ma mère qui m'obligeait à lui faire des caresses buccales. Je dois vraiment devenir folle. J'ai dû probablement imaginer aussi tout le reste à propos de mon frère. C'est une chose qui n'a pas pu arriver avec ma mère. Bien sûr, elle était tout le temps dans les vapes, mais elle n'aurait quand même pas pu me faire ça. Je suis vraiment en train de perdre les pédales… Il faut que vous me mettiez à l'hôpital. »

Je lui suggérai : « Si les expériences avec votre frère sont le fruit de votre imagination, alors comment se fait-il que vous ayez fait tellement de progrès depuis que vous travaillez là-dessus ? » Cela lui parut sensé. Je continuai :

« Vous savez, ce genre de choses ne provient généralement pas de l'imagination des gens. Si vous vous souvenez à présent de cet incident avec votre mère, c'est parce que vous êtes plus forte qu'avant – plus capable de l'affronter à présent. »

Je dis à Julie que son inconscient l'avait beaucoup protégée. Si elle s'était rappelé cet incident quand elle était aussi fragile qu'à notre première rencontre, elle aurait pu s'effondrer complètement. Mais, grâce à son travail en groupe, son univers émotionnel devenait plus stable. Son inconscient avait laissé surgir ce souvenir refoulé parce qu'elle était prête à l'affronter.

On parle peu de l'inceste entre mère et fille, mais j'ai traité au moins une douzaine de victimes. La motivation semble provenir d'un déséquilibre grotesque entre le besoin de tendresse, de contact physique et d'affection. Les mères capables de violer le lien maternel normal de cette façon sont généralement extrêmement perturbées et souvent psychotiques.

Julie s'était efforcée de réprimer les souvenirs qui l'avaient menée tout près de la dépression. Mais si douloureux et perturbants qu'ils fussent, leur libération était la clé d'une progressive guérison pour Julie.

Les victimes d'inceste deviennent souvent des sortes de comédiens très doués. Dans leur monde intérieur, il y a tant de terreur, de confusion, de tristesse, de solitude et d'isolement que beaucoup s'inventent une fausse personnalité pour communiquer avec le monde extérieur, pour agir comme si tout était bel et bien normal. Thérèse parlait de son moi de substitution avec une grande perspicacité :

> *Je me sentais comme deux personnes dans un même corps. Devant mes amis, j'étais très sociable et amicale. Mais dès que je me retrouvais dans notre appartement, je devenais une véritable recluse. J'avais des crises de pleurs qui n'en finissaient pas. Je détestais rester en famille parce qu'il fallait*

*faire comme si tout allait bien. Vous n'avez aucune idée de
la difficulté qu'il y a à jouer les deux rôles en même temps.
Parfois je ne me sentais plus la moindre force. »*

Daniel, lui aussi, méritait un Oscar. Voici sa description :

*« Je me sentais coupable de ce que mon père me faisait la
nuit. C'était comme d'être un objet ; je me détestais. Mais je
jouais le rôle du garçon heureux et personne dans la famille
ne se doutait de rien. Et puis, brusquement, j'ai cessé de
rêver. J'ai même cessé de pleurer. J'ai fait semblant d'être
heureux. J'étais le pitre de la classe et j'étais un bon pianiste.
J'adorais amuser les gens... n'importe quoi pour qu'on
m'aime. Mais à l'intérieur, j'avais mal. Dès l'âge de treize
ans, je buvais en cachette. »*

En amusant d'autres gens, Daniel pouvait dans une
certaine mesure se sentir accepté et utile. Mais, étant
donné les affres dans lesquelles se débattait son véritable
moi, il n'en tirait que très peu de véritable plaisir. C'est le
prix à payer pour vivre dans le mensonge.

Le partenaire silencieux

L'agresseur et la victime montent de bonnes représen-
tations pour que leur secret ne sorte pas de la maison.
Mais qu'en est-il de l'autre parent ?

Quand j'ai commencé à travailler avec des adultes qui
avaient été abusés sexuellement pendant leur enfance, j'ai
découvert que beaucoup de filles, victimes de leur père,
éprouvaient plus de colère envers leur mère qu'envers leur
père. Beaucoup de victimes se torturaient avec une question souvent sans réponse : qu'est-ce que savait leur mère
sur l'inceste ? Beaucoup étaient persuadées que leur mère
devait en savoir quelque chose, parce qu'en de nombreux
cas, les signes d'abus étaient tout à fait flagrants. D'autres
étaient persuadées que leur mère aurait dû savoir, aurait

dû remarquer les changements de comportement chez leur fille, aurait dû sentir que quelque chose n'allait pas, et aurait dû être davantage à l'écoute de ce qui se passait dans la famille.

Thérèse qui paraissait très neutre quand elle décrivait comment son père, l'assureur, était passé du voyeurisme à l'acte, se mit plusieurs fois à pleurer en parlant de sa mère :

« Je me sens toujours en colère contre ma mère. Je suis capable de ressentir à la fois de l'amour et de la haine pour elle. Voilà une femme qui m'a toujours vue déprimée, qui m'a entendue pleurer hystériquement dans ma chambre et qui n'a jamais été foutue de me dire un mot. Est-ce que vous pouvez croire qu'une mère ayant tout son bon sens ne trouverait pas bizarre de voir sa fille pleurer à longueur de temps ? Je ne pouvais pas lui dire comme ça ce qui se passait, mais peut-être que si elle avait demandé… qui sait ? Peut-être que j'aurais été de toute façon incapable de lui dire. Bon sang, si seulement elle avait pu découvrir ce qu'il me faisait. »

Thérèse exprimait un souhait que j'ai entendu formuler par des milliers de victimes d'inceste – que quelqu'un, d'une façon ou d'une autre, de préférence leur mère, ait pu découvrir l'inceste sans que la victime soit obligée de passer par les affres de la confession.

J'étais d'accord avec Thérèse : sa mère était incroyablement insensible à la tristesse de sa fille, mais cela ne signifiait pas nécessairement qu'elle avait la moindre idée de ce qui se passait.

Il y a trois sortes de mères dans les familles incestueuses : celles qui véritablement ne savent rien, celles qui savent peut-être, et celles qui savent à coup sûr.

Est-il possible à une mère de vivre dans une famille incestueuse et de n'en rien savoir ? Plusieurs théories prétendent que toute mère ne peut pas ne pas deviner d'une façon ou d'une autre qu'un inceste se passe sous son toit. Je ne suis pas d'accord. Je suis convaincue que certaines mères ne savent vraiment rien.

Le second type de mère est le partenaire silencieux classique. Elle porte des œillères – les indices de l'inceste sont là, mais elle choisit de les ignorer en espérant à tort se protéger et protéger la famille.

En dernier lieu, et la plus coupable : la mère qui apprend que ses enfants sont violentés et qui ne fait rien. Quand cela arrive, la victime est doublement trahie.

Lorsque Lise eut treize ans, elle fit une tentative désespérée pour raconter à sa mère les agressions sexuelles dont elle était de plus en plus souvent victime de la part de son beau-père :

> « *Je me sentais complètement prise au piège. J'ai pensé que si je le disais à ma mère, au moins elle lui parlerait. Quelle blague ! Elle s'est presque effondrée en larmes et m'a dit… Je n'oublierai jamais ses mots. "Pourquoi me racontes-tu cela, que veux-tu me faire ? Voilà neuf ans que je vis avec ton beau-père. Je sais qu'il est incapable de ça. Il est pasteur. Tout le monde nous respecte. Tu as dû rêver. Pourquoi essaies-tu de me gâcher la vie ? Dieu te punira." Je n'en croyais pas mes oreilles. J'avais dû tellement prendre sur moi pour lui parler, et voilà qu'elle se retournait contre moi. A la fin c'était moi qui la consolais.* »

Lise se mit à pleurer. Je la tins quelques minutes embrassée, tandis qu'elle revivait la douleur et le chagrin provoqués par la réaction tellement typique de sa mère face à la vérité. La mère de Lise était un partenaire silencieux classique – passif, dépendant, infantile. Elle était intensément préoccupée par sa propre survie et par le désir de protéger l'intégrité de la famille. En conséquence, il lui fallait refuser tout ce qui aurait pu menacer l'équilibre de la nef familiale.

Beaucoup de partenaires silencieux ont été eux-mêmes maltraités au cours de leur enfance. Ils souffrent d'une très faible estime de soi et la découverte de l'inceste peut leur faire revivre les affres de leur propre enfance. Ils se sentent généralement dépassés par le moindre conflit qui leur semble menacer le statu quo, parce qu'ils ne veulent pas affronter les craintes et le sentiment de dépendance qui leur sont propres. Comme c'est souvent le cas, Lise finit par réconforter sa mère, alors que c'était Lise qui avait le plus besoin de soutien.

Les mères qui poussent vraiment leur fille à l'inceste sont rares. Diane, qui faisait partie du groupe de Lise, nous raconte une histoire particulièrement choquante :

> *« Les gens me disent que je suis jolie – je sais que tous les hommes me regardent – mais j'ai passé le plus clair de ma vie à penser que je ressemblais à la créature d'Alien. Je me suis toujours sentie visqueuse – vous savez, dégoûtante. Ce que mon père me faisait était déjà horrible, mais ce qui me causait le plus de mal, c'était ma mère. Elle était l'intermédiaire. Elle décidait du moment et de l'endroit, et parfois elle me tenait la tête sur ses genoux pendant qu'il s'exécutait. Je n'arrêtais pas de la supplier de ne pas m'obliger, mais elle disait : "Je t'en prie, ma chérie, fais-le pour moi. Je ne lui suffis pas et, si tu ne lui donnes pas ce qu'il veut, il ira trouver d'autres femmes. Alors, nous nous retrouverons dans le caniveau." J'essaie de comprendre pourquoi elle a agi comme ça, mais j'ai deux enfants, et je trouve que rien n'est plus incroyable de la part d'une mère. »*

Beaucoup de psychologues croient que les partenaires silencieux transfèrent sur leur fille leur rôle d'épouse et de mère. C'était certainement vrai pour la mère de Diane, bien qu'il soit inhabituel que ce transfert soit effectué de façon aussi manifeste.

D'après mon expérience, la plupart des partenaires silencieux ne se livrent pas tant à un transfert de leur rôle qu'à une abdication de leur volonté personnelle. Habituellement, les mères ne poussent pas leur fille à les remplacer, mais elles laissent l'agresseur les dominer, elles-mêmes et leur fille. Leurs craintes, leurs besoins de dépendance se révèlent plus puissants que leur instinct maternel, ce qui laisse leur fille sans protection.

L'héritage de l'inceste

Tous les adultes violentés pendant leur enfance gardent de ce temps la conviction de ne jamais pouvoir être à la hauteur, d'être méprisables et complètement pourris. Même si leur vie apparaît différente vue de l'extérieur, toutes les victimes d'inceste ont en commun d'avoir hérité de ce que j'appelle les trois D de l'inceste : le sentiment tragique d'être Dégoûtant, Détruit et Différent. La vie de Coralie avait été gravement perturbée sur ces trois plans. Comme elle le décrivait :

> « *J'avais l'impression d'aller à l'école avec une marque sur le front qui disait : " victime d'inceste ". Je pense encore souvent que les gens peuvent lire en moi et voir combien je suis répugnante. Je ne suis pas comme les autres. Je ne suis pas normale.* »

Au cours des ans, j'ai entendu d'autres victimes se comparer à « *Elephant man* », « une créature de l'espace », « un évadé d'un asile » et « au plus vil rebut que la terre ait jamais porté ».

L'inceste est une forme de cancer psychologique. Il n'est pas fatal, mais il nécessite un traitement qui est parfois douloureux. Coralie est restée sans soins pendant plus de vingt ans. Elle l'a payé très cher, surtout dans le domaine des relations humaines : « Je ne sais pas ce que c'est que d'aimer et d'être aimée », disait-elle.

Ses sentiments de dégoût de soi-même avaient entraîné Coralie dans une suite de relations avilissantes avec les hommes. Comme sa première relation avec un homme (son père) impliquait l'exploitation et la trahison, amour et abus étaient étroitement imbriqués dans son esprit. Adulte, elle était attirée par les hommes qui lui permettaient de revivre ce scénario familier. Une relation saine, de caractère attentionné et respectueux, ne lui aurait pas semblée naturelle, aurait été en porte-à-faux avec l'idée qu'elle se faisait d'elle-même.

La plupart des victimes d'inceste ont surtout des difficultés dans le domaine des relations amoureuses à l'âge adulte. Si par hasard une victime parvient à établir une relation amoureuse, celle-ci est généralement contaminée par les fantômes du passé – et souvent dans le domaine de la sexualité.

Aussi, les traumatismes causés par l'inceste avaient sérieusement affecté les relations de Thérèse avec son mari, un homme gentil et attentionné. Elle me dit :

> *« Ma vie avec David est en train de se désagréger. C'est un homme adorable, mais combien de temps pourra-t-il supporter cela ? Nos relations sexuelles sont absolument épouvantables. Depuis toujours. Je ne veux même plus faire semblant. Je ne supporte pas qu'il me touche. J'aimerais que le sexe n'ait jamais été inventé. »*

Il est tout à fait courant pour une victime d'éprouver de la répugnance à la pensée de l'amour physique. C'est une réaction normale à l'inceste. Le sexe devient le rappel ineffaçable de la douleur et de la trahison. L'enregistrement se met en route dans la tête de la victime : « L'amour c'est sale, l'amour c'est mal… J'ai fait des choses horribles quand j'étais petite… Si je recommence, je vais encore me sentir répugnante. »

Beaucoup de victimes racontent qu'elles ne peuvent avoir de rapports sexuels sans être hantées par des réminiscences. Elles essayent de se laisser aller dans les bras d'une personne qu'elles aiment, mais, dans leur esprit, elles revivent les traumas originels de l'inceste. Pendant l'amour, il arrive souvent que les victimes voient ou entendent leur agresseur dans la pièce, à côté d'eux. Ces réminiscences ravivent tous leurs sentiments négatifs à propos d'eux-mêmes et leur désir sexuel s'éteint comme un feu sous un jet d'eau.

D'autres victimes d'inceste, comme Coralie, utilisent leur sexualité de manière à se dégrader, car elles ont appris en grandissant que le sexe était tout ce dont elles étaient capables. Et bien qu'elles aient couché avec des centaines d'hommes, en échange d'un peu d'affection, beaucoup de ces victimes d'inceste se sentent toujours, à l'âge adulte, dégoûtées par le sexe. Parvenues à une vie sexuelle active avec des orgasmes (et c'est le cas pour beaucoup), elles peuvent continuer à éprouver de la culpabilité à l'égard de leurs sensations sexuelles ; elles ont alors des difficultés, voire une incapacité à y trouver satisfaction. La culpabilité fait paraître répréhensibles les sensations agréables.

A l'opposé de Thérèse, Lise était très active sexuellement, mais les fantômes du passé n'en étaient pas moins envahissants :

« J'ai beaucoup d'orgasmes. J'adore le sexe, de toutes les façons possibles. Là où ça devient vraiment pénible pour moi, c'est après. Je me sens si déprimée. Quand c'est terminé, je ne veux ni qu'on m'enlace ni qu'on me touche… Je veux seulement que le type s'en aille. Il ne comprend pas. Une ou deux fois, quand l'amour avait été tout spécialement agréable, après, j'ai eu envie de me tuer. »

Bien que Lise éprouvât du plaisir sexuel, elle avait encore des sentiments aigus de dégoût envers elle-même. En conséquence, elle avait besoin d'expier ce plaisir en se punissant, allant jusqu'à envisager le suicide. C'était comme si ces sentiments et ces idées avilissantes lui servaient à se racheter de son excitation sexuelle « honteuse » et « condamnable ». « Il n'y a aucun châtiment qui soit assez grand pour moi », disait-elle.

Au cours du précédent chapitre, nous avons vu des victimes d'abus physiques retourner contre elles-mêmes leur douleur et leur rage – ou dans certains cas la retourner contre d'autres. Les victimes d'inceste ont tendance à suivre le même processus, en défoulant leur rage contenue et leur douleur persistante par une grande variété de moyens.

La dépression est un moyen extrêmement courant d'exprimer les conflits refoulés provoqués par l'inceste. Cela peut aller d'une sensation générale de tristesse à une immobilisation presque totale.

Une majorité de victimes d'inceste, surtout parmi les femmes, se laisse aller à prendre trop de poids à l'âge adulte. Le poids leur sert à deux choses : 1) elles imaginent que cela va tenir les hommes éloignés ; 2) la masse corporelle crée l'illusion erronée de force et d'autorité. Beaucoup de victimes sont terrifiées quand elles commencent à perdre du poids parce que cela leur donne l'impression de redevenir faibles et vulnérables.

Les migraines chroniques sont également courantes parmi les victimes d'inceste. Ces maux de têtes sont non seulement une manifestation physique de rage contenue et d'angoisse, mais aussi une forme d'autopunition.

Beaucoup de victimes d'inceste se perdent dans un brouillard d'alcool et de drogue. Ça leur apporte la suppression temporaire du vide et du manque qu'elles ressentent en elles. Cependant, cette manière de retarder la confrontation avec le véritable problème ne fait que prolonger les souffrances de la victime.

Un grand nombre de victimes d'inceste cherchent aussi la punition auprès de ceux qu'elles aiment. Elles sabotent leur travail, recherchant le blâme de leurs collègues ou de leur employeur. Certaines commettent des crimes, recherchant les sanctions de la société. D'autres deviennent prostituées, recherchant le châtiment auprès de leur souteneur, de leurs clients – ou même de Dieu.

Il y a enfin un paradoxe déroutant : quelles qu'aient été les souffrances de leur vie, un grand nombre de victimes d'inceste restent soudées à leurs parents toxiques. Ces parents sont la cause de leur douleur, mais les victimes continuent à se tourner vers eux pour y chercher remède. Il est très dur pour des victimes d'inceste de renoncer au mythe de la famille heureuse.

Une des plus fortes séquelles de l'inceste est cette interminable quête de la clé magique qui ouvrira le coffre au trésor – l'amour et l'approbation des parents. Cette quête est, sur le plan émotionnel, comparable à des sables mouvants ; la victime s'enfonce dans son rêve impossible, ce qui l'empêche de vivre sa propre vie.

Lise résuma ainsi cette situation :

> « *Je continue à penser qu'un jour ils me tendront les bras et me diront : " Nous te trouvons merveilleuse et nous t'aimons telle que tu es ", bien que mon beau-père soit un violeur d'enfant, bien que ma mère l'ait préféré à moi et ne m'ait pas protégée… Comme si j'avais besoin que ce soit eux qui me pardonnent.* »

Beaucoup de gens sont choqués quand je dis que les victimes d'inceste avec lesquelles j'ai travaillé sont habituellement les membres les plus sains de leur famille. Après tout, c'est la victime qui manifeste les symptômes – culpabilité, dépression, comportements destructeurs, problèmes sexuels, tentatives de suicide, toxicomanie – alors que le restant de la famille présente souvent une apparence de santé.

Mais en dépit de cela, c'est habituellement la victime qui, en fin de compte, a la vision la plus claire de la vérité. Elle a été obligée de se sacrifier pour dissimuler la folie et le stress du système familial. Toute sa vie, elle a été le détenteur du secret familial. Elle a vécu dans un état intense de douleur émotionnelle pour sauvegarder le mythe de la bonne famille. Mais, à cause de toute cette douleur et de tout ce conflit, la victime est habituellement la première à rechercher de l'aide. Ses parents, d'autre part, refuseront presque toujours de laisser tomber leurs dénégations et leurs défenses. Ils ne veulent pas avoir affaire à la réalité.

Avec un accompagnement psychothérapique, la plupart des victimes sont capables de retrouver leur dignité et leur assurance. Savoir reconnaître un problème et chercher de l'aide est non seulement un signe de santé, mais aussi de courage.

8

Le « système » familial

Nous sommes tous forgés dans un creuset appelé famille. Récemment, nous en sommes venus à reconnaître que cette « famille » est plus qu'une assemblée de personnes apparentées. C'est un « système », un groupe de personnes liées par des rapports actifs, chacune d'entre elle ayant sur les autres une influence profonde, parfois de façon occulte. C'est un réseau complexe d'amour, de jalousie, de fierté, d'angoisse, de joie, de culpabilité – un flux et un reflux incessants de toute la gamme des émotions humaines. Ces émotions bouillonnent dans la mer obscure des attitudes, des perceptions et des relations familiales. Et, comme dans la mer, seule une très petite partie des activités familiales est visible de la surface. Plus vous plongez profondément, et plus vous faites de découvertes.

Votre système familial représentait toute votre réalité lorsque vous étiez jeune. Enfant, vous preniez des décisions – sur ce que vous étiez, et comment vous deviez vous comporter avec les autres – fondées sur la façon dont votre système familial vous avait appris à voir le monde. Si vous aviez des parents toxiques, vous preniez probablement des décisions comme « Je ne peux me fier à personne », « Je ne vaux pas la peine qu'on s'occupe de moi », ou « Je n'arriverai jamais à rien ». Par ces décisions vous vous faisiez du tort à vous-même, il faut donc en changer. Vous pouvez changer de décision, renoncer à beaucoup de celles que vous avez prises plus tôt, et en même temps changer de scénario pour votre vie, mais vous devez d'abord comprendre quelle part de votre façon de vivre, de vos sentiments a été façonnée par votre système familial.

Rappelez-vous que vos parents ont eu eux aussi des parents. Un système familial toxique est comme un accident en chaîne sur l'autoroute, provoquant des ravages génération après génération. Ce système n'est pas une invention de vos parents ; c'est le résultat d'une accumulation de sentiments, règles, interactions et croyances transmis par vos ancêtres.

Les vérités absolues

Si vous voulez commencer à donner un peu de sens à la confusion et au chaos d'un système familial toxique, vous devez considérer d'abord les « croyances » familiales, spécialement celles qui déterminent le comportement des parents avec leurs enfants et la conduite attendue de la part des enfants. Une famille, par exemple, peut croire que les sentiments de l'enfant sont importants, tandis qu'une autre peut considérer l'enfant comme un citoyen de seconde catégorie. Ces croyances déterminent nos perceptions, nos jugements, nos attitudes. Elles sont d'une force étonnante. Elles séparent le bien du mal, ce qui est juste de ce qui ne l'est pas. Elles définissent les relations humaines, les valeurs morales, l'éducation, la sexualité, les choix professionnels, les comportements et les dépenses financières. Elles modèlent le comportement familial.

Des parents relativement mûrs et attentionnés ont des croyances qui tiennent compte des sentiments et des besoins de tous les membres de la famille. Grâce à eux, l'enfant peut se développer et se préparer pour l'indépendance sur des bases solides. Voici des exemples de ces croyances : « Les enfants ont le droit de n'être pas d'accord », « On ne doit pas délibérément faire du mal à son enfant », ou « Les enfants devraient se sentir libres de commettre des erreurs ».

Les croyances des parents toxiques en ce qui concerne les enfants sont au contraire presque toujours égocentriques et intéressées. Ils croient que « les enfants doivent le respect à leurs parents en toutes circonstances »; qu'« il n'y a que deux façons de faire les choses, comme moi ou mal »; ou que « les enfants, on les voit, mais on ne les entend pas ». Ce genre d'idées constitue le sol dans lequel croît le comportement parental toxique.

Les parents toxiques s'opposent à toute réalité extérieure remettant en cause leurs opinions. Plutôt que de changer, ils cultivent en eux une vision déformée de la réalité qui va dans le sens des opinions qu'ils se sont déjà faites. Malheureusement, les enfants manquent de la subtilité nécessaire pour distinguer la vraie réalité de la réalité déformée. En grandissant, les enfants de parents toxiques reprennent telles quelles les croyances dénaturées de leurs parents pour leur propre vie d'adultes. Elles sont de deux sortes : celles qui sont transmises par la parole, et celles qui le sont de façon silencieuse. Les premières sont exprimées ou communiquées de façon directe. Elles sont là. On peut les entendre. Elles sont souvent déguisées en conseils, exprimées en termes de « tu devrais », « il faudrait », et « il vaut mieux ».

Ces croyances ouvertement exprimées ont l'avantage de nous offrir quelque chose de tangible contre quoi lutter quand on devient adulte. Bien que ces croyances puissent devenir une part de nous-même, le fait qu'elles soient énoncées les rend faciles à examiner, et éventuellement à rejeter au profit de croyances plus en accord avec notre existence.

Un exemple : Des parents croient qu'il est mal de divorcer; cela est susceptible de retenir leur fille dans une union malheureuse. Mais la croyance peut être remise en question. La fille a la possibilité de se demander : « Quel

mal y a-t-il à divorcer ? » Et sa réponse la mènera éventuellement à rejeter la croyance de ses parents.

Il n'est pas aussi aisé de rejeter une croyance dont vous
ne soupçonnez même pas l'existence. Des croyances non
exprimées peuvent déterminer de nombreux postulats à
propos de l'existence. Elles existent au niveau de l'inconscient. Ce sont les croyances implicites d'après lesquelles
votre père traitait votre mère ou d'après lesquelles l'un ou
l'autre vous traitait. Elles forment une part importante de
l'enseignement de nos parents.

Rares sont les familles qui s'asseyent à table pour discuter de croyances telles que « les femmes sont des citoyens
de second ordre » ; « les enfants doivent se sacrifier pour
leurs parents » ; « les enfants sont naturellement mauvais » ; ou « les enfants devraient rester dépendants pour
que leurs parents puissent se sentir toujours utiles ».
Même si les familles avaient conscience d'avoir de telles
croyances, peu l'admettraient. Pourtant, ces croyances
inexprimées, négatives, dominent la plupart des familles
où on trouve des parents toxiques, et exercent une
influence sur la vie de leurs enfants.

Michel – dont la mère menaçait d'avoir une crise cardiaque quand il était parti vivre loin d'elle – présentait un
exemple criant de croyances parentales inexprimées :

> « *Pendant des années, j'ai cru être un mauvais fils parce que
> je m'étais installé en Californie et que je m'étais marié. Je
> croyais vraiment que si on ne plaçait pas ses parents au-des-
> sus de tout dans la vie, on était un enfant dénaturé. Mes
> parents ne sont jamais venus me dire cela, mais j'avais reçu
> le message cinq sur cinq. Et, malgré la façon horrible dont ils
> traitaient ma femme, jamais je ne prenais sa défense devant
> eux. Je croyais vraiment que les enfants devraient accepter
> tout ce que leurs parents leur servaient. Ils attendaient que je
> rampe jusqu'à eux pour leur faire des excuses. J'étais un pan-
> tin pour eux.* »

Les parents de Michel lui avaient transmis par leur comportement leur conviction qu'ils étaient les seuls à avoir des droits et des privilèges. Sans le dire, ils avaient communiqué à Michel l'idée que seuls comptaient leurs sentiments, et que leur fils n'existait que pour les rendre heureux. Ces opinions étranglaient Michel ; elles détruisaient presque son ménage.

S'il n'était pas venu suivre une thérapie, il aurait probablement passé ces convictions à ses propres enfants. Au lieu de cela, il apprit à découvrir ses propres opinions inexprimées, ce qui lui permit de remettre en cause celles de ses parents. Les parents de Michel, comme tous les parents toxiques, réagissaient par des punitions et par le retrait de leur amour. C'était une tactique pour reprendre leur contrôle sur la vie de leur fils. Michel acquit une nouvelle compréhension de sa relation avec ses parents ; grâce à cela, il put éviter aussi ce piège.

Autre idée reçue en famille : « *Les femmes ne peuvent survivre sans un homme qui s'occupe d'elles.* » Claire – qu'un père inconstant contrôlait par ses humeurs et son argent – acceptait aussi beaucoup des croyances inexprimées de ses parents. Comme elle l'évoquait :

> « *Mon père et ma mère menaient une vie de couple désastreuse. Elle avait une peur bleue de lui, et je suis persuadée qu'il la frappait, bien que je ne l'aie en fait jamais vu faire. Combien de fois j'ai été la consoler parce qu'elle sanglotait dans son lit ; elle me disait alors comme elle était malheureuse avec lui. Je lui demandais toujours pourquoi elle ne le quittait pas et elle disait : "Que veux-tu que je fasse ? Je n'ai aucune qualification, et je ne pourrais pas renoncer à tout cela.* « *Est-ce que vous, les enfants, vous voulez que nous nous retrouvions à la rue ?* " »

Sans le savoir, la mère de Claire renforçait sa fille dans l'opinion qu'elle s'était déjà formée à partir du comportement de son père : les femmes ne peuvent pas se débrouiller sans les hommes. Cette conviction conduisit

Claire à rester dépendante de l'homme autoritaire qu'était son père, mais c'était au prix de sa dignité et au détriment de ses relations ultérieures.

Il y a autant de croyances parentales différentes qu'il y a de parents. Elles forment le squelette de notre perception intellectuelle du monde. Nos sentiments et nos comportements en constituent la chair, le squelette leur donne forme. Quand des parents toxiques nous transmettent des croyances dénaturées, nos sentiments et nos comportements deviennent aussi tordus que le squelette en dessous.

Règles exprimées et règles tacites : l'obéissance démystifiée

De ces sortes de professions de foi familiales découlent les règles parentales. Comme les croyances, les règles parentales sont le produit du temps. Les règles sont les manifestations des croyances. Elles entraînent la contrainte ; ce sont les simples : « Fais et ne fais pas. »

Prenons par exemple une croyance familiale telle que : « Les gens doivent se marier uniquement avec quelqu'un ayant la même religion » ; elle va donner naissance à des règles comme : « Ne fréquente personne d'une autre religion » ; « Sors avec les garçons que tu rencontres à l'église » ; « N'approuve pas les amis qui tombent amoureux de quelqu'un qui pratique une autre religion. »

Comme pour les croyances, il y a des règles exprimées et d'autres qui restent tues. Les règles exprimées peuvent être arbitraires, mais elles tendent à être claires : « Tu dois passer tous tes Noëls à la maison » ou : « Ne réponds pas à tes parents. » Comme elles sont extérieures, nous avons la possibilité, à l'âge adulte, de les remettre en question.

Mais les règles familiales inexprimées sont comme les montreurs de marionnettes, elles tirent des fils invisibles et exigent une obéissance aveugle. Il y a des règles imperceptibles, clandestines, qui existent au niveau inconscient

– des règles comme : « Ne réussis pas mieux que ton père » ; « Ne sois pas plus heureuse que ta mère » ; « Ne mène pas ta propre existence » ; « N'arrête jamais d'avoir besoin de moi » ; « Ne m'abandonne pas ».

Laure – la monitrice de tennis pour qui sa mère voulait toujours faire plus – vivait d'après une règle tacite particulièrement préjudiciable. Sa mère renforçait la règle chaque fois qu'elle s'imposait, sous prétexte d'aider. Quand elle proposait de conduire Laure à San Francisco, ou de lui nettoyer son appartement, ou d'apporter le dîner, sa croyance sous-jacente était : « Tant que ma fille ne pourra pas s'occuper d'elle toute seule, elle aura besoin de moi. » Cette croyance se traduisait par la règle : « Ne sois pas capable. » Naturellement, la mère de Laure ne prononçait jamais ces mots et, si on l'avait questionnée, elle aurait immanquablement nié toute volonté de maintenir sa fille dans un état de dépendance. Mais son comportement disait à Laure exactement quoi faire pour que sa mère continue d'être heureuse : rester dépendante.

Le père de Claire faisait la même chose. Il établissait des lois pour gouverner la vie de sa fille sans jamais avoir à les exprimer verbalement. Tant que Claire choisissait des hommes incapables, tant qu'elle retournait auprès de son père pour qu'il la sorte de ses ennuis, et tant que sa vie était dominée par le besoin d'avoir son approbation, elle obéissait à la règle tacite : « Ne grandis pas, reste toujours la petite fille de papa. »

Les règles tacites exercent une oppression durable sur notre vie. Pour les changer, nous devons d'abord les comprendre, et démystifier cette obéissance à tout prix.

Si les opinions sont les os et les règles la chair du système familial, l'« obéissance aveugle » est le muscle qui met le corps en mouvement.

Nous suivons aveuglément les règles familiales parce que désobéir équivaut à trahir la famille. La loyauté à la patrie, aux idéaux politiques ou à la religion est bien pâle en comparaison de l'intensité de la loyauté à la famille. Nous sommes tous tributaires de ces loyalismes. Ils nous lient au système familial, à nos parents et à leurs croyances. Ils nous conduisent à obéir aux règles familiales. Si ces règles sont raisonnables, elles peuvent fournir une certaine structure éthique, morale, pour le développement d'un enfant.

Mais, dans des familles menées par des parents toxiques, les règles sont fondées sur des perceptions anormales de la réalité et sur des déformations des rôles familiaux. L'obéissance aveugle à ces règles conduit à un comportement destructeur, nocif.

Catherine – qui était battue par son père – nous montre combien il est difficile d'échapper au cycle d'obéissance aveugle.

> *« Je pense vraiment que je veux guérir. Je ne veux pas être déprimée. Je ne veux pas détruire mes relations avec les autres. Je ne veux plus du genre de vie que j'ai. Je ne veux pas être furieuse et effrayée. Mais, chaque fois que je suis sur le point de prendre des décisions positives en ce qui me concerne, je me dégonfle. C'est comme si j'avais peur de renoncer à la douleur, c'est une sensation tellement familière. En quelque sorte une sensation à laquelle je suis destinée. »*

Catherine obéissait aux règles de son père abusif: « Accepte le fait que c'est toi qui es mauvaise »; « Ne sois pas heureuse »; « Supporte la douleur ». Chaque fois qu'elle était prête à défier ces règles, la puissance de sa loyauté envers le système familial se révélait beaucoup plus forte que ses désirs conscients. Il lui fallait obéir et, quand elle le faisait, elle était réconfortée par la familiarité de ses sensations, malgré le fait qu'elles fussent douloureuses. L'obéissance semblait la solution de facilité.

Gilles aussi était loyal envers sa famille quand il engagea son père alcoolique dans sa société et quand il donnait à sa mère l'argent dont il avait lui-même besoin. Il croyait que ses parents perdraient les pédales s'il ne prenait pas soin d'eux. La règle familiale était : « Prends soin des autres quoi que cela te coûte. » Gilles avait introduit cette règle dans son ménage. Il obéissait en consacrant sa vie à sauver son père, à sauver sa mère et à sauver sa femme alcoolique.

Gilles se révoltait contre cette obéissance aveugle, mais il ne paraissait pas pouvoir s'en libérer.

> *« Ils se fichaient bien de moi quand j'étais enfant, mais il faut quand même que je m'occupe d'eux. Ça me rend la vie infernale. Et, quoi que je fasse pour eux, cela ne change rien. J'ai horreur de ça, mais je ne vois pas d'autre solution. »*

L'obéissance dont je parle ne procède pas du libre arbitre ; c'est rarement le résultat d'une décision consciente. Jeanine – qui était devenue la compagne de beuverie de son père à l'âge de dix ans – abandonna brusquement sa thérapie parce qu'elle prenait conscience de la réalité et qu'elle était forcée de remettre en question l'idée que c'était elle la coupable. Elle brisait les règles qui disaient : « Ne dis pas la vérité » ; « Ne grandis pas, ne quitte pas papa » ; « N'aie aucune relation saine ».

Sur le papier, ces règles paraissent ridicules. Qui obéirait à une règle comme : « N'aie aucune relation saine » ? Malheureusement, la réponse est : la plupart des enfants élevés par des parents toxiques. Rappelez-vous que ces règles sont surtout inconscientes. Personne n'a le désir d'avoir une mauvaise relation, mais cela n'empêche pas des millions de gens de se maintenir dans ce cas.

Quand j'ai demandé à Jeanine d'examiner ses opinions familiales et les conséquences que son obéissance aux règles familiales avait sur sa vie, elle en fut angoissée au point de laisser tomber la thérapie. C'était comme si elle disait : « Mon besoin d'obéir à mon père est plus important que mon besoin de guérir. »

Même si les deux parents sont morts, leurs enfants continuent à honorer le système familial. Éric – l'homme

riche qui vivait comme un pauvre – s'était rendu compte
après plusieurs mois de thérapie que son père continuait à
le dominer d'outre-tombe :

> *« C'est stupéfiant pour moi que toute la peur et la culpabilité
> que je ressens chaque fois que j'essaie de me faire plaisir soit
> ma façon de ne pas trahir mon père. Je sais que je n'ai pas à
> craindre que mon univers s'écroule – mais j'ai encore des dif-
> ficultés à m'enfoncer ça dans le crâne. La voix de mon père
> continue à m'arriver d'outre-tombe pour me dire que ma
> réussite professionnelle ne peut durer, que chaque femme que
> je rencontre n'a d'autre but que de me ridiculiser, que
> chaque associé en affaires cherche à me rouler. Et je le crois.
> Ça me sidère. C'est comme si être malheureux était ma façon
> de garder son souvenir vivant. »*

La récompense d'Éric pour sa vie mesquine, décevante,
c'était la consolation de rester loyal envers la famille en
adoptant les croyances de son père (« La vie est faite pour
souffrir non pour s'amuser ») et en obéissant aux règles
familiales (« Ne dépense pas ton argent » et « Ne fais
confiance à personne »).

L'obéissance aveugle façonne nos schémas de comportement tôt dans la vie et nous empêche d'échapper à ces
schémas. Il y a souvent un fossé important entre ce que
nos parents attendent, ce qu'ils exigent et ce que nous
désirons réellement pour nous-mêmes. Malheureusement,
nous sommes inconsciemment poussés à obéir, ce qui
éclipse presque toujours nos besoins et nos désirs
conscients. Nous ne pouvons rejeter les règles destructrices qu'en faisant la lumière dans notre inconscient et en
amenant ces règles à la surface. Ce n'est que lorsque nous
pouvons voir clairement ces règles que nous devenons
capables d'exercer notre libre arbitre.

Le problème des limites

La seule différence de taille entre une famille saine et une famille toxique, c'est le degré de liberté qu'ont les membres de la famille pour s'exprimer en tant qu'individus. Les familles saines encouragent l'individualité, la responsabilité personnelle et l'indépendance. Elles encouragent leurs enfants à cultiver leurs capacités et leur respect de soi.

Les familles malsaines découragent l'expression individuelle. Chacun doit se conformer aux pensées et aux actions des parents toxiques. Une façon de promouvoir la fusion, de gommer les limites personnelles, de souder ensemble les membres de la famille. Au niveau de l'inconscient, les membres de la famille ont du mal à savoir où finit l'un et où commence l'autre. Dans leurs efforts pour être proches, ils étouffent souvent mutuellement leur individualité.

Dans de telles familles, il y a un prix à payer pour les sentiments intermittents d'autosatisfaction ou de bien-être. Par exemple, on n'est probablement pas capable de se demander : « Suis-je trop fatigué pour voir mes parents ce soir ? » Au lieu de cela, on peut se sentir obligé de demander : « Si je n'y vais pas, est-ce que papa sera furieux et battra maman ? Est-ce qu'ils refuseront de m'adresser la parole pendant un mois ? » Ces questions surgissent parce que vous savez déjà combien vous vous sentirez responsable si l'un de ces événements arrive. Chacune des décisions que vous prenez devient inextricablement mêlée au reste de la famille. Vos sentiments, vos comportements et vos décisions ne vous appartiennent plus. Vous n'êtes plus vous-même, vous êtes un appendice de votre système familial. C'est comme si « être différent était mal ».

Quand Frédéric avait décidé d'aller skier au lieu de passer Noël en famille, il essayait d'être un individu, de se libérer du système familial. Au lieu de cela, le ciel lui tomba sur la tête. Sa mère, ses frères et sœurs le traitèrent comme un voleur de Noël, lui adressant des reproches à la pelle. Au lieu de skier avec son amie sur les pentes idylliques d'Aspen, il était resté seul dans sa chambre d'hôtel, accroché nerveusement à son téléphone, cherchant désespérément à se faire pardonner les méfaits dont sa famille l'accusait.

Frédéric ayant essayé de faire quelque chose de sain pour lui-même, quelque chose que le restant de sa famille condamnait, celle-ci avait constitué un front uni contre lui. Il était devenu l'ennemi commun, la menace contre le système. Tous avaient attaqué avec colère, reproches, récriminations. Et il était tellement lié à la famille que la culpabilité qu'il avait ressentie était suffisante pour le faire rentrer dans le rang.

Dans des familles comme celle de Frédéric, l'identité d'un enfant et son illusion d'être en sécurité dépendent en grande partie de cette sensation de fusion. Il se développe en lui le besoin de faire partie des autres et de voir les autres faire partie de lui. Il ne peut supporter la pensée d'être rejeté. Ce besoin de fusion se transfère automatiquement dans les relations adultes.

Claire avait dû lutter contre ce besoin lorsqu'elle avait divorcé :

> « Bien que mon mariage n'ait pas été une grande réussite, au moins je sentais que je faisais partie de quelqu'un. Et, quand ça a été terminé et que tout d'un coup il n'a plus été là, j'ai perdu pied. J'avais l'impression de n'être plus rien. De ne plus exister. Je crois que ça ne va bien que quand je suis avec un homme qui me dit que ça va bien. »

Quand Claire était petite, sa relation fusionnelle avec son si puissant père lui assurait une sécurité précaire. Chaque fois qu'elle avait tenté de se séparer de lui, il avait trouvé le moyen d'étouffer son indépendance. Adulte, elle était incapable de se sentir en sécurité si elle n'appartenait pas à un homme, si un homme ne lui appartenait pas.

La fusion crée une dépendance presque totale vis-à-vis d'une approbation extérieure à soi-même. Les amants, les patrons, les amis, les étrangers même deviennent des substituts des parents. Les adultes élevés comme Claire dans des familles où l'on n'avait aucun droit d'exister en tant qu'individu en viennent souvent à dépendre de l'approbation comme d'une drogue, toujours à la recherche de la dose suivante.

La loi de l'équilibre familial

Comme nous l'avons vu dans le cas de Michel, une famille fusionnelle peut entretenir l'illusion de l'amour et de la stabilité tant que personne n'essaie de s'en séparer et tant que chacun suit les règles familiales. Quand Michel avait décidé de partir, de se marier, de fonder sa propre famille et de vivre une vie séparée de ses parents, il avait sans le vouloir ébranlé l'équilibre familial.

Chaque famille crée son propre équilibre pour atteindre une certaine stabilité. Tant que ses membres agissent les uns envers les autres selon certaines façons familières et prévisibles, cet équilibre – cette balance – n'est pas dérangé.

Le mot équilibre implique la sérénité et l'ordre. Mais, dans une famille toxique, garder l'équilibre, c'est un véritable numéro de danseur de corde. Dans ces familles, le chaos est une façon de vivre, et cela devient la seule chose dont on puisse être sûr. Tous les comportements toxiques que nous avons vus jusqu'ici – même les coups et l'inceste – contribuent à préserver cet équilibre familial précaire. En fait, les parents toxiques combattent souvent leur crainte du déséquilibre en augmentant le chaos.

Michel en est l'exemple parfait. Il suffisait à sa mère de mettre suffisamment de pagaille dans la famille et la culpabilité de Michel le ramenait au bercail afin de tout arranger. Il était prêt à tout pour que sa famille retrouve son équilibre, même à renoncer au contrôle sur sa propre vie. Plus la famille est toxique, moins il en faut pour la mettre en danger, le moindre déséquilibre lui paraissant menacer sa survie. C'est la raison pour laquelle les parents toxiques peuvent réagir devant des écarts, même minimes, comme si leur vie en dépendait.

Gilles avait dérangé l'équilibre familial en disant la vérité. Il expliqua :

> *« Un jour, je devais avoir à peu près vingt ans, j'ai décidé d'aborder avec mon père son problème : l'alcoolisme. J'étais terrifié à cette perspective, mais je savais que quelque chose n'allait pas. Je me suis lancé et j'ai dit à mon père que je n'aimais pas la façon dont il se comportait quand il était ivre et que je ne voulais pas qu'il recommence. Il est arrivé alors une chose stupéfiante. Ma mère s'est précipitée à son secours et je me suis senti coupable d'avoir osé soulever le sujet. Mon père a tout nié. Je me suis tourné vers mes sœurs pour chercher de l'aide, mais elles se sont contentées d'essayer de ramener la paix. Je me sentais affreusement mal à l'aise, comme si j'avais fait quelque chose d'épouvantable. Le fait est que j'avais exposé la vérité : que mon père était un alcoolique. Mais, en fin de compte, c'est moi qui me sentais dingue d'avoir fait cette tentative. »*

Je demandai à Gilles si sa tentative d'exposer la vérité avait eu un effet durable sur les relations des membres de la famille entre eux.

> *« Un effet étonnant. On aurait dit que j'avais la lèpre. Personne ne voulait plus me parler. Sous-entendu : " Qui est-il pour porter des accusations ? " Ils faisaient comme si je n'existais pas. Je ne pouvais pas supporter d'être ignoré plus longtemps par ma famille. Alors je me suis écrasé à propos de l'alcool. Je n'en ai plus parlé pendant vingt ans… jusqu'à maintenant. »*

Dans la famille de Gilles, chacun avait un rôle destiné à perpétuer le système familial. Le rôle de papa, c'était de boire; maman était la codépendante; et, dans le rôle inversé, les enfants jouaient les parents. C'était connu d'avance, familier et, par conséquent, sécurisant. Quand Gilles avait essayé de remettre en question ces rôles, il avait menacé l'équilibre. Sa punition était l'exil dans une sorte de Sibérie affective.

Il n'en faut pas beaucoup pour déclencher une crise dans le système d'une famille toxique: un père qui se retrouve au chômage, un parent plus ou moins proche qui meurt, un parent par alliance qui vient s'installer au foyer, une fille qui se met à passer trop de temps avec un nouveau petit ami, un fils qui s'en va, ou la mère qui tombe malade. Comme l'avait fait la famille de Gilles quand celui-ci avait essayé d'aborder le sujet de l'alcoolisme de son père, la plupart des parents toxiques réagissent à la crise par la négation, le secret et, pire que tout, le reproche. Et ce reproche prend toujours les enfants pour cibles.

Dans une famille au fonctionnement relativement harmonieux, les parents réagissent aux pressions de la vie en cherchant des solutions à leurs problèmes par le biais de la discussion franche, de la recherche d'options, et sans avoir peur de recourir à une aide extérieure quand ils en ont besoin. Les parents toxiques, par contre, réagissent aux menaces portées à leur équilibre en exprimant par leur comportement leurs craintes et leurs frustrations, avec peu de considération pour les conséquences que cela pourrait avoir sur leurs enfants. Les mécanismes de leurs réactions sont à la fois rigides et familiers. Parmi les plus courants:

• *La dénégation.* Comme vous l'avez vu à travers ce livre, la dénégation est souvent le premier mécanisme de réaction auquel recourent les parents toxiques pour rétablir l'équilibre. La dénégation a deux aspects : « Rien ne va mal » et « Quelque chose va mal, mais cela ne se reproduira pas ».

La dénégation minimise, réduit, ridiculise, rationalise ou débaptise le comportement destructeur. Débaptiser – une forme de dénégation – c'est prendre un problème et le cacher derrière des euphémismes ; un alcoolique devient un « buveur mondain », quelqu'un qui bat un enfant un « éducateur strict ».

• *La projection.* La projection a également deux aspects : les parents peuvent accuser l'enfant des incapacités dont ils souffrent eux-mêmes, et ils peuvent reprocher à l'enfant des comportements toxiques qui résultent de ces incapacités. Par exemple, un père incapable de garder un emploi accusera son fils d'être paresseux, de manquer d'initiative ; une mère alcoolique accusera sa fille de la rendre malheureuse et de la pousser à boire. Il n'est pas rare que des parents toxiques utilisent les deux sortes de projection pour éviter la responsabilité de leur propre comportement et de leurs propres déficiences. Ils ont besoin d'un bouc émissaire et ils choisissent souvent l'enfant le plus vulnérable de la famille.

• *Le « sabotage ».* Dans une famille comportant un parent gravement perturbé – fou, alcoolique, malade, violent –, les autres membres en viennent à assumer le rôle de sauveteur ou de gardien. Cela crée un équilibre confortable entre : faible/fort, mauvais/bon, malade/sain. Si le parent perturbé commence à aller mieux ou entreprend un traitement, l'équilibre de la famille peut en être sérieusement menacé. Le reste de la famille (et surtout l'autre parent) peut inconsciemment trouver des moyens de saboter les progrès du parent perturbé afin que chacun retrouve son rôle familial. Cela peut aussi arriver quand l'état d'un enfant perturbé s'améliore. J'ai vu des parents toxiques retirer leur enfant de thérapie au moment où celui-ci donnait des signes de guérison.

• *Le tiers otage.* Dans un système de famille toxique, un parent enrôle souvent l'enfant comme confident ou comme allié contre l'autre parent. Les enfants font alors partie d'un triangle malsain dans lequel ils sont déchirés par la pression qui les pousse à choisir leur camp. Quand maman dit : « Je suis malheureuse avec ton père », ou que papa dit : « Ta maman ne veut plus coucher avec moi », l'enfant devient un déversoir émotionnel, ce qui permet aux parents de se décharger en partie de leur malaise sans avoir à affronter la cause de leurs problèmes.

• *Le secret.* Les secrets aident les parents toxiques à sévir : ceux-ci transforment leur famille en un petit club privé où n'est admis aucun étranger. Cela établit un lien qui rassemble la famille, surtout quand l'équilibre familial est menacé. L'enfant qui cache des sévices en disant à son professeur qu'il est tombé dans les escaliers protège le club familial d'une ingérence extérieure.

Quand on considère les parents toxiques sous l'angle du système familial – leurs croyances, leurs règles et votre sujétion à ces règles –, une grande partie de votre comportement autodestructeur devient compréhensible. Vous commencez à entrevoir la raison des forces puissantes qui dirigent une si grande part du comportement de vos parents, et, en fin de compte, du vôtre.

Cette compréhension inaugure les débuts d'un changement possible. Elle ouvre de nouvelles options, de nouveaux choix. Certes, voir les choses différemment ne suffit pas. La véritable liberté ne surgit qu'à partir du moment où l'on change de manière d'agir.

Deuxième Partie

SE LIBÉRER DE SES PARENTS TOXIQUES ET RETROUVER LE CONTRÔLE DE SA VIE

La deuxième partie de ce livre propose des sortes de stratégies qui ne sont pas destinées à remplacer, mais plutôt à renforcer, le travail de la thérapie, des groupes de soutien ou des programmes d'organismes privés. Certains d'entre vous peuvent décider de faire ce travail seul, mais dans bien des cas, et en particulier si vous avez été une victime de sévices corporels ou d'abus sexuels, il est préférable de vous faire aider également par un professionnel.

Si vous recourez à la drogue ou à l'alcool pour supprimer les sentiments qui vous font souffrir, vous devez régler votre problème avant de vous lancer dans le travail proposé par ce livre. Il n'y a aucun moyen de retrouver le contrôle de votre vie si vous restez toxicomane ou alcoolique. Pour cette raison, j'insiste auprès de tous mes patients concernés pour qu'ils suivent aussi un « programme » destiné à les délivrer de leur dépendance. Le travail proposé par ce livre ne doit être entrepris qu'après six mois au moins de sevrage. Au cours de la phase initiale de guérison, les sentiments sont souvent extrêmement exacerbés, et il y a toujours le risque que la révélation et l'exploration d'une enfance douloureuse à ce moment précis n'entraînent une rechute.

Il serait à la fois irréaliste et irresponsable de penser que, en suivant le chemin que ce livre trace, tous vos problèmes vont disparaître du jour au lendemain. Il s'agit avant tout de trouver d'autres modes de relations avec vos parents et avec les autres, de mieux déterminer quel adulte vous êtes devenu et comment vous voulez vivre votre vie, associée à un nouveau sentiment de confiance et à d'autres valeurs.

9

Le « pardon » en question

————

A ce stade, vous pouvez vous demander : « Est-ce que la première étape n'est pas de pardonner à mes parents ? » Ma réponse est non. Cela peut choquer, mettre en colère, effrayer ou perturber beaucoup de lecteurs. Nous avons été amenés, pour la plupart d'entre nous, à croire exactement le contraire – que le pardon n'est pas la première étape vers la guérison.

En fait, il n'est pas nécessaire de pardonner à nos parents pour nous sentir mieux dans notre peau et pour changer de vie !

Bien entendu, je suis consciente du fait que cela va à l'encontre de la plupart de nos principes, qu'ils soient religieux, spirituels, philosophiques et psychologiques. Selon l'éthique judéo-chrétienne, « l'erreur est humaine ; le pardon est divin ». Je suis aussi consciente du fait qu'il y a beaucoup d'experts dans le domaine des psychothérapies et des relations humaines qui pensent sincèrement que le pardon est non seulement la première étape, mais souvent la seule qui soit nécessaire pour trouver une issue à nos conflits. Je ne suis absolument pas d'accord.

Au début de ma carrière professionnelle, moi aussi je croyais que pardonner aux personnes qui vous avaient fait du tort, spécialement aux parents, était une part importante du processus de guérison. J'encourageais souvent des patients – dont beaucoup avaient été gravement maltraités à pardonner à des parents cruels ou coupables de sévices. De plus, beaucoup de mes patients commençaient leur thérapie en annonçant qu'ils avaient déjà pardonné à leurs parents toxiques, mais je découvris que, le plus souvent, ils ne se sentaient pas mieux pour autant. Ils continuaient à se sentir mal. Pardonner n'avait créé pour eux aucun changement significatif ni durable. Ils faisaient des réflexions comme : « Je n'ai peut-être pas suffisamment pardonné » ; « Je n'ai pas vraiment pardonné au fond de mon cœur » ; « Suis-je donc incapable de faire quoi que ce soit correctement ? ».

J'ai donc examiné sérieusement, longuement, le concept de pardon. J'ai commencé à me demander s'il était possible que le pardon compromette le progrès au lieu de le favoriser.

Je me rendis bientôt compte qu'il y avait deux aspects au pardon : le fait de renoncer à son besoin de vengeance et le fait d'absoudre de toute responsabilité la partie adverse coupable. Je n'avais pas beaucoup de mal à accepter l'idée que les gens veuillent abandonner leur besoin de rendre la pareille. La vengeance est une motivation très normale, mais négative. Elle vous enferme dans des rêveries obsessionnelles où la satisfaction ne provient que des coups rendus ; elle crée beaucoup de frustration et de tristesse ; elle s'attaque à votre bien-être émotionnel. Quelle que soit la douceur que peut procurer momentanément la vengeance, elle continue d'attiser le chaos émotionnel qui vous sépare de vos parents, gâchant ainsi un temps et une énergie qui sont précieux. Laisser tomber votre besoin de vengeance est difficile, mais c'est assurément une étape saine.

L'autre aspect du pardon ne me paraissait pas aussi clair. Je sentais qu'il y avait de l'injustice à absoudre inconditionnellement quelqu'un des actes dont il s'était rendu coupable, particulièrement s'il avait gravement maltraité un enfant innocent. Pourquoi devriez-vous

« pardonner » à un père qui vous a terrorisé et maltraité, qui a fait de votre enfance un enfer ? Comment pourriez-vous « oublier » qu'il vous fallait rentrer dans une maison sinistre et materner votre mère qui était presque tous les jours ivre ? Et est-ce que vous devriez vraiment « excuser » un père qui vous a violé à l'âge de sept ans ?

Plus j'y pensais et plus je trouvais que cette absolution était en réalité une autre forme de refus : « Si je pardonne, on peut faire comme si ce qui est arrivé n'était pas si grave. » J'en vins à comprendre que cet aspect du pardon empêchait en fait beaucoup de gens de s'en sortir.

Le piège du pardon

Un des plus grands dangers du pardon, c'est qu'il diminue votre capacité à laisser aller vos émotions refoulées. Comment reconnaître votre colère à l'égard d'un parent auquel vous avez déjà pardonné ? La responsabilité ne peut aller qu'en deux directions : vers l'extérieur, vers les personnes qui vous ont fait du mal, ou vers l'intérieur, en vous-même. Il faut un responsable. On peut donc pardonner à ses parents, pour aboutir, en retour, à se détester soi-même d'autant plus.

Je remarquais aussi que beaucoup de patients se précipitaient sur le pardon pour éviter une grande part du douloureux travail de la thérapie. Ils croyaient que le pardon leur fournirait un raccourci vers le mieux-être. Une poignée d'entre eux pardonnaient, abandonnaient la thérapie et se retrouvaient encore plus enfoncés dans la dépression ou l'angoisse.

Plusieurs de ces patients s'accrochaient à leurs rêves : « Tout ce que j'ai à faire, c'est pardonner, et je serai guéri ; mentalement, pour moi, tout ira bien, tout le monde aimera tout le monde et nous serons enfin heureux. » Mais ils découvraient bien trop souvent que cette promesse de pardon vide n'avait eu d'autre effet qu'une amère déception. Certains d'entre eux avaient ressenti un accès de bien-être, mais qui n'avait pas duré, parce que rien n'avait réellement changé ni dans leur façon de se sentir, ni dans leurs rapports avec leur famille.

Je me souviens d'une séance particulièrement touchante avec une patiente nommée Stéphanie dont l'expérience illustre certains problèmes typiques du pardon prématuré. Stéphanie, vingt-sept ans, était, au moment où je l'ai rencontrée, une chrétienne extrêmement pratiquante au sein de la communauté « Born-again Christian ». A l'âge de onze ans, Stéphanie avait été violée par son beau-père. Il avait continué à abuser d'elle jusqu'à ce que sa mère le mette à la porte (pour d'autres raisons) un an plus tard. Pendant les quatre années suivantes, Stéphanie avait été violentée par plusieurs des nombreux amants de sa mère. Elle s'était enfuie de chez elle à seize ans, pour se prostituer. Sept ans plus tard, elle avait été battue presque à mort par un client. Au cours de sa convalescence à l'hôpital, Stéphanie avait rencontré un infirmier qui l'avait persuadée de se joindre à sa communauté religieuse. Quelques années plus tard, elle s'était mariée et avait eu un fils. Elle essayait réellement de recommencer sa vie. Mais, malgré sa nouvelle famille et sa nouvelle religion, Stéphanie était très malheureuse. Elle passa deux années en thérapie, mais n'arrivait pas à se sortir d'une dépression. C'est alors qu'elle vint me voir.

Je pris Stéphanie dans un de mes groupes composés de victimes d'inceste. Lors de sa première séance, Stéphanie nous affirma qu'elle avait fait la paix et qu'elle avait pardonné à son beau-père et à sa mère qui s'était montrée tellement irresponsable, tellement égoïste. Je lui dis que, si elle voulait sortir de sa dépression, il lui faudrait peut-être « reprendre » son pardon un certain temps, pour entrer en contact avec sa colère. Elle affirma qu'elle croyait profondément dans le pardon, qu'elle n'avait pas besoin de se mettre en colère pour se sentir mieux. Un conflit assez grave naquit entre nous, en partie parce que je lui demandais de faire quelque chose de douloureux, mais aussi parce que ses convictions religieuses allaient à l'encontre de ses besoins psychologiques.

Stéphanie faisait un travail psychothérapique consciencieux, mais elle refusait d'ouvrir les vannes à ses sentiments de rage. Cependant, de plus en plus, elle se mettait en colère à la place des autres. Par exemple, un soir, elle prit un membre du groupe dans ses bras en disant: « Votre père était un monstre, je le hais! »

Quelques semaines plus tard, sa propre rage refoulée sortit. Elle hurla, jura et accusa ses parents d'avoir détruit son enfance et mutilé sa vie d'adulte. Je dus la tenir dans mes bras pendant qu'elle sanglotait. Je sentais son corps se détendre. Quand elle fut plus calme, je la taquinai un peu: « En voilà une façon de se conduire! » Je n'oublierai jamais sa réponse: « Je suppose que Dieu veut que je guérisse plus qu'Il ne veut que je pardonne. » Cette soirée marqua un tournant dans sa vie.

Devenus adultes, les enfants peuvent pardonner à leurs parents toxiques, mais il vaut mieux le faire à la fin – non au commencement – du remaniement émotionnel de la psychothérapie. Ces personnes ont besoin de se mettre en colère à propos de ce qui leur est arrivé. Elles ont besoin de pleurer sur le fait qu'elles n'ont jamais reçu l'amour qu'elles cherchaient auprès de leurs parents. Elles ont besoin de cesser de sous-estimer ou d'occulter les torts qu'on leur a faits. Trop souvent, « Pardonne et oublie » signifie: « Fais comme si rien ne s'était passé. »

Je pense aussi que le pardon n'est justifié que quand les parents font quelque chose pour le mériter. Les parents les plus toxiques, les plus perturbants, doivent reconnaître ce qui est arrivé, en prendre la responsabilité et montrer leur désir et leur volonté d'évoluer. Pardonner unilatéralement à des parents qui continuent à vous maltraiter, qui ignorent en grande partie votre réalité et vos sentiments, et qui continuent à vous charger de la responsabilité de leurs méfaits, c'est risquer de compromettre gravement le travail émotionnel qui doit être accompli. Si un de vos parents ou les deux sont morts, vous soulagerez les séquelles de votre enfance en vous pardonnant à vous-même et en relâchant l'emprise qu'ils avaient sur votre bien-être émotionnel.

A ce stade, beaucoup craignent qu'en ne pardonnant pas à ses parents, on reste amer et en colère pour le reste de la vie. C'est tout le contraire. Ce que j'ai constaté au fil des ans, c'est que la paix de l'esprit et des émotions arrive quand on se soustrait au contrôle de ses parents toxiques, sans nécessairement avoir à leur pardonner. Et on ne peut se soustraire à eux qu'après s'être occupé de ses propres sentiments intenses de révolte et de douleur, et après avoir mis les responsabilités à leur place, c'est-à-dire sur leurs épaules.

10

Devenir adulte :

la fusion parents toxiques-enfants victimes en question

———

Les enfants de parents toxiques ont un tel besoin d'approbation que cela les empêche de vivre comme ils le veulent. Il est vrai qu'il subsiste entre la plupart des adultes et leurs parents une certaine fusion. Si on leur demande : « Êtes-vous capable d'avoir vos propres pensées, d'entreprendre vos propres actions, de ressentir vos propres sentiments sans prendre en considération en aucune façon les espoirs et les ambitions de vos parents ? », rares sont ceux qui pourraient répondre par un « oui » catégorique. En fait, dans une famille saine, une certaine dose de fusion est bénéfique. Cela aide à créer des sentiments d'appartenance, de communion familiale. Cependant, même dans les familles saines, cette influence peut aller trop loin. Et dans les familles toxiques, elle dépasse complètement les justes limites.

Certains patients se sentent gênés ou offensés quand je leur suggère la possibilité d'un lien autodestructeur avec leurs parents. C'est pourtant un conflit courant. Rares sont les individus qui ont suffisamment évolué pour être complètement responsables de leur propre vie et totalement dégagés du besoin de l'approbation parentale. La plupart d'entre nous ont quitté la maison physiquement, mais nous sommes peu à l'avoir quittée émotionnellement.

Il y a fondamentalement deux sortes de fusion. La première consiste à céder continuellement à vos parents afin de les calmer. Quels que soient vos propres besoins, vos propres désirs, les besoins et les désirs de vos parents passent toujours en premier.

La seconde consiste à faire juste le contraire. Vous pouvez être aussi sous l'emprise de cette fusion lorsque vous hurlez contre vos parents, quand vous les menacez ou quand vous vous en détachez complètement. Dans ce cas, si contradictoire que cela paraisse, vos parents gardent un énorme contrôle sur la façon dont vous vous sentez et dont vous vous comportez. Tant que vous continuez à réagir aussi fortement contre eux, vous leur accordez le pouvoir de vous contrarier, ce qui leur permet de vous contrôler.

Il est difficile de déterminer le degré de fusion que ces adultes vivent en fait avec leurs parents, et on trouvera plus loin une série de suggestions qui permettent de mieux cerner l'emprise qu'ont encore ces parents sur le plan des opinions, des sentiments et des comportements. Utilisez-les comme révélateurs pour faire apparaître les convictions, sentiments et comportements qui ont tendance à vous envahir, à vous intoxiquer.

Les convictions familiales fusionnelles

Comme nous l'avons vu au chapitre VIII, les croyances sont des attitudes, des perceptions et des concepts profondément enracinés, à propos des gens, des relations et de la morale. Avant d'entreprendre un cheminement vers un progrès ou un changement de vie, il est essentiel de prendre conscience des connexions qui peuvent exister entre des croyances erronées, des sentiments négatifs et des comportements autodestructeurs.

Par exemple, une conviction comme: « Je ne peux jamais gagner, mes parents sont les plus forts », présente de grands risques de faire de vous une femme ou un homme désemparé, craintif, frustré et dépassé par les événements. En essayant de vous défendre contre ces sentiments, vous serez enclin à accepter tous les reproches, à céder aux désirs de vos parents et, si vous voulez éviter leur présence, vous aurez tendance à fuir, peut-être à avoir recours à toutes sortes d'échappatoires, comme la drogue ou l'alcool.

Identifier certaines de ces convictions qui sous-tendent vos sentiments et vos comportements est donc important et, si certaines de ces phrases semblent correspondre à votre cas, elles peuvent faciliter une réelle prise de conscience. Par exemple, en ce qui concerne vos relations avec vos parents, vous croyez peut-être que :

– *C'est à moi de rendre mes parents heureux.*
– *C'est à moi de rendre mes parents fiers.*
– *Je suis tout pour mes parents.*
– *Mes parents ne pourraient pas survivre sans moi.*
– *Je ne pourrais pas survivre sans mes parents.*
– *Si je disais la vérité à mes parents à propos de mon divorce (mon avortement, mon homosexualité, l'athéisme de ma fiancée…), ça les tuerait.*
– *Si je tenais tête à mes parents, je les perdrais pour toujours.*
– *Si je leur disais combien ils m'ont fait souffrir, ils me rayeraient de leur existence.*
– *Je ne dois ni dire ni faire quoi que ce soit susceptible de faire de la peine à mes parents.*
– *Les sentiments de mes parents sont plus importants que les miens.*
– *Ce n'est pas la peine de parler avec mes parents, parce que cela ne nous avancerait à rien.*
– *Si seulement mes parents changeaient, je me sentirais mieux dans ma peau.*
– *Il faut que je me rachète auprès de mes parents pour ma méchanceté.*

*— Si seulement je pouvais leur faire comprendre combien ils
me font de mal, je sais qu'ils agiraient différemment.*
*— Quoi qu'ils aient pu faire, ils sont toujours mes parents et
je dois les honorer.*
*— Mes parents n'ont aucun contrôle sur mon existence. Je me
bats sans cesse contre eux.*

Si un certain nombre de ces convictions vous sont
familières, votre relation avec vos parents est encore très
fusionnelle. Si difficile à accepter que ce soit, toutes ces
opinions sont autodestructrices. Elles vous empêchent
d'être une personne distincte et indépendante. Elles
aggravent la dépendance et vous dépossèdent de votre
maturité d'adulte. Plusieurs de ces croyances vous rendent
totalement responsables de l'humeur et du bien-être de
vos parents. Quand des parents toxiques se sentent mal,
ils cherchent souvent à le reprocher aux autres, et ces
autres sont habituellement leurs enfants. Si on vous a
inculqué que les sentiments de vos parents dépendent de
vous, vous croyez probablement encore qu'il est en votre
pouvoir de les « rendre » – eux et souvent tout le monde –
heureux ou tristes.

Beaucoup de spécialistes en comportement humain
soutiennent que l'on ne peut « faire » éprouver quoi que
ce soit à quelqu'un – que chaque personne est totalement
responsable de ce qu'elle « choisit » d'éprouver. Ce n'est
pas ce que j'ai constaté dans ma pratique. Nous avons
bien un effet sur les sentiments des gens auxquels nous
sommes liés. Mais avoir un effet n'est pas la même chose
qu'être responsable de ses sentiments. Tout comme c'est à
vous qu'il incombe de trouver des façons de vous réconforter quand quelqu'un vous fait du mal, c'est à vos
parents qu'il incombe de trouver leurs propres façons
pour se sentir mieux quand quelqu'un leur fait du mal.
Par exemple, si vous faites quelque chose qui n'est ni

cruel ni abusif, mais qui cependant attriste votre mère ou votre père – comme un mariage que vos parents désapprouvent ou un emploi loin de chez eux –, c'est à eux de trouver le moyen de se sentir mieux. Vous avez tout à fait raison de dire quelque chose comme : « Je suis désolé que tu sois contrarié », mais il n'appartient pas à votre responsabilité de changer vos plans dans le seul but de ménager les sentiments de vos parents. Quand vous ignorez vos besoins pour le bien des sentiments de votre mère ou de votre père, vous agissez à l'encontre non seulement de vos intérêts, mais aussi des leurs. La colère et le ressentiment que vous éprouverez inévitablement ne peuvent pas ne pas avoir de conséquence sur vos relations. Et si vos efforts pour rendre vos parents heureux échouent, vous vous sentirez coupable et incapable.

Quand vous fondez la majorité des décisions de votre vie sur l'effet qu'elles auront sur vos parents, vous renoncez à votre libre arbitre. Si leurs sentiments passent toujours en premier, ce sont eux qui sont aux commandes de votre vie et vous empêchent de vous sentir un véritable adulte vis-à-vis de vos parents.

Fausses convictions et sentiments douloureux

Les convictions autodestructrices mènent toujours à des sentiments douloureux. En analysant ces sentiments, vous pouvez commencer à comprendre à la fois les croyances qui les ont fait naître et les comportements qui en ont résulté.

La plupart d'entre nous pensent que ce que nous ressentons est une réaction aux choses objectives qui nous arrivent, choses qui proviennent de l'extérieur. Mais, en réalité, même la frayeur, le plaisir ou la douleur la plus intense sont le produit de nos croyances personnelles.

Par exemple, un jour, vous prenez votre courage à deux

mains et vous déclarez à votre père qui est alcoolique que vous ne voulez plus rester en sa présence quand il est ivre. Il se met à hurler à propos de votre ingratitude et de votre irrespect. Vous vous sentez coupable. Vous pensez peut-être que votre culpabilité résulte du comportement de votre père, mais ce n'est qu'à moitié vrai. Avant que vos sentiments ne vous envahissent, certaines convictions se sont déclenchées dans votre esprit – des croyances qui sont probablement restées inconscientes. Dans ce cas, c'est peut-être : « Les enfants ne devraient jamais répondre à leurs parents » ou : « Mon père a une maladie, et c'est à moi de prendre soin de lui ». Comme vous n'avez pas été fidèle à ces convictions fortement enracinées en vous, vous réagissez avec culpabilité.

Quand vous êtes confronté à une situation qui appelle une réponse émotionnelle, les croyances familiales parcourent votre esprit comme un rabâchage inconscient. Comprendre que ces croyances précèdent presque toujours vos sentiments est davantage qu'un intéressant exercice de psychologie.

Comprendre la relation entre vos croyances familiales et vos sentiments est une étape essentielle dans le processus destiné à mettre un terme aux comportements autodestructeurs. Mais parfois on se protège même de reconnaître ces sentiments !

En effet, nous éprouvons tous de fortes réactions émotionnelles à l'égard de nos parents. Certains d'entre nous connaissent ces sentiments, mais les autres se protègent de l'intensité de leurs émotions en les enfouissant en eux.

Il se peut que, au cours de votre enfance, on vous ait fortement inculqué qu'il était dangereux d'avoir des sentiments. Peut-être avez-vous été puni pour avoir exprimé des sentiments, ou peut-être vos sentiments étaient-ils si douloureux que vous les repoussiez au plus profond de votre inconscient pour survivre. Peut-être aviez-vous besoin de vous convaincre que certaines choses ne vous touchaient pas, ou aviez-vous besoin de prouver à vos parents qu'ils ne pourraient pas vous atteindre.

Arrivé à l'âge adulte, il se peut que vous éprouviez de grandes difficultés à rouvrir les vannes de vos émotions. Le lien entre des sentiments puissants et vos relations passées et actuelles avec vos parents peut vous sembler spécialement difficile à saisir. Les sentiments que j'évoque tout au long de ce livre peuvent vous sembler étrangers. Peut-être vous décrivez-vous comme froid ou insensible ; peut-être croyez-vous n'avoir pas grand-chose à offrir en termes d'amour et d'attention. Si oui, vos sentiments étaient probablement très intenses pendant votre enfance, et vous avez eu besoin de beaucoup de défenses protectrices pour parvenir à l'âge adulte.

Si vos sentiments sont profondément enfouis, vous pouvez utiliser les phrases que nous avons évoquées précédemment pour les faire émerger. Vous pouvez aussi essayer d'imaginer quels seraient les sentiments de quelqu'un d'autre qui aurait avec ses parents les mêmes rapports que vous. Beaucoup de gens pensent qu'ils ne pourront jamais atteindre ces sentiments enfouis sans le secours d'une thérapie. Vos sentiments ne sont pas perdus, ils ne sont plus à leur place et, parfois, il faut l'aide d'un professionnel pour les récupérer. Mais, quel que soit le moyen, vous ne pouvez effectuer ce travail sans prendre en compte vos sentiments.

Il est souhaitable de rester calme au moment de laisser certains de vos sentiments refoulés faire surface. Vous pourrez vous sentir très perturbé pendant un moment, alors que ces affects reviennent à la vie. Beaucoup de gens commencent une thérapie en espérant se sentir immédiatement mieux. Ils sont parfois consternés de découvrir qu'ils doivent habituellement se sentir plus mal avant de pouvoir se sentir mieux. C'est un peu de la chirurgie émotionnelle, et comme dans toute intervention chirurgicale, les blessures doivent être nettoyées pour pouvoir guérir et il faut du temps pour que la douleur disparaisse. Mais la douleur est le signe que la guérison a débuté.

On peut mieux cerner ces sentiments qui habituellement nous causent des problèmes lorsqu'on sait qu'ils concernent essentiellement nos zones de culpabilité, de peur, de tristesse et de colère, et entraînent des réactions négatives de façon presque automatique et prévisible. On peut sélectionner ici les expressions qui s'appliquent le plus exactement à ce que vous ressentez au cours de vos relations avec vos parents :

— Je me sens coupable si je ne suis pas à la hauteur des ambitions de mes parents.

— Je me sens coupable quand je fais quelque chose qui les contrarie.

— Je me sens coupable quand je vais à l'encontre de leurs conseils.

— Je me sens coupable quand je me mets en colère contre eux.

— Je me sens coupable quand je déçois mes parents ou quand je leur fais de la peine.

— Je me sens coupable quand je ne fais pas assez pour eux.

— Je me sens coupable quand je ne fais pas tout ce qu'ils me demandent de faire.

— Je me sens coupable quand je leur dis non.

— J'ai peur quand mes parents crient contre moi.

— J'ai peur quand ils sont furieux contre moi.

— J'ai peur quand je suis furieux contre eux.

— J'ai peur quand je dois leur dire quelque chose qu'ils ne voudraient pas entendre.

— J'ai peur quand ils menacent de me retirer leur amour.

— J'ai peur quand je ne suis pas d'accord avec eux.

— J'ai peur quand j'essaie de leur tenir tête.

— Je me sens triste quand mes parents sont malheureux.

– Je me sens triste quand je sais que j'ai laissé tomber mes parents.

– Je me sens triste quand je n'arrive pas à améliorer leur existence.

– Je me sens triste quand mes parents me disent que je leur ai gâché la vie.

– Je me sens triste quand je fais ce que j'ai envie de faire tout en sachant que cela fait de la peine à mes parents.

– Je me sens triste si mes parents n'aiment pas mon mari (ou ma femme, mon compagnon, mes amis…).

– Je me sens furieux quand mes parents me critiquent.

– Je me sens furieux quand mes parents essaient de me contrôler.

– Je me sens furieux quand ils me disent comment vivre ma vie.

– Je me sens furieux quand ils me disent ce que je dois penser ou ressentir, comment je dois me comporter.

– Je me sens furieux quand ils me disent ce que je dois faire ou ne pas faire.

– Je me sens furieux quand ils veulent me forcer à faire certaines choses.

– Je me sens furieux quand ils essaient de vivre leur vie à travers moi.

– Je me sens furieux quand ils attendent de moi que je m'occupe d'eux.

– Je me sens furieux quand ils me rejettent…

On pourrait en ajouter bien d'autres, qui peuvent comporter des réactions physiques à l'égard des parents. Les réactions physiques sont souvent le langage à travers lequel nous exprimons les sentiments douloureux, spécialement quand nous avons peur de les avouer aux personnes qui nous contrarient. Nous disons souvent par notre corps ce que nous ne pouvons ou ne voulons pas dire avec notre langue. Les symptômes physiques particuliers sont influencés par divers facteurs comme l'histoire médicale familiale, des prédispositions ou des points vulnérables dans certaines parties de notre corps, par notre personnalité propre et notre complexité émotionnelle. Il n'est pas rare que les adultes élevés par des parents toxiques souffrent de maux de tête, de maux d'estomac, de tension musculaire, de fatigue, de perte d'appétit ou de boulimie, d'insomnies ou de nausées. Ces réactions ne devraient jamais être négligées, car, si elles évoluent en maladies liées au stress, comme les troubles cardiovasculaires ou gastro-intestinaux, l'issue peut être grave. C'est pourquoi il est essentiel d'avoir recours à l'aide d'un médecin en cas de trouble physique persistant, même si vous êtes convaincu que l'origine en est émotionnelle.

Si vous vous êtes retrouvé dans un certain nombre des rubriques de ce chapitre, vous êtes encore en étroite fusion avec vos parents et votre univers émotionnel est grandement contrôlé par eux. Pour découvrir combien vos convictions, et les réactions qu'elles induisent, sont en lien étroit avec cette fusion, essayez de mettre « parce que » après chacun des sentiments de la deuxième liste de suggestions qui correspond à votre cas, et faites suivre le « parce que » d'une croyance de la première liste. Cette technique de confrontation aller et retour peut vous aider à beaucoup mieux comprendre certaines de vos réactions semblables à celles que nombre de mes patients expriment. Par exemple : « Je me sens coupable quand je fais quelque chose qui les contrarie parce que je ne dois ni dire ni faire quoi que ce soit susceptible de faire de la peine à mes parents » ; « Je me sens triste quand je sais que j'ai laissé tomber mes parents parce que c'est à moi de rendre mes parents heureux » ; « J'ai peur quand je suis furieux contre eux parce que, si je tenais tête à mes parents, je les perdrais pour toujours ».

Dès que vous aurez commencé à établir ces liens de cause à effet, vous serez probablement surpris de constater le nombre de vos sentiments qui ont leurs racines dans vos croyances familiales. Or, à partir du moment où vous comprenez l'origine de vos sentiments, vous pouvez commencer à en prendre, dans une certaine mesure, le contrôle.

Comportements de réaction

Les croyances donnent les règles, ce que vous ressentez vous fait obéir à ces règles, et c'est ce qui entraîne vos manières d'agir et de réagir. Si vous voulez changer de comportement, il vous faut faire le travail jusqu'au bout de l'équation, c'est-à-dire changer vos convictions et vos sentiments afin de pouvoir changer vos règles de conduite, en voyant plus clair dans certains de vos comportements. Prenons-en quelques exemples qui peuvent provenir des croyances et sentiments précédemment exprimés, et qui peuvent se résumer en deux tendances : soumission et agressivité dans vos relations avec vos parents :

Comportements de soumission

— Je cède souvent à mes parents, quels que soient mes sentiments.
— Il m'arrive souvent de ne pas leur dire ce que je pense vraiment.
— Il m'arrive souvent de ne pas leur dire ce que je ressens.
— J'agis souvent comme si tout allait bien entre nous, même si ce n'est pas le cas.
— Je suis souvent affecté et superficiel en présence de mes parents.
— Quand il s'agit de mes parents, j'agis souvent par culpabilité ou par crainte plutôt que par choix.
— J'essaie de toutes mes forces de les changer.
— J'essaie de toutes mes forces de leur faire voir et comprendre mon point de vue.
— C'est souvent moi qui fais le premier pas quand nous nous sommes querellés.

— Je fais souvent des sacrifices très douloureux dans ma propre vie pour leur faire plaisir.
— Je continue à être le dépositaire des secrets de la famille.

COMPORTEMENTS AGRESSIFS

— Je me dispute tout le temps avec mes parents pour leur prouver que j'ai raison.
— Je fais tout le temps des choses que je sais leur déplaire pour leur montrer que je suis mon propre maître.
— Souvent je crie, je hurle, j'injurie mes parents pour leur prouver qu'ils ne peuvent pas me contrôler.
— Il faut souvent que je me retienne pour ne pas les agresser physiquement.
— J'ai vidé mon sac et j'ai fait sortir mes parents de ma vie.

Si vous vous retrouvez dans un certain nombre de ces comportements, alors la fusion avec vos parents reste un problème majeur dans votre vie.

Il n'est pas difficile de voir combien les comportements de soumission nous empêchent d'être indépendants. Mais la fusion apparaît moins clairement à travers les comportements agressifs. Ces comportements peuvent sembler vous séparer de vos parents. Ils créent l'illusion que vous ripostez plus que vous ne capitulez. En réalité, les comportements agressifs sont toujours un signe de fusion, à cause de l'intensité de vos sentiments ; à cause du caractère répétitif et prévisible de vos réactions et à cause du fait que votre comportement n'est pas librement choisi, mais plutôt déterminé par votre besoin de prouver votre indépendance par la défensive.

La soumission et l'agression ne sont que les deux côtés de la même médaille.

Carole, le mannequin devenue décoratrice d'intérieur qui avait été maltraitée verbalement par son père, fut effarée quand elle fut confrontée à ces sortes de listes en découvrant que, à cinquante-deux ans, elle continuait à avoir une relation profondément fusionnelle avec ses parents.

> « *J'ai tellement honte. Je suis une femme d'âge mûr, j'ai été mariée trois fois, j'ai un fils adulte et mes parents continuent à tirer les ficelles. Vous n'allez pas me croire… J'ai adhéré à presque toutes les croyances et tous les sentiments suggérés sur les listes. Et si vous cherchez la championne de la soumission… Quand vais-je pouvoir m'enfoncer dans ce stupide crâne que mes parents ne changeront jamais ? Ils ont toujours été cruels ; ils ne m'ont jamais encouragée et je crois qu'ils seront toujours ainsi.* »

Je dis à Carole qu'il est habituel de se sentir honteux et gêné quand, après s'être considéré comme un adulte, on découvre soudainement qu'on est encore dominé par ses parents. Nous voudrions tous croire que nous sommes des adultes indépendants, prenant leurs propres décisions à propos de leur propre vie.

Carole avait probablement raison : ses parents n'allaient pas changer. Les premiers pas vers la suppression des liens destructeurs, c'est de comprendre ce qui les rend si forts.

Comme beaucoup de mes patients, Carole avait réagi avec colère en découvrant qu'elle vivait toujours en état de fusion. Elle voulait se précipiter dehors pour aller défier ses parents. Si vous avez cette impulsion, résistez-y. Ce n'est pas le bon moment. L'action impulsive produit souvent des retours de flamme.

Évitez de vous lancer dans une confrontation quand vos émotions sont trop fortes. Votre point de vue et votre jugement sont alors obscurcis.

Vous avez tout le temps pour intégrer votre nouvelle clairvoyance à votre vie, même si vous sentez se dessiner un plan d'action. Vous êtes au commencement d'un processus et non d'une cure miracle. Les propositions précédentes ne constituent que les débuts de votre analyse. Vous allez rencontrer certains problèmes très complexes et souvent stupéfiants. Or vous n'allez pas plonger avant d'avoir vérifié s'il n'y a pas de rocher sous la surface de l'eau. Vous ne pouvez changer les schémas existentiels de toute une vie du jour au lendemain, quel que soit leur caractère autodestructeur. Ce que vous pouvez faire, c'est commencer à remettre en question vos croyances réductrices et vos comportements autodestructeurs, pour ensuite les rejeter et laisser émerger vos véritables désirs. Mais, avant de pouvoir retrouver votre véritable moi, il faut aller à la recherche de ce que vous êtes.

11

Les débuts de l'autonomie

L'indépendance émotionnelle n'implique pas que vous vous sépariez de vos parents. Cela signifie que vous pouvez faire partie de la famille tout en étant un individu distinct. Cela signifie que vous pouvez être vous-même et laisser vos parents être eux-mêmes.

Quand on se sent libre d'avoir ses propres convictions, sentiments et comportements, séparés de ceux de ses parents (ou des autres), on est un être qui se définit lui-même, autrement dit « autonome ». Si vos parents n'aiment pas ce que vous faites ou ce que vous pensez, il vous faudra inévitablement supporter une certaine gêne. Et il vous faudra supporter leur gêne à votre égard si vous ne vous hâtez pas de modifier votre conduite pour leur plaire. Même si certaines de vos croyances sont identiques à celles de vos parents ou si votre comportement remporte leur approbation, il est essentiel de faire vos propres choix et de vous sentir libre d'être d'accord ou non avec eux.

Cela ne signifie pas que je vous encourage à piétiner les sentiments des gens ou à ignorer l'impact que votre comportement peut avoir sur eux. Mais vous ne pouvez pas non plus leur permettre de vous piétiner. Nous devons tous trouver un équilibre entre notre intérêt et le respect des sentiments d'autrui.

Personne ne peut être autonome vingt-quatre heures sur vingt-quatre. Nous faisons tous partie d'un groupe social d'une certaine importance. Personne n'est totalement libéré du désir d'être approuvé par les autres. Personne n'est complètement libéré de toute dépendance émotionnelle et rares sont ceux qui voudraient l'être. Les êtres humains sont des êtres sociaux et des relations ouvertes aux autres réclament une certaine dose d'interdépendance émotionnelle. Pour cette raison, l'autonomie doit avoir une certaine souplesse. Il n'y a rien de mal à trouver un compromis avec vos parents, tant que c'est quelque chose que vous avez choisi de faire de votre plein gré. Ce dont je parle ici, c'est de conserver votre intégrité émotionnelle, d'être vrai avec vous-même.

Du bon usage de l'égoïsme

Beaucoup de gens ne savent pas se défendre parce qu'ils confondent autonomie et égoïsme. Le mot égoïste déclenche des mécanismes de culpabilité bien connus. Sylvie – la coiffeuse que des parents implacables continuent à punir, alors qu'elle est adulte, pour un avortement subi à l'âge de quinze ans – s'était infligé un enfer émotionnel pour éviter de paraître égoïste. Elle expliqua :

« Je peux vous dire ce que c'est d'être entre le marteau et l'enclume. Je pense que je viens de gâcher ma vie. Mes parents font redécorer leur maison et ma mère m'a appelée la semaine dernière pour me dire que le bruit la rendait folle et que papa et elle voulaient venir s'installer chez nous jusqu'à la fin des travaux, ce qui pourrait durer plusieurs semaines. Je ne voulais vraiment pas dire oui, mais qu'est-ce que je pouvais faire ? Ce sont quand même mes parents. Quand mon mari l'a appris, il a failli tomber raide. Vous comprenez, il utilise la chambre d'amis comme bureau et il est en plein travail pour un projet important. Alors il m'a fait téléphoner à ma mère pour lui suggérer que ce serait mieux si elle allait à l'hôtel avec papa. Elle a naturellement sauté au plafond. J'ai eu droit à une demi-heure de sermon sur mon ingratitude et mon égoïsme, vu que ce serait la moindre des choses de les accueillir étant donné tout ce qu'ils avaient fait pour moi. Je

*lui ai dit qu'il faudrait que j'en parle avec Bernard, mais je
sais d'avance ce qu'il va dire. Que puis-je faire ? »*

Je proposai à Sylvie de saisir l'opportunité de cette
petite crise pour mettre en route le processus qui la mène-
rait à l'autonomie. C'était le moment de se pencher sur le
remue-ménage en cours et de le voir non comme un incident isolé, mais comme le problème le plus récent dans le
genre de relations qu'elle entretenait avec ses parents. La
question ne concernait pas leur installation chez elle, mais
sa façon automatique de réagir par une attitude conci-
liante et consentante. Si elle voulait détruire ce schéma de
comportement, elle devait commencer par réfléchir sur ce
qu'elle voulait, elle, face aux exigences de ses parents. Je
lui demandai si elle savait au moins ce qu'elle voulait.

*« La première chose qui me vient à l'esprit c'est que je veux que
mes parents me laissent tranquille. Je ne veux pas qu'ils habitent chez nous. Ce sera horrible. Mais je me sens coupable simplement en admettant cela, parce que les enfants doivent, en
principe, aider leurs parents. Peut-être que je vais juste leur
dire qu'ils peuvent s'installer chez nous. Sans ça, cette histoire
va me rendre malade. C'est beaucoup plus facile de me disputer avec Bernard que de me disputer avec eux. Pourquoi est-ce
que je ne peux pas faire plaisir à tout le monde ?*

– Répondez vous-même à cette question.

*– Je ne connais pas la réponse. C'est pourquoi je suis ici.
Comment dire ? Je sais que je ne veux pas qu'ils vivent chez
moi en ce moment, mais je les aime – je ne peux pas purement et simplement leur tourner le dos.*

*– Je ne vous demande pas de leur tourner le dos. Je vous
demande d'imaginer ce que ça serait de leur dire non parfois,
de définir des limites à ce que vous êtes prête à sacrifier pour
eux. Soyez " autonome ", Sylvie. Prenez vos décisions à partir de ce que vous voulez et de ce dont vous avez besoin plutôt que de ce qu'ils veulent ou de ce dont ils ont besoin.*

– Ça me paraît égoïste.

– On peut bien être égoïste de temps en temps sans pour autant commettre une mauvaise action.

– Je veux être quelqu'un de bien. On m'a élevée en m'inculquant que les gens bien se dévouent pour les autres.

– Si vous étiez aussi bonne pour vous que vous l'êtes pour vos parents, vous n'auriez probablement pas besoin de venir ici. Vous êtes quelqu'un de très bon – pour tout le monde, sauf pour vous.

– Alors pourquoi se fait-il que je me sente si mal ? »

Sylvie se mit à pleurer. C'était tellement important pour elle, de prouver à sa mère qu'elle n'était ni égoïste ni ingrate, qu'elle était prête à mettre son foyer et son ménage quasiment sens dessus dessous.

Sylvie prenait beaucoup trop de décisions concernant sa vie en fonction de ses obligations envers ses parents. Elle croyait qu'il était de son devoir d'ignorer ses propres besoins en faveur des leurs. Elle faisait rarement ce qu'elle voulait faire ; cela s'était traduit au cours des années par une accumulation de colère refoulée et par un manque d'accomplissement personnel, qu'elle avait exprimés en fin de compte par une dépression.

Comme la plupart d'entre nous, Sylvie avait face à ses parents des réactions presque automatiques, réflexes. Nos réactions sont généralement des actions qui ne sont accompagnées ni de réflexion, ni d'écoute, ni d'examen des choix éventuels. On agit surtout par réaction quand on se sent menacé ou agressé émotionnellement. Cette façon d'agir peut prendre place dans une relation avec presque n'importe qui – un amant, un patron, un enfant ou un ami – mais c'est avec nos parents qu'elle atteint presque toujours la plus grande intensité.

Quand vous agissez par réaction, vous êtes dépendant de l'approbation des autres. Vous ne vous sentez content de vous que lorsqu'il n'y a personne pour vous contredire, vous critiquer ou vous désapprouver. Vos sentiments sont souvent très disproportionnés par rapport aux événements qui les ont provoqués. Vous percevez une petite suggestion comme une attaque personnelle, une critique mineure constructive comme un échec personnel. Sans l'approbation des autres, vous avez des difficultés à conserver une stabilité émotionnelle, même minime.

Quand vous agissez par réaction, vous tenez ce type de discours : « Chaque fois que ma mère me dit comment vivre ma vie, je deviens dingue » ; « Ils savent vraiment tirer les ficelles, ils réussissent toujours à me mettre hors de moi » ; « Je n'ai qu'à entendre la voix de mon père et je vois rouge ». Quand vous laissez vos réactions émotionnelles devenir automatiques, vous renoncez à tout contrôle, vous servez vos sentiments à autrui sur un plateau d'argent. Cela donne aux autres un pouvoir considérable sur vous.

Répondre et non réagir

Le contraire de la réaction, c'est la réponse. Quand vous répondez, vous avez des pensées en même temps que des émotions. Vous êtes conscient de vos émotions, et vous ne les laissez pas vous mener à des actes impulsifs.

Quand vous agissez en répondant, cela vous permet de conserver le sens de votre valeur, malgré tout ce que vos parents pourraient dire de vous. C'est extrêmement gratifiant. Les pensées et les sentiments des autres ne vous entraînent plus dans un abîme de doutes sur vous-même. Vous allez avoir toutes sortes de nouvelles options, de nouveaux choix dans vos rapports avec les autres gens, parce que votre jugement et votre raison ne seront plus occultés par vos émotions. Cette façon d'agir peut vous redonner en grande partie le contrôle de votre vie.

Sylvie avait besoin d'apprendre à moins agir par réaction et davantage par réponse. Je l'avertis que les changements de comportement ne s'effectuent qu'au prix d'un gros effort, que c'est valable pour tout le monde, moi-même y compris ; mais je l'assurai qu'elle en était capable si elle désirait vraiment entamer ce processus de changement. Elle l'était.

La première chose que je lui demandai fut de reconnaître que ses opinions sur elle-même provenaient en grande partie de réflexions que ses parents lui avaient faites – de la façon dont eux la voyaient. Les côtés négatifs de cette vision incluaient des accusations d'égoïsme, d'ingratitude, de méchanceté. Il avait fallu de nombreuses années pour que Sylvie assimile cette mauvaise image d'elle-même, nous n'allions donc pas la changer du jour au lendemain. Mais je lui fis certaines suggestions pour remplacer la vision de ses parents par une vue plus réaliste de ce qu'elle était vraiment.

Je lui demandai de s'imaginer que j'étais sa mère. Par un jeu de rôle, je voulais qu'elle découvre une nouvelle façon de répondre aux critiques de sa mère, une solution à son habituelle capitulation et lui déclarai :

> « *Tu es égoïste et ingrate !*
> – *Non, ce n'est pas vrai. Je pense toujours aux autres. Je pense toujours à toi. Je me tue à essayer de ne pas vous contrarier, papa et toi. Est-ce que tu oublies toutes les fois où je me sentais épuisée et où je t'ai quand même emmenée faire des courses ; où je vous ai quand même eus à dîner, papa et toi ? Quoi que je fasse, ça n'est jamais assez pour toi.* »

Sylvie prit conscience que son comportement était toujours défensif. Il fallait qu'elle arrête d'essayer de « leur faire voir ». Tant qu'elle continuait à rechercher l'approbation de sa mère, elle continuait à être contrôlée. Il fallait qu'elle cesse d'être sur la défensive si elle voulait commencer à se détacher. Le but était de dépassionner autant que possible le dialogue.

Pour lui démontrer ce que je voulais dire, je changeai de rôle avec elle. Sylvie allait être sa mère et moi je serais Sylvie. Elle me tint donc le discours suivant :

« *Ton père et moi nous avons besoin d'un endroit où nous installer. Tu te comportes comme une égoïste et une ingrate.*
– Eh bien! Maman, c'est intéressant de savoir que tu vois les choses de cette façon.
– Après tout ce que nous avons fait pour toi, je ne peux pas croire que tu oses nous suggérer d'aller à l'hôtel.
– Je suis désolée que tu sois contrariée, dis-je.
– Est-ce que tu vas nous laisser venir chez toi, oui ou non?
– Il va falloir que j'y réfléchisse.
– Je veux une réponse, ma fille!
– Je sais, maman, mais il va falloir que j'y réfléchisse. »
Sylvie (laissant son rôle): « Je ne sais plus quoi dire. »

Sylvie, au cours de cette sorte de jeu, découvrit que des réponses non défensives évitaient l'escalade dans le conflit et, tout aussi important, qu'elle n'avait pas à se laisser acculer à cette réaction défensive.

Le comportement non défensif

Personne n'a jamais été formé à répondre de façon non défensive. C'est pourquoi la technique ne vient pas facilement. Il faut l'apprendre et la pratiquer. De plus, la plupart des gens supposent que, s'ils ne se défendent pas dans un conflit, leurs adversaires vont les trouver faibles et les piétiner. En réalité, c'est juste l'inverse. Si vous restez calme en refusant d'être mis en déroute, alors vous gardez tout votre pouvoir.

Je ne peux insister assez fortement sur la nécessité d'apprendre et d'utiliser les réponses non défensives, surtout avec les parents toxiques. Ce genre de réponse peut grandement aider leurs enfants devenus adultes à briser le cycle: attaque, retraite, défense et escalade. Je pense à quelques exemples de réponses non défensives qu'ils utilisent, après une évolution psychothérapeutique, dans leurs relations quotidiennes, selon les situations:

- Oh?
- Oh! je vois.
- C'est intéressant.
- Vous avez tout à fait le droit d'être de cet avis.
- Je suis désolé, mais je ne suis pas d'accord.
- Laissez-moi réfléchir à cela.
- Reparlons plutôt de cela quand vous ne serez pas aussi contrarié.
- Je suis désolé de vous avoir blessé, contrarié, déçu…

Certains de mes patients ont répété ces réponses non défensives seuls, avant de commencer à les utiliser avec d'autres. Pour ce faire, ils ont imaginé que leurs parents se trouvent dans la pièce avec eux en train de les critiquer ou de les dénigrer et leur ont répondu tout haut, de façon non défensive. Comme eux, rappelez-vous qu'à partir du moment où vous discutez, où vous vous excusez, où vous expliquez ou essayez de les faire changer d'avis, vous leur abandonnez beaucoup de votre pouvoir. Si vous demandez à quelqu'un de vous pardonner ou de comprendre, vous lui donnez le pouvoir de vous refuser ce que vous demandez. Mais, si vous utilisez des réponses non défensives, vous ne demandez rien et, quand on ne demande rien, on ne peut être repoussé.

Une fois que vous vous sentirez à l'aise avec les réponses non défensives, essayez de les utiliser au prochain désaccord avec quelqu'un d'autre que vos parents. C'est une bonne idée de s'exercer, en quelque sorte, sur quelqu'un avec qui vous avez des liens moins émotionnels – un collègue ou un ami quelconque. Vous vous sentirez probablement embarrassé et gauche pour commencer. Vous pouvez, par frustration, retomber dans vos réponses défensives… Comme pour tout changement d'attitude personnelle, il faut s'entraîner et être prêt à faire des erreurs. Mais le comportement non défensif finira par devenir une seconde nature.

Il existe aussi d'autres techniques de comportement qui consistent à faire des sortes de déclarations de principe qui peuvent vous aider à moins agir par réaction, à être moins impulsif et qui vous font progresser sur la route de l'autonomie.

Les déclarations de principe définissent ce que vous pensez et ce que vous croyez, ce qui est important pour vous, ce que vous voulez bien faire et ce que vous ne voulez pas faire, ce qui est négociable et ce qui ne l'est pas. Ces déclarations peuvent porter sur des problèmes allant de votre opinion à propos d'un film récent à vos croyances fondamentales sur la vie. Naturellement, avant que vous puissiez émettre une déclaration de principe, il vous faut déterminer votre position.

Quand je demandai à Sylvie ce qu'elle désirait réellement faire à propos des exigences de ses parents, elle répondit : « Je ne sais pas. Je suis si inquiète à la pensée de les contrarier qu'il m'est vraiment difficile de savoir exactement ce que moi je veux. »

Le dilemme de Sylvie était caractéristique des personnes qui ont passé la plus grande partie de leur vie à se sentir excessivement responsable de leurs parents. C'est difficile de découvrir qui on est quand on n'a pas beaucoup eu l'occasion de pouvoir le faire auparavant. Je lui fis remarquer qu'il n'y avait fondamentalement que trois réponses possibles vis-à-vis de ses parents :

— Je ne veux pas vous laisser habiter dans ma maison.
— J'accepte de vous laisser habiter chez moi pour un temps *donné*, limité.
— J'accepte de vous laisser habiter chez moi aussi longtemps que vous le désirez.

Sylvie décida que, bien qu'elle ne voulût pas les laisser du tout habiter chez elle, leur annoncer son refus lui paraissait un pas trop grand à franchir. Elle fut d'accord pour leur dire qu'ils pouvaient rester une semaine. Elle croyait que ce serait une bonne façon de faire valoir ses propres besoins tout en cédant en partie à ses parents.

Sylvie n'était pas complètement satisfaite de la solution qu'elle avait choisie et qui constituait quand même une servitude pour son mari, une gêne pour leurs relations de couple, et elle y voyait la conséquence de sa faiblesse. Avec un profond soupir, elle dit : « Je crois que je suis incapable de tenir tête à mes parents. » Je lui demandai de répéter sa phrase, mais, au lieu de : « Je suis incapable… » de dire : « Je n'ai *pas encore* tenu tête à mes parents. »

« Je n'ai pas encore » implique un choix, alors que « je ne peux pas » implique juste le contraire : l'irrévocabilité. **L'absence de choix est directement liée à la relation fusionnelle.** C'est la clé pour verrouiller un enfant de l'intérieur. Les choix des enfants sont dictés par les adultes. En disant « je n'ai pas encore », vous ouvrez la porte à un nouveau comportement dans le futur. Vous vous donnez de l'espoir.

Certaines personnes pensent qu'en reformulant un comportement forcé comme si c'était un choix, au lieu de changer de comportement, elles ne font qu'admettre leur défaite. Au contraire, je considère le choix comme la clé de l'autodétermination. Toute décision fondée sur le choix nous éloigne de l'impulsivité. Il y a une grande différence entre choisir de capituler devant ses parents parce qu'on a examiné l'alternative et qu'on a décidé n'être pas prêt pour le combat, et capituler automatiquement parce qu'on se sent faible. Effectuer un choix signifie faire un pas vers une prise de conscience, une mise à distance, et réagir par automatisme signifie glisser en arrière, revenir sous le contrôle d'autrui. Cela peut ne pas sembler un grand progrès, mais je vous assure que c'en est un.

Le face à face

Certains de mes patients sont si excités par le succès qu'ils rencontrent en testant leurs nouveaux comportements qu'ils ne peuvent attendre pour en faire l'expérience sur leurs parents. Mais beaucoup d'autres s'inquiètent à la pensée que leurs parents vont être frustrés et/ou furieux à cause de leurs réponses non défensives ou de leurs déclarations de principe. Retarder le premier petit pas, passer des semaines ou des mois à « y penser » ne servira qu'à accroître votre angoisse. Vous êtes un adulte et vous pouvez supporter d'être mal à l'aise dans le but de devenir vous-même.

Le passage à l'action est rarement aussi difficile que vous l'avez imaginé. Il n'est pas nécessaire que vous sautiez sur le problème le plus chargé émotionnellement entre vos parents et vous. Vous pouvez commencer à pratiquer la réponse non défensive quand votre mère déclare ne pas aimer la couleur de votre rouge à lèvres ou que votre père critique votre cuisine.

Je suggérai à Sylvie de mettre le plus possible à profit le séjour de ses parents chez elle pour pratiquer la réponse non défensive et pour faire des déclarations de principe sur des faits anodins. Je l'encourageai à exprimer ses pensées et ses opinions. Au lieu de dire : « Tu as tort, les fruits de mer sont mauvais pour toi », elle pourrait dire : « Je ne suis pas d'accord avec toi, je pense que les fruits de mer sont mauvais pour toi. » Dans ce cas, sa position serait présentée comme une opinion et non comme un défi, ce qui réduirait les risques d'une réaction émotionnelle.

Je lui suggérai aussi que, si elle se sentait assez de courage, elle pourrait essayer d'aborder certains des problèmes plus sérieux dans sa relation avec ses parents en fixant des limites, en leur faisant savoir ce qu'elle était prête ou non à faire pour eux.

Bien que Sylvie ressentît un peu d'appréhension à

l'égard de ce que je lui proposais de faire, elle savait que, si elle n'essayait pas un peu de ce nouveau comportement, elle ne sortirait pas de l'ornière. Mais elle était pessimiste sur la capacité de ses parents à changer. Elle me demanda comment elle pourrait continuer à apprécier ses changements de comportement si ceux-ci ne donnaient pas de résultat – si ses parents ne changeaient pas. Je lui rappelai que cela ne lui était pas nécessaire. Si elle changeait sa façon de réagir avec eux, elle allait changer toute seule sa relation avec ses parents. C'est cela qui aurait peut-être pour effet de les faire changer – mais, même si ce n'était pas le cas, Sylvie ferait pencher la balance du pouvoir de son côté.

Lorsque vous vous déterminerez mieux vous-même, sur un mode plus réfléchi qu'impulsif, lorsque vous effectuerez des déclarations claires à propos de ce que vous pensez ou croyez et que vous fixerez les limites de ce que vous êtes prêt ou non à faire – alors votre relation avec vos parents ne pourra que changer.

12

Les parts de responsabilité

———————

Il serait souhaitable pour tous d'avoir eu une jeunesse heureuse, mais on ne change pas le passé. Ce que je peux faire, c'est vous aider à effectuer un changement majeur d'opinion à propos du responsable des malheurs de votre enfance. Ce changement est nécessaire car, jusqu'à ce que vous reconnaissiez à qui incombe cette responsabilité, il est presque certain que c'est vous qui la supporterez. Et, aussi longtemps que vous vous culpabiliserez, vous souffrirez de honte et de haine pour vous-même et vous trouverez mille façons de vous punir.

Dans les deux derniers chapitres, le travail que nous avons effectué était avant tout intellectuel. Je vous ai demandé de rechercher, de percevoir et de comprendre. Dans ce chapitre et dans ceux qui suivent, nous allons travailler à un niveau beaucoup plus émotionnel. A cause de cela, il est particulièrement important de prendre votre temps. Le travail émotionnel peut devenir très dur et, sans même vous en rendre compte, il se peut que vous cherchiez des excuses pour l'éviter.

Si vous commencez à sentir que vous perdez votre équilibre, vous avez le droit de ralentir et de mettre le travail de côté pendant quelques jours. Mais, si vous voyez que vous continuez à le remettre, fixez-vous une date limite pour y revenir.

Vous pourrez trouver utile d'avoir recours à une aide extérieure au commencement. Quand on ramène à la surface des faits très chargés en émotion, un groupe de support ou un thérapeute peuvent constituer un guide précieux. Un ami affectueux, un partenaire, un membre de la famille peut proposer son appui, mais se sentir intimidé par l'intensité de vos émotions. Vous pouvez demander à cette personne de lire ce livre en même temps que vous ; elle vous aidera beaucoup plus si elle comprend mieux ce que vous traversez.

La responsabilité des parents

J'ai dit cela à maintes reprises, mais il faut insister sur l'importance de ce message et sur la difficulté de le faire passer : *Vous devez rejeter la responsabilité des événements douloureux de votre enfance et la remettre à sa véritable place.*

Pour vous aider à en rejeter la responsabilité, j'ai établi une sorte de liste de tout ce que mes patients se sont fortement reproché. Trouvez-vous un moment tranquille pour la lire, pour être seul avec vous-même et parlez à l'enfant qui se trouve en vous. Pour vous aider à visualiser combien vous étiez petit et sans défense, vous pourriez utiliser une photographie de vous enfant, dire tout haut à cet enfant : « Tu n'étais pas responsable de… » et terminer la phrase avec chacune des rubriques de la liste qui s'applique à votre vie.

« Tu n'étais pas responsable… *de leur manque d'attention ou de soins à ton égard, de l'impression de n'être ni aimé, ni digne d'amour, des plaisanteries cruelles ou irréfléchies, des injures qu'ils t'adressaient, du fait qu'ils n'étaient pas heureux, de leurs problèmes, de leur décision de ne rien faire pour venir à bout de leurs problèmes d'alcoolisme, de ce qu'ils faisaient en état d'ivresse, des coups qu'ils te donnaient, des mauvais traitements qu'ils t'infligeaient, etc.* »

Ajoutez toute autre expérience douloureuse et répétitive dont vous vous êtes toujours senti responsable.

La seconde partie de cette sorte d'exercice consiste à

remettre la responsabilité à sa place – celle de vos parents. Pour mettre cela plus en évidence, répétez simplement chacune des rubriques de la liste, mais en la faisant précéder des mots : « Mes parents étaient responsables… » De nouveau, ajoutez tout ce qui s'applique à votre expérience personnelle.

Au commencement, vous pouvez comprendre, au niveau intellectuel, que ce n'était pas votre faute, mais le petit enfant qui se trouve en vous peut continuer à se sentir responsable. Il faut du temps pour que vos sentiments rattrapent votre nouvelle prise de conscience.

« *Je ne pense pas qu'ils aient jamais eu l'intention de me faire du mal* », vous vient souvent à l'esprit. Vous avez peut-être beaucoup de difficultés à rendre vos parents responsables si ceux-ci n'étaient pas à la hauteur, s'ils étaient malades, dépassés par leurs propres problèmes ou s'ils paraissaient animés de bonnes intentions.

Laurent – qui, à partir de huit ans avait dû s'occuper de ses frères cadets à la suite de la dépression de sa mère – est un exemple éloquent de ce problème. Je dis à Laurent que beaucoup de ses difficultés avec les femmes dans sa vie d'adulte provenaient directement des lourdes responsabilités et des sentiments de culpabilité qu'il avait supportés enfant. Laurent restait incrédule, bien qu'il eût travaillé sur sa liste de responsabilités un peu plus tôt dans la séance.

« *Mais je suis effectivement responsable. Ma mère était si malheureuse. Elle l'est toujours. Elle a besoin de moi. Je ne veux que lui améliorer l'existence.*

– *Depuis quand assumez-vous les responsabilités dans sa vie ?*

– *Depuis l'âge de huit ans.*

– *Et qui est responsable de vous ?*

— *Je suppose que je me suis toujours senti responsable de tout le monde. Y compris de moi-même.*

— *Et si vous laissiez à vos parents la responsabilité de leur vie?*

— *Comment faire cela à quelqu'un qui est déprimé, pitoyable… qui n'a jamais eu un jour de bonheur dans sa vie? Ce n'était pas sa faute. Elle consultait des médecins. Elle essayait d'aller mieux. Elle ne voulait pas être malade.*

— *Vous n'en étiez pas pour autant responsable. Et votre père? Comment se fait-il qu'il se soit défilé aussi facilement? Quand va-t-il se mettre à agir comme un adulte?*

— *(Après réflexion.) Vous savez, je crois que je n'ai jamais envisagé les choses de cette façon. Je pense qu'il est tout bonnement faible.*

— *Je reconnais qu'avec des parents comme les vôtres, qui ne vous ont pas maltraité de façon apparente, il est beaucoup plus difficile de discerner l'étendue des dégâts. Mais il y avait là énormément de violence sous cette bienveillance. Il y avait énormément de négligence au plan émotionnel. Personne ne s'est jamais soucié de votre vie. Vous n'avez jamais eu le droit à l'enfance. La chose importante n'est pas de savoir quelle a été leur part de responsabilité, mais de vous rendre compte que vous-même n'étiez en rien responsable. »*

Laurent ne fit pas d'objection. Il travailla sur cette nouvelle prise de conscience pendant le reste de la séance. A partir de ce jour, il fit des progrès plus rapides.

Vous pouvez admettre que vos parents n'étaient pas à la hauteur, qu'ils souffraient de maladie ou de dépression, ou qu'on ne pouvait avoir de relation avec eux, tout en ressentant de la compassion pour leurs difficultés. Vos parents, après tout, n'avaient que des ressources très limitées; la plupart des gens ne se sentaient pas libres d'entreprendre une thérapie il y a trente ou quarante ans. Vos parents peuvent avoir été passifs au point de paraître sans défense. Vous pouvez être convaincu qu'ils n'avaient aucune mauvaise intention.

Dans beaucoup de cas, je suis persuadée qu'il n'existait aucune intention malveillante, mais spéculer sur les intentions est une perte de temps. Ce sont les résultats qui comptent. Si le mal a été causé par des parents incapables, l'intention n'a rien à voir avec la question : ils sont responsables autant de ce qu'ils ont fait que de ce qu'ils n'ont pas fait.

Pour aider Laurent à voir combien tout cela s'appliquait à son cas, je pris une chaise vide pour symboliser ses parents et je jouai moi-même son rôle. Je voulais qu'il entende les choses qu'il n'avait jamais été capable de dire lui-même :

> « *Maman et papa, quand j'étais un petit enfant, j'avais l'impression qu'il n'y avait jamais personne pour moi. Je me sentais effrayé, et je ne comprenais pas pourquoi personne ne veillait sur moi. Je ne comprends pas pourquoi, maman, c'est moi qui devais m'occuper de toi et pas papa. Je ne comprends pas pourquoi je n'ai pas pu être un enfant. J'ai toujours pensé que c'était parce que personne ne m'aimait. Et c'est toujours ce que je ressens! Quand allez-vous cesser de m'épuiser? Quand allez-vous grandir? Je suis tellement fatigué de me sentir responsable de toute la famille. Je suis fatigué d'être toujours à votre disposition. Je suis fatigué d'être responsable du monde entier. Je suis fatigué de me reprocher tout ce qui va mal. Maman, je suis désolé que tu aies été malade et malheureuse, mais ce n'était pas ma faute!* »
>
> *Laurent reconnut:* « *Tout ce que vous avez dit était vrai. Tout cela je l'ai ressenti. Mais je ne serai jamais capable de m'exprimer ainsi.* »
>
> *– Jamais, c'est très, très long. Pour l'instant, la seule chose qui compte, c'est que vous le disiez à vous-même. Plus tard, quand nous aurons davantage travaillé la question, vous sentant plus fort, vous verrez peut-être les choses différemment.* »

Laurent commença à voir que ses parents étaient des adultes et que, en tant que tels, ils avaient certaines responsabilités fondamentales envers leurs enfants. En négligeant les besoins physiques et émotionnels de leurs enfants, ses parents, comme tous les parents déficients, avaient perverti la relation enfant/parents.

A partir du moment où Laurent fut capable de réellement voir, croire et ressentir ces vérités fondamentales, il put se débarrasser d'une grande partie de sa culpabilité qui alimentait son hyperactivité professionnelle et qui l'empêchait d'être affectueux.

Les adultes qui ont été gravement maltraités au cours de leur enfance ont eux aussi des difficultés à remettre les responsabilités à leur place. Rappelez-vous que l'acceptation des reproches est un moyen de survie pour les enfants maltraités. Ils préservent le mythe de la bonne famille en croyant que ce sont eux – pas leurs parents – qui se conduisent mal. Cette croyance se trouve au cœur de pratiquement tous les schémas de comportement autodestructeurs chez les adultes maltraités dans leur enfance.

Jérôme – l'étudiant en psychologie qui avait été horriblement battu par un père violent et alcoolique – finit par suivre une thérapie avec moi. Au cours de la première séance, il me présenta un bon exemple de la ténacité que peut revêtir la culpabilité :

> « *Je peux regarder en arrière, vers mon enfance, et me rendre compte que mon père avait de la méchanceté en lui. Mais je lui trouve quand même des excuses parce qu'il croyait vraiment que ce qu'il me faisait c'était pour mon bien. Dans ma tête, je sais que ce qu'il faisait était horrible et qu'aucun enfant ne mérite d'être traité comme je l'étais. Mais, dans mon cœur, je me sens toujours comme un enfant trop gâté qui n'avait que ce qu'il méritait. Et je me sens toujours aussi coupable de n'avoir pu protéger ma mère.*
> *– Vous avez réussi à survivre en prenant tout le mal sur vous. Si vous aviez vu votre père comme un être méchant quand vous étiez petit, vous auriez trouvé cela terrifiant, insupportable. Mais vous n'êtes plus un petit enfant, Jérôme. Vous*

devez commencer à vous avouer la vérité. Et la vérité c'est que votre père était à cent pour cent responsable des mauvais traitements qu'il vous infligeait, de sa violence et de son alcoolisme. Il était aussi à cent pour cent responsable d'avoir choisi de ne rien faire pour résoudre ses problèmes et pour préserver sa famille. Et, bien qu'il soit plus facile pour vous de considérer votre mère comme une victime innocente, elle était responsable à cent pour cent de son incapacité à protéger ses enfants et à se protéger elle-même. Elle permettait la continuation des sévices. Vous devez commencer à remettre la responsabilité à sa place. Comment pourrez-vous jamais conseiller les autres, les aider si vous refusez d'affronter la réalité dans votre propre vie?

– J'entends tout ce que vous dites, mais pour moi ce ne sont que des mots. »

Les défenses de Jérôme paraissaient solides comme le roc. Alors, au lieu de m'adresser directement à lui, ce qui paraissait provoquer une vive résistance, je demandai à Jérôme de jouer le rôle de son propre père et lui déclarai :

« *Je veux vous parler de certaines choses qui sont arrivées à votre fils pendant son enfance. Jérôme m'a raconté que vous étiez plutôt violent et que vous le battiez beaucoup. Il m'a aussi raconté que vous étiez alcoolique.* »

Jérôme, dans le rôle de son père, me répondit : « Tout d'abord, ce qui s'est passé dans ma famille, ça ne vous regarde pas, bon Dieu. Si je le frappais c'était juste pour l'endurcir. Et ce que je bois, c'est mon problème.

– C'est peut-être votre problème, mais vous avez pratiquement détruit votre famille avec ce problème. Vous avez maltraité votre fils, vous avez terrorisé votre femme. Avez-vous la moindre idée de ce que cela représentait pour Jérôme? Est-ce que ça vous intéresse de savoir ce qu'il ressentait?

– Je m'en fiche complètement. Je ne m'intéresse qu'à moi.

– Je trouve que vous êtes un père épouvantable. Vous n'avez su que faire souffrir les autres. Je suis sûre que vous aussi vous avez souffert, mais vous étiez un adulte et lui était un petit garçon. Vous auriez pu entreprendre quelque chose pour vous

en sortir, au lieu de faire du mal aux autres. Je pense que vous êtes un lâche et que vous ne vous sentez fort que lorsque vous frappez une femme ou un enfant. Toutes ces années, Jérôme s'est senti coupable alors qu'en réalité c'est vous qui l'étiez.

— Et quoi encore ? Ce petit salaud passait son temps à se payer ma tête. Il ne faisait pas ce qu'il devait…

— Rien de ce que Jérôme faisait ou aurait pu faire ne justifiait ce que vous lui infligiez. »

Jérôme arrêta de jouer le rôle de son père à ce moment.

« Vous savez, j'ai du mal à l'admettre, mais ça m'a vraiment fait du bien de vous entendre dire ses quatre vérités à mon père. J'ai commencé à sentir combien il est irritable et tendu… et je reconnais que je ne voulais pas entendre tout ce que vous me disiez. Vous avez raison, il a presque détruit la famille. Quel salaud. Mais je pense qu'il a plus peur que moi. Moi, au moins, j'essaie de m'en sortir. Il a passé sa vie à fuir. C'est vraiment un lâche. »

Il était certes douloureux pour Jérôme d'admettre tout cela à propos de son père, mais c'était aussi très libérateur. Il commençait à remettre la responsabilité à sa place et il allait bientôt être prêt à se pardonner. Jérôme m'avait dit au cours d'une précédente session qu'il adorait s'occuper d'enfants et il faisait souvent du travail bénévole à l'hôpital. Je lui demandai de se représenter un des enfants avec lesquels il travaillait. Puis je demandai à Jérôme d'imaginer que cet enfant vivait une enfance similaire à la sienne. Je plaçai devant lui une chaise vide et lui demandai ce qu'il dirait si cet enfant s'y trouvait.

Ma suggestion mit Jérôme mal à l'aise, mais après s'être fait un peu prier, il prit une grande inspiration et se mit à parler à l'enfant imaginaire :

« Je sais qu'il se passe des choses moches chez toi. Je suis vraiment désolé. J'ai appris que ton père s'enivrait et qu'il te battait souvent. Et il te traite de tous les noms. Et il te dit que

tu ne vaux rien. Je sais combien tu dois avoir peur. Tu vois, la même chose m'est arrivée. Et je parie que tu as aussi l'impression que c'est entièrement ta faute, mais ce n'est pas vrai. Tu es vraiment un bon petit et personne n'a le droit de te faire ça. Personne! Ton père est méchant. Il est malade. Et c'est un lâche parce qu'il refuse d'affronter aucun de ses problèmes. Je pense que ça lui fait vraiment plaisir de te battre; ça me donne envie de le tuer!»

Tout le corps de Jérôme tremblait de rage. Je lui demandai à qui il s'était réellement adressé: « A moi! hurla-t-il. Dieu du ciel, à moi! »

La rage longtemps retenue de Jérôme commençait à faire surface. Finalement, il arrivait à reporter sur ses parents la responsabilité de la douleur et de la haine de soi qu'il avait supportées toute sa vie.

Je demandai à Jérôme d'imaginer maintenant que son père se trouvait sur cette chaise. Je lui rappelai qu'il était en sécurité, qu'il pouvait dire tout ce qu'il voulait. Cette fois, Jérôme n'hésita pas:

« Espèce de salaud! Foutu enfant de putain! As-tu la moindre idée des souffrances que tu m'as infligées? Des souffrances que tu as infligées à toute la famille? Tu devais avoir l'impression d'être un vrai dur quand tu battais un petit enfant! Toute ma vie je me suis senti comme un moins que rien, comme si je méritais d'en prendre plein la gueule. Mais j'en ai marre d'entendre tes critiques. Alors va te faire foutre! »

Je n'étais pas surprise par l'intensité de la rage de Jérôme. Quand on commence à remettre la responsabilité à sa place, on ressent une colère intense à l'égard des choses qu'on a subies et des gens qui les ont faites. Mais Jérôme était terrifié par toute cette colère en lui. Comme beaucoup d'adultes battus pendant leur enfance, il avait peur de perdre le contrôle de lui-même et de faire mal à quelqu'un, de se désintégrer ou de ne plus pouvoir sortir de sa colère ; il avait même peur de devenir fou.

La peur de sa propre colère

La colère est chargée d'émotions dérangeantes. Vous pouvez associer la colère avec les sévices de votre enfance. Vous pouvez associer la colère avec les gens que la rage mettait hors d'eux-mêmes sous vos yeux. Vous pouvez craindre de paraître laid et d'être rejeté par les autres. Vous pouvez croire que les personnes bonnes, affectueuses, ne se mettent jamais en colère ou bien que vous n'avez pas le droit de vous mettre en colère contre les parents qui vous ont donné la vie.

En plus, la colère est effrayante. Vous pouvez avoir peur de détruire quelqu'un par colère ou de perdre le contrôle de vous-même. Ou bien, comme Jérôme, vous pouvez avoir peur de ne jamais être capable d'apaiser votre colère. Ces craintes sont tout à fait réelles pour chacun d'entre nous, mais le fait reste que *les choses que nous avons peur de provoquer si nous nous mettons en colère sont justement les choses qui ont toutes les chances d'arriver si nous ne nous mettons pas en colère !*

Quand vous refoulez votre colère, vous risquez de devenir déprimé ou agressif, et les autres risquent de vous rejeter aussi sûrement que si vous manifestiez votre colère contre eux. La colère refoulée est imprévisible, elle peut exploser à tout moment. Et, quand ça arrive, c'est souvent de façon incontrôlable. La colère est toujours destructrice à moins d'être canalisée, surtout si on l'a laissée couver au niveau inconscient.

Les adultes élevés par des parents toxiques ont des difficultés particulières avec leur colère parce qu'ils ont grandi dans des familles où on ne laissait pas les émotions s'exprimer. La colère était un privilège réservé aux parents.

La plupart des enfants de parents toxiques deviennent très tolérants aux mauvais traitements. Vous pouvez très bien n'être que vaguement conscient qu'il vous est arrivé quelque chose de pas ordinaire au cours de votre enfance. Il y a des chances pour que vous ne sachiez pas à quel point vous êtes réellement en colère.

Vous avez sans doute une façon parmi d'autres d'affronter votre colère : enterrer votre colère et devenir malade ou déprimé ; détourner votre colère et la transformer en souffrance ou en calvaire ; la tuer dans l'alcool, la drogue, la nourriture ou le sexe ; ou encore exploser à chaque occasion, en laissant votre colère faire de vous une personne tendue, frustrée, suspicieuse, agressive.

Malheureusement, la plupart d'entre nous se reposent sur ces bonnes vieille méthodes inefficaces pour assumer leur colère. Elles ne sont d'aucune aide pour nous libérer de l'emprise de nos parents. Il est beaucoup plus efficace de canaliser notre colère de façon à mieux se connaître soi-même et définir ses limites. Par exemple, donnez-vous la permission d'être en colère sans porter aucun jugement sur vos sentiments : la colère est une émotion juste, comme le sont la joie et la peur. Elle n'est ni bonne, ni mauvaise – elle est, tout simplement. Elle fait partie de vous ; elle est une des choses qui vous rendent humain. La colère est aussi un signal qui vous dit quelque chose d'important : peut-être que vos droits sont foulés aux pieds, qu'on vous insulte ou qu'on se sert de vous et que vos besoins sont négligés. La colère signifie toujours que quelque chose doit changer.

Vous pouvez aussi extérioriser votre colère. Frappez des oreillers, hurlez devant la photographie des gens contre qui vous êtes en colère ou tenez des conversations imaginaires avec eux dans votre voiture ou seul à la maison. Il n'est pas nécessaire de vous jeter sur quelqu'un ou de l'agresser verbalement pour exprimer votre colère – dites aux gens en qui vous avez confiance combien vous ressentez de colère. Si vous ne faites pas sortir votre colère au grand jour, il est impossible d'en venir à bout.

Ayez davantage d'activités physiques. Évacuez la colère par le biais d'une activité physique, cela peut aider à relâcher une grande part de tension du corps. Si vous ne pouvez jouer au tennis ou faire de la bicyclette, vous avez bien un placard débordant à ranger à fond ; ou alors inscrivez-vous à un cours de danse ! L'activité physique augmente aussi la production des endorphines – substances chimiques cérébrales qui améliorent votre bien-être. Vous découvrirez qu'en reconnaissant votre colère vous augmenterez votre énergie et votre niveau de productivité. Rien n'est plus épuisant que la colère refoulée.

N'utilisez pas votre colère pour alimenter votre image négative de vous-même. Vous n'êtes pas mauvais parce que vous ressentez de la colère. Il faut s'attendre à de la culpabilité quand on se sent furieux, particulièrement contre ses parents. Vous pouvez aussi dire : « Je me sens furieux. J'ai le droit d'être furieux. C'est normal de se sentir coupable quand on est furieux, si c'est le prix à payer pour venir à bout de cette colère. Je ne suis pas mauvais, je n'ai pas tort d'éprouver ces sentiments. »

Utilisez votre colère comme une voie possible pour mieux vous déterminer. Votre colère peut vous aider dans vos relations avec vos parents en vous apprenant ce que vous êtes prêt à accepter et ce que vous refusez. Cela peut vous aider à fixer vos limites et vos frontières. Le combat pour vous libérer des vieux schémas de dépendance, de soumission et de peur devant la désapprobation de vos parents peut être long. Votre colère vous aide à reconcentrer votre énergie sur vous-même, à ne plus la gâcher dans un combat perdu d'avance pour faire changer vos parents. Remplacez : « Je suis furieux parce que mon père ne m'a jamais laissé vivre ma propre vie » par : « Je ne vais plus permettre à mon père de me contrôler ou de me dévaloriser. »

Tout cela peut vous aider à gagner une certaine maîtrise sur votre colère. Vous aurez tout le temps d'exprimer directement votre colère à vos parents une fois que vous aurez franchi ce cap. Cette maîtrise comptera dans le succès de votre éventuelle confrontation avec vos parents, comme nous le verrons au chapitre XIII.

Tout le monde a des problèmes avec la colère, et vous ne la maîtriserez pas du jour au lendemain. Les femmes, particulièrement, ont été éduquées à ne pas montrer leur colère en public. On permet aux femmes les larmes, le deuil, la dépression et les manifestations de tendresse, mais la colère n'est pas considérée comme un sentiment convenable pour elles dans notre société. En conséquence, beaucoup de femmes sont attirées par des partenaires qui traduisent en acte leur colère à leur place. De cette façon, elles ont la possibilité de se défouler d'une partie de leur colère retenue par personne interposée. Malheureusement, beaucoup de ces hommes prompts à la colère sont aussi prompts aux comportements dominateurs et abusifs.

Il est essentiel pour votre bien-être que vous appreniez à assumer réellement votre colère. Quand vous commencerez à entrer en contact avec votre colère, vous vous sentirez probablement en permanence nerveux et coupable. Soyez patient et tenez bon. Vous ne resterez pas toujours furieux. Les seules personnes qui ne s'en sortent pas sont celles qui refusent de reconnaître leur colère ou qui l'utilisent pour acquérir de la puissance en intimidant les autres.

La colère est une réaction humaine normale face aux mauvais traitements. Les adultes élevés par des parents toxiques ont de toute évidence en eux plus de colère qu'ils n'en méritent. Mais, et c'est peut-être moins évident, ils ont aussi plus de souffrances qu'ils n'en méritent.

La souffrance et le deuil

« Faire son deuil, qu'est-ce que cela signifie? dit Jérôme. Qui est mort? »

Le *deuil* est une réaction normale et nécessaire après une *perte*. Il ne s'agit pas nécessairement de la perte d'une vie. Comme Jérôme, vous avez probablement subi de nombreuses pertes au cours de votre enfance : perte des bons sentiments à l'égard de vous-même, perte du sentiment de sécurité, perte de la confiance, perte de la joie et de la spontanéité, perte de parents affectueux et respectueux, perte de l'enfance, perte de l'innocence, perte de l'amour.

Il est important d'identifier ces pertes pour faire resurgir le chagrin refoulé qu'elles comportent et travailler sur ces sentiments afin d'échapper à leur emprise.

Sans en avoir conscience, Jérôme se mit à avoir du chagrin quand il prit contact avec sa colère. Le chagrin et la colère sont étroitement entremêlés. Ils ne peuvent pratiquement pas exister l'un sans l'autre.

Vous n'avez peut-être pas encore compris l'importance de vos pertes émotionnelles. Les enfants de parents toxiques ressentent ces pertes quasi quotidiennement, et souvent ils les ignorent ou les répriment. Ces pertes affectent terriblement l'estime de soi, mais il est tellement pénible d'avoir du chagrin que la plupart des gens préfèrent l'éviter.

Contourner son chagrin peut atténuer les sentiments de tristesse temporairement, mais le chagrin repoussé revient vous saisir tôt ou tard – parfois au moment où vous vous y attendez le moins. Beaucoup de gens n'expriment pas leur chagrin au moment d'une perte parce qu'on attend d'eux qu'ils soient « forts » ou parce qu'ils croient qu'il est de leur devoir de prendre soin de tout leur entourage. Mais ces personnes finissent toujours par s'effondrer, parfois des années plus tard, parfois à cause d'un événement mineur. Ce n'est qu'après avoir, finalement, fait l'expérience du chagrin qu'ils avaient remis à plus tard, qu'ils peuvent retomber sur leurs pieds du point de vue émotionnel. Le chagrin a un début, un milieu et une fin. Et chacun de nous doit passer par ces stades. Si vous essayez d'éviter le chagrin, il sera toujours en vous, et son intensité inhibera les sentiments de bien-être.

Carole – maltraitée verbalement par son père qui lui disait qu'elle sentait mauvais – avait beaucoup progressé en thérapie. Elle avait gagné beaucoup d'assurance dans sa vie personnelle et dans sa vie professionnelle et se préparait à devenir expert en communication non défensive. Mais, quand elle entra en contact avec son chagrin, elle fut stupéfaite de découvrir l'intensité et la profondeur de ses sentiments :

> *« J'ai vraiment l'impression de porter le deuil. Quand je me rappelle quelle enfant douce et bonne j'étais et quels horribles traitements mon père m'a fait subir, quand je pense que ma mère le laissait tranquillement faire, je ne peux toujours pas y croire. Ça me rend tellement triste, même en sachant que ce n'était pas ma faute. Pourquoi avait-il besoin de me faire tant souffrir ? Quand j'y pense, je n'arrête pas de passer des larmes à la rage. »*

Le processus de deuil provoque choc, colère, incrédulité et, bien sûr, tristesse. Il y aura des moments où la tristesse vous semblera interminable. Vous aurez l'impression que vous ne cesserez jamais de pleurer, que vous serez comme envahi par votre chagrin. Peut-être en aurez-vous même honte.

La plupart des hommes ont moins honte de se mettre en colère que d'exprimer leur chagrin. Contrairement aux femmes, les hommes sont beaucoup plus encouragés par notre culture aux démonstrations d'agressivité ou de colère qu'aux manifestations de tristesse ou de souffrance.

Beaucoup d'hommes paient très cher sur le plan physique ou émotionnel les idées déshumanisantes que nous nous faisons du « vrai » homme.

Jérôme, comme beaucoup d'hommes avec qui j'ai travaillé, se sentait plus à l'aise avec sa colère qu'avec le petit garçon triste qu'il portait en lui, parce que ce petit garçon lui donnait l'impression d'être faible et vulnérable. En tant qu'enfant battu, Jérôme avait appris tôt à verrouiller la porte de ses émotions. Pour l'aider à pleurer ce qu'il avait perdu au cours de son enfance, je demandai à Jérôme d'effectuer un exercice d'« enterrement ». C'est un exercice que j'utilise souvent, particulièrement avec les adultes maltraités pendant leur enfance. J'ai dans mon bureau un bouquet de fleurs séchées que je plaçai devant Jérôme comme symbole d'une tombe. Je lui proposai de répéter ce qui suit :

« J'enterre ici à jamais mes rêves de famille idéale. Je dépose ici à jamais mes espoirs et mes désirs à propos de mes parents. J'enterre mes rêves sur ce que j'aurais pu faire enfant pour les changer. Je sais que je n'aurai jamais le genre de parents que je désirais, et je pleure cette perte. Mais je l'accepte. Que mes rêves reposent en paix. »

Comme Jérôme terminait cette sorte d'éloge funèbre, les larmes lui montaient aux yeux et il dit :

« Mon Dieu, que ça fait mal, Susan. Vraiment très mal ! Pourquoi dois-je passer par tout cela ? Je me sens comme englué dans cette affligeante comédie. Ça me révolte. Est-ce que cela ne revient pas à m'apitoyer sur mon sort ? Il y a des gens qui ont connu pire. »

Je répondis :

« Il est vraiment temps que vous ayez pitié de ce petit garçon à qui on a fait si mal. Qui d'autre le peut ? Je veux que vous oubliez toutes ces histoires sur les gens qui s'apitoient sur eux-mêmes. Pleurer la perte d'une enfance heureuse n'a rien à voir

avec le fait de s'apitoyer sur son sort. Les gens qui sont bloqués dans les pleurnichements restent à attendre que quelqu'un d'autre décide de leur vie. Ils évitent les responsabilités personnelles. Ils n'ont pas le courage d'effectuer le travail que j'attends de vous. Le chagrin est actif, pas passif. C'est le moyen de se débloquer. Le moyen de guérir, de faire quelque chose de positif à propos de vos problèmes. »

Comme la plupart des gens – comme Jérôme –, vous êtes peut-être prêt à tout pour ne pas avoir l'air de vous apitoyer sur vous-même. Vous pourriez même vous priver du droit de pleurer les pertes de votre enfance. Tant que vous n'aurez pas délivré de sa culpabilité l'enfant qui est en vous, et cela en ressentant et en exprimant votre colère et votre chagrin, vous continuerez à vous punir vous-même.

Bien que le travail que vous effectuez sur votre chagrin soit essentiel pour les changements que vous désirez, votre vie, elle, doit continuer pendant que vous vous y consacrez. Vous avez toujours des responsabilités envers vous et les autres et vous devez continuer à vivre. La colère et le chagrin peuvent faire perdre l'équilibre à n'importe lequel d'entre nous, et il est donc d'une importance vitale de prendre particulièrement bien soin de vous en ce moment. Faites tout votre possible pour trouver des activités agréables et intéressantes. Il n'est pas nécessaire de penser à tout cela vingt-quatre heures sur vingt-quatre. Soyez aussi gentil pour vous que vous le seriez pour un ami qui passerait un moment difficile. Enfin, acceptez toute l'aide que vous pouvez de la part des gens qui vous aiment. C'est un grand secours que de pouvoir parler de son chagrin, encore que certaines personnes puissent ne pas supporter d'écouter ; beaucoup de gens n'ont pas affronté le chagrin de leur propre enfance et votre douleur peut menacer leurs défenses.

Dressez une sorte de liste de tout ce que vous pouvez faire chaque semaine pour venir à bout de votre chagrin. Considérez cela comme un « contrat de soins » avec vous-même. Votre contrat devrait inclure des activités apaisantes qui vous font plaisir. Elles peuvent être aussi simples qu'un long bain de mousse ou une sortie au cinéma ; ou aller jouer plus souvent avec votre équipe de volley-ball ou prendre le temps de lire un bon roman passionnant. Quoi que vous mettiez sur votre liste, l'important c'est de faire ces choses et de ne pas vous contenter d'y penser.

Même si c'est difficile à croire lorsque vous vous immergez dans ce travail, le chagrin a une fin. On ne vient pas à bout de son chagrin du jour au lendemain, mais ce n'est pas un processus sans fin. Il vous faudra du temps pour assimiler et accepter la réalité de vos pertes. Et encore du temps pour changer l'objectif de votre énergie en délaissant la douleur du passé et en vous concentrant sur la renaissance du présent et la promesse du futur. Et, finalement, les douloureuses souffrances ne seront plus que des élancements. Vous vous sentirez mieux quand vous accepterez le fait que vous n'êtes pas responsable des pertes que vous pleurez.

Ses propres responsabilités d'adulte

Remettre la responsabilité à sa véritable place – carrément sur vos parents – ne vous autorise pas à excuser tous vos comportements autodestructeurs en disant : « Tout était leur faute. » Délivrer de sa culpabilité l'enfant que vous étiez ne signifie nullement délivrer l'adulte que vous êtes de ses responsabilités, comme de devenir un individu distinct de ses parents et de jeter un regard honnête sur vos relations avec eux, d'affronter la vérité en ce qui concerne votre enfance et de trouver le courage de reconnaître le lien entre les événements de votre enfance et de votre vie adulte. Trouver le courage de leur exprimer vos véritables sentiments, affronter et réduire leur autorité et le contrôle qu'ils exercent sur votre vie – qu'ils soient vivants ou morts –, relève aussi de vos propres responsabilités, comme de changer de comportement lorsque vous êtes blessant, critique ou manipulateur, ou encore de trouver les moyens appropriés pour vous aider à guérir l'enfant qui est en vous et regagner vos capacités et votre confiance d'adulte.

Il est important de reconnaître que ces sortes de rubriques sont des buts vers lesquels tendre et non pas des choses que vous devriez faire du jour au lendemain. En travaillant à atteindre ces buts, vous aurez des rechutes. Vous pouvez revenir à de vieux comportements, à d'anciennes manières de penser et il se peut même que vous décidiez de tout laisser tomber. Ne soyez pas découragé. En fait, vous devriez vous attendre à ces égarements. C'est un processus, ce n'est pas la perfection. Certains de ces buts peuvent être plus faciles à atteindre que d'autres, mais aucun n'est hors de portée ; vous êtes capable de libérer l'enfant qui est en vous de son éternel châtiment.

13

La confrontation :
un chemin vers l'indépendance

———

Le travail élaboré dans ces trois derniers chapitres vous a préparé à la confrontation. Ce face à face avec vos parents, vous l'aborderez avec sérieux et courage pour leur parler de votre passé douloureux et de votre présent difficile. Cette démarche peut être effrayante, mais c'est aussi la plus fortifiante que vous accomplirez jamais.

Le processus est simple, bien qu'ardu. Quand vous vous sentez prêt, vous parlez calmement mais fermement à vos parents des événements négatifs de votre enfance dont vous avez gardé le souvenir. Vous leur dites combien ces événements ont affecté votre vie et combien ils affectent vos relations avec eux, vos parents, maintenant. Vous décrivez clairement les aspects de cette relation qui vous font souffrir et qui nuisent à votre existence présente. Puis vous proposez d'autres règles de base. Le but de la confrontation avec vos parents n'est pas de vous venger, de les punir, de les détruire, de déverser votre colère sur eux ou d'obtenir quelque chose de positif de leur part.

Au contraire, vous vous confrontez à eux pour vaincre une fois pour toutes votre peur de les affronter, pour leur dire la vérité et pour déterminer le type de relations que vous pouvez avoir avec eux désormais.

Beaucoup de gens – y compris certains thérapeutes de premier plan – ne croient pas à la confrontation. Leurs raisonnements sont tout à fait familiers : « Ne regardez pas en arrière, mais en avant »; « Ça ne fera que provoquer plus de stress et de colère »; ou: « Ça ne guérit pas les blessures, ça ne fait que les rouvrir. » Ils n'ont tout bonnement rien compris.

Il est tout à fait vrai que la confrontation peut ne pas donner les résultats que vous escomptez et que vos parents peuvent ne pas reconnaître ou ne pas accepter leur responsabilité, ni vous exprimer leurs regrets. Il est bien rare, le parent toxique qui va réagir à une confrontation avec son enfant en disant: « Tout est vrai, j'ai eu une conduite épouvantable à ton égard »; ou: « Je t'en prie pardonne-moi »; ou: « Que puis-je faire pour me racheter auprès de toi à présent? »

En fait c'est généralement tout le contraire: les parents nient, clament qu'ils ont oublié, rejettent la responsabilité sur leur enfant, et se mettent très en colère.

Si vous avez déjà essayé de confronter vos parents avec la vérité, et si vous avez été amèrement déçu par le résultat, il est possible que vous ayez jugé du succès de la confrontation en fonction de la réponse positive que vous attendiez de vos parents. En choisissant leur réponse comme indicateur, vous vous destiniez à l'échec. Vous deviez vous attendre à une réponse négative. Rappelez-vous, vous faites tout cela pour vous, pas pour eux. Vous devriez considérer que la confrontation est un succès pour la seule raison que vous avez eu le courage de l'entreprendre.

La confrontation avec vos parents: pourquoi, quand, comment?

Je pousse très fortement les gens à avoir cette confrontation avec leurs parents toxiques, et pour une raison toute simple: la confrontation donne des résultats. Au cours des ans, j'ai vu des confrontations opérer des changements positifs spectaculaires dans la vie de milliers de personnes. Cela ne signifie pas que je ne me rende pas compte de la frayeur qu'entraîne la seule pensée d'une confrontation avec ses parents. Les enjeux émotionnels sont importants. Mais le simple fait d'y aller, d'affronter vraisemblablement certaines de vos frayeurs les plus profondes, est suffisant pour commencer à modifier l'équilibre des forces entre vos parents et vous-même.

Nous avons tous peur d'affronter la vérité à propos de nos parents. Nous avons tous peur de reconnaître que nous n'avons pas eu ce dont nous avions besoin de leur part et que nous n'allons pas davantage l'obtenir à présent. Mais l'alternative est : ou la confrontation ou vivre avec ses frayeurs. Si vous évitez d'entreprendre une action positive, pour votre bien, vous renforcez vos sentiments de faiblesse et d'incapacité, vous sapez votre respect de vous-même.

Il y a une autre raison d'importance encore plus vitale en faveur de la confrontation : ce que vous ne renvoyez pas à l'expéditeur, vous le faites suivre. Si vous ne venez pas à bout de votre peur, de votre culpabilité et de votre colère envers vos parents, vous allez transmettre tout cela à votre partenaire ou à vos enfants.

Cependant, j'insiste auprès de mes patients pour qu'ils choisissent soigneusement le moment de la confrontation. Il ne faut pas se jeter tête baissée dans les conflits, mais il ne faut pas non plus retarder la confrontation indéfiniment.

Quand mes patients prennent leur décision, ils passent habituellement par trois stades : ils pensent qu'ils ne pourront jamais faire cela, puis qu'ils le feront peut-être un jour, mais pas maintenant ; enfin, ils demandent quand ils peuvent le faire.

La première fois que j'incite mes patients à avoir une confrontation avec leurs parents, ils répondent obstinément que ça ne leur convient pas. Je peux habituellement escompter un syndrome que j'appelle « tout sauf ça ». Les patients sont d'accord pour effectuer tous les changements possible tant qu'il ne s'agit pas d'un face à face avec leurs parents : tout sauf ça !

Je dis à Gilles – qui avait des problèmes à cause de sa timidité et qui regrettait d'avoir engagé son père alcoolique dans sa société – qu'il avait besoin d'une confrontation avec son père. Il lui fallait fixer des limites à la conduite de son père ou carrément le renvoyer. Sa réaction fut un classique : « Tout sauf ça » :

> « *Je refuse toute confrontation avec mon père. Je sais que cela signifie que je suis une chiffe molle, mais je ne veux pas faire souffrir davantage mes parents. Je suis sûr qu'il y a beaucoup d'autres choses à faire à la place de cette confrontation. Je peux lui trouver un travail moins stressant, qui le mette moins en contact avec mes clients. Je peux l'empêcher de m'agresser. Je peux faire davantage d'efforts pour me relaxer. Je peux... »*

Je l'interrompis : « Tout sauf ça, n'est-ce pas ? Tout sauf l'action précise qui peut apporter un changement significatif dans votre vie. »

Je dis à Gilles qu'une grande part de son irritabilité et de sa timidité était le résultat direct de la rage refoulée qu'il éprouvait à l'égard de son père et de sa répugnance à prendre personnellement la responsabilité d'affronter ses difficultés. Je reconnus que la plupart des gens réagissent par « tout sauf ça » au début de leur thérapie, et lui assurai que je ne trouvais pas cela décourageant. Il n'était pas prêt, tout simplement. Mais quand nous aurions pris le temps de préparer la confrontation et de nous y exercer, j'étais sûre qu'il se sentirait plus sûr de lui.

Gilles conservait ses doutes, mais avec le temps il vit plusieurs autres membres du groupe se décider à la confrontation. Tous en revinrent pour nous raconter des expériences réussies. Gilles reconnaissait que la confrontation avait donné de bons résultats avec ces personnes, mais ajoutait immédiatement que sa situation était différente. Sans en avoir conscience, Gilles s'était rapproché du second stade de la décision.

Au cours de sa thérapie, Gilles travaillait avec acharnement à apprendre les réponses non défensives et les déclarations de principe. Il avait commencé à utiliser ces deux techniques dans des situations professionnelles et avec certains de ses amis. Il se sentait à l'aise avec ces techniques. Mais le stress constant qui pesait sur ses relations au jour le jour avec son père, et le poids considérable des conflits non résolus de son enfance l'acculaient dans une impasse.

Après environ six semaines dans le groupe, Gilles me dit qu'il avait commencé à réfléchir à la confrontation. Pour la première fois, il admettait que c'était une possibilité… pour plus tard. Il était arrivé au deuxième stade. Quelques semaines plus tard, il me demanda quand je pensais qu'il devrait le faire. Stade numéro trois.

Gilles espérait que je pourrais évoquer une sorte d'itinéraire magique et lui révéler le moment où son angoisse diminuerait suffisamment pour lui permettre d'accomplir sa confrontation. La vérité c'est que, très souvent, l'angoisse diminue seulement après le face à face. Il n'y a aucune façon de prévoir le bon moment, il faut simplement être préparé à affronter vos parents – c'est-à-dire vous sentir assez fort pour supporter que vos parents vous repoussent, qu'ils nient, qu'ils vous accusent, se mettent en colère ou toute autre conséquence négative de la confrontation. Il est utile de bénéficier d'un système de soutien suffisant pour vous aider à vivre l'anticipation, la confrontation elle-même et les suites. Le mieux est d'avoir écrit une lettre ou répété ce que vous voulez dire, et vous devez avoir pratiqué les réponses non défensives dont on a parlé précédemment. Enfin, vous ne devez plus vous sentir responsable des souffrances que vous avez vécues au cours de votre enfance.

Ce dernier point est particulièrement important. Si

vous portez encore la responsabilité des traumatismes de votre enfance, il est trop tôt pour une confrontation. Vous ne pouvez affronter vos parents sans être persuadé que la responsabilité leur revient.

Une fois que vous vous sentez relativement confiant et que vous avez rempli ces diverses conditions, il n'y a pas de meilleur moment que le moment présent. N'attendez pas : l'anticipation de la confrontation est toujours pire que la confrontation elle-même.

Je dis à Gilles qu'il était important pour lui de fixer une date pour sa confrontation de préférence avant la fin du siècle ! Il avait besoin d'un but tangible pour ce travail, qui allait inclure des répétitions complètes afin de le préparer à une des scènes les plus importantes de sa vie.

En effet, la confrontation peut être effectuée ou bien face à face ou bien par lettre. Je n'inclus pas le choix du téléphone. Bien qu'elle paraisse sans danger, la confrontation par téléphone est presque toujours inopérante. Il est trop facile pour vos parents de raccrocher. En plus, le téléphone est « artificiel », il rend très difficile une expression véritablement émotionnelle. Si vos parents habitent une autre ville et s'il n'est pas pratique pour eux de venir à vous ou pour vous d'aller vers eux, écrivez-leur.

Je suis un fervent partisan de l'écriture comme technique thérapeutique. La lettre est une excellente occasion d'organiser ce que vous voulez exprimer et vous permet d'y retravailler tant que vous n'en êtes pas satisfait. Elle donne à celui qui la reçoit la possibilité de la relire plus d'une fois et de réfléchir à son contenu. Une lettre est aussi un moyen de communication moins dangereux si vous avez affaire à un parent violent. La confrontation est importante, mais jamais au point de devoir risquer une agression physique.

Écrivez toujours une lettre séparée à chacun de vos

parents. Même si certains problèmes leur sont communs, votre relation et vos sentiments sont différents pour chacun. Commencez par écrire au parent que vous considérez comme le plus toxique ou le plus abusif. Vos sentiments à son égard se trouvant plus en surface sont plus faciles à débloquer. Une fois que vous aurez ouvert les vannes en écrivant la première lettre – à supposer que vos parents soient en vie tous les deux – vos sentiments à l'égard de l'autre viendront plus facilement. Dans votre seconde lettre, vous pouvez demander des comptes à celui de vos parents qui était le moins toxique, à propos de sa passivité ou de son manque de protection.

Une confrontation effectuée par lettre donne exactement les mêmes résultats que si elle avait été faite en personne. Les deux commencent par ces mots : « Je vais vous dire des choses que je n'ai jamais dites auparavant », et les deux devraient comprendre quatre points principaux :

- Voici ce que tu m'as fait.
- Voici ce que j'ai éprouvé à l'époque.
- Voici quel effet cela a produit sur ma vie.
- Voici ce que j'attends de toi à présent.

J'ai trouvé que ces quatre points constituent une base solide, bien centrée sur l'essentiel, pour toutes les confrontations. Cette structure couvre en général tout ce que vous avez besoin de savoir et vous aidera à éviter que votre confrontation ne se disperse et ne devienne inefficace.

Carole – à qui son père reprochait sans cesse de sentir mauvais – décida qu'elle était prête à affronter ses parents au moment où un important chantier de décoration l'empêchait de les rejoindre dans l'Est. Je lui assurai qu'elle pouvait effectuer une confrontation efficace par lettre. Je lui suggérai d'écrire la lettre chez elle, à un moment calme, en décrochant le téléphone pour éviter toute interruption.

L'écriture d'une lettre de confrontation est toujours une intense expérience émotionnelle. Je suggérai à Carole de laisser sa lettre plusieurs jours de côté avant de l'envoyer, et de la relire quand elle se sentirait plus calme. Comme la plupart des gens, elle finit par en réécrire une bonne partie quand elle l'eut relue. Il se peut que vous rédigiez plusieurs brouillons avant d'être satisfait. Rappelez-vous que ce n'est pas un concours littéraire. Cette lettre n'a pas besoin d'être un chef-d'œuvre – elle doit seulement exprimer la vérité sur vos sentiments et vos expériences.

Voici un extrait de la lettre que Carole me lut la semaine suivante :

Cher papa,
Je vais te dire des choses que je n'ai jamais dites. Tout d'abord je veux te dire pourquoi je n'ai pas passé beaucoup de temps avec toi ou maman au cours de ces derniers mois. Cela peut te surprendre ou te perturber, mais la raison pour laquelle je ne suis pas venue vous voir, c'est que j'ai peur de vous. J'ai peur de me sentir faible et d'être agressée verbalement par toi. Et j'ai peur de compter sur toi sur le plan émotionnel et de constater qu'une fois encore tu me fais défaut. Je vais t'expliquer.
Et tout d'abord, voici ce que tu m'as fait :
Je me rappelle ce père qui m'aimait, me chérissait et s'occupait de moi quand j'étais une très petite fille. Mais, quand j'ai grandi, tu es devenu très cruel avec moi. Tu n'as pas arrêté de me dire que je sentais mauvais. Tu m'accusais chaque fois que quelque chose n'allait pas. C'était ma faute quand je n'ai plus obtenu de bourse. C'était ma faute quand Bertrand [son frère] s'est blessé en tombant. C'était ma faute quand maman t'a quitté. Quand elle est partie, je suis restée sans aucun soutien émotionnel. Tu me racontais des plaisanteries trop dégoûtantes, tu me disais combien j'avais l'air sexy dans mes pulls ; ou tu me traitais comme une petite amie ou tu me disais que je ressemblais à une prostituée.

A partir de douze ans, c'était comme si je n'avais pas de parents. Je suis sûre que toutes ces années ont été très difficiles pour toi, mais tu m'as fait beaucoup de mal. Il se peut que tu n'aies pas eu l'intention de me faire de mal, mais je n'en souffrais pas moins pour cela.

Quand j'ai eu quinze ans, un homme a essayé de me violer et tu me l'as reproché. J'ai vraiment cru que c'était ma faute, parce que tu le disais. Quand j'étais enceinte de huit mois, mon mari m'a battue et tu m'as dit que j'avais dû faire quelque chose d'affreux pour le mettre dans une telle colère. Tu me répétais sans cesse toutes les horreurs que maman faisait. Tu me disais qu'elle ne m'avait jamais aimée, que j'étais dégoûtante à l'intérieur et que je n'avais pas de cerveau dans la tête.

Ce que j'ai éprouvé à l'époque, c'était que je me sentais terrifiée, humiliée et perturbée. Je me demandais pourquoi tu avais cessé de m'aimer. Je désirais redevenir la petite fille de mon papa, et je me demandais ce que j'avais fait pour te perdre. Je me sentais coupable de tout. Je me détestais. Je me sentais dégoûtante et indigne d'être aimée.

Quel effet cela a produit sur ma vie? J'étais terriblement perturbée en tant que personne. Beaucoup d'hommes se sont comportés avec brutalité à mon égard et j'ai toujours pensé que c'était ma faute. Quand mon mari m'a battue, je lui ai écrit une lettre d'excuse. Je manquais totalement de confiance en moi, en mes capacités, en ma valeur.

Alors, voici ce que j'attends de toi. Je veux que tu me fasses des excuses pour avoir été un père cruel et raté. Je veux que tu reconnaisses que tu as eu des torts envers moi et que tu m'as fait beaucoup souffrir. Je veux que tu arrêtes tes agressions verbales. La dernière fois, c'était quand je t'ai vu chez Bertrand et que je t'ai demandé conseil pour mon travail. Tu as crié contre moi sans raison. Ça m'a beaucoup contrariée. Je ne me suis pas révoltée, mais c'est la dernière fois. Je veux que tu saches que je ne tolérerais plus cela à l'avenir. Je voudrais que tu reconnaisses que les bons pères ne reluquent pas leur fille, que les bons pères n'adressent ni insultes ni propos dégradants à leur fille, que les bons pères protègent leur fille.

Je suis désolée que toi et moi n'ayons pas eu les relations que nous aurions pu avoir. J'ai beaucoup manqué en ne pouvant pas donner mon amour au père que j'avais tellement envie d'aimer. Je continuerai à t'envoyer des cartes et des cadeaux parce que cela me fait plaisir. Cependant, si tu veux que je vienne te voir, il va falloir que tu acceptes mes règles. Je ne te connais pas très bien. J'ignore quels étaient tes problèmes ou tes angoisses. Je te suis reconnaissante d'avoir travaillé dur, de nous avoir permis de vivre dans l'aisance, de m'avoir offert de belles vacances. Je me rappelle quand tu m'apprenais les arbres et les oiseaux, la société et la politique, les sports et la géographie, le camping et le patin à glace. Je me rappelle que tu riais beaucoup. Enfin, ça t'intéressera peut-être de savoir que je me débrouille beaucoup mieux dans la vie à présent. Je ne me laisse plus battre. J'ai des amis merveilleux qui m'apportent beaucoup, un bon métier et un fils que j'adore. S'il te plaît, écris-moi et tiens compte de ma lettre. Nous ne pouvons changer le passé, mais nous pouvons prendre un nouveau départ.

Carole.

Beaucoup de mes patients préfèrent la sécurité de la lettre, mais beaucoup d'autres ont besoin de réactions immédiates pour ressentir le succès de la confrontation. Pour ces patients, la seule solution, c'est la confrontation face à face.

La première étape dans la préparation du face à face, à supposer que vous avez déjà effectué le travail émotionnel préalable, c'est de choisir un endroit. Si vous suivez une thérapie, vous pouvez vouloir effectuer la confrontation dans le bureau de votre thérapeute. Votre thérapeute peut orchestrer la confrontation, faire en sorte qu'on vous écoute, vous aider si vous êtes bloqué et, le plus important, vous apporter aide et réconfort. Je me rends bien compte que cela vous donne l'avantage sur vos parents, mais il vaut mieux être contre eux que contre vous, particulièrement à un moment aussi crucial de votre travail.

Si vous effectuez la confrontation dans le bureau de votre thérapeute, faites en sorte de rencontrer vos parents sur place. Personne ne peut prédire ce qui arrivera au cours de la séance. Il est important que vous puissiez rentrer chez vous par vos propres moyens. Même si la confrontation se termine par une note positive, vous pouvez avoir envie d'être seul après coup, pour vous retrouver en tête-à-tête avec vos pensées et vos sentiments.

Peut-être préférez-vous effectuer la confrontation sans l'aide de personne. Peut-être n'avez-vous pas de thérapeute – ou, si vous en avez un, ressentez-vous le besoin de montrer à vos parents que vous pouvez manifester votre indépendance sans vous faire aider. Beaucoup de parents refusent tout bonnement d'aller dans le bureau d'un thérapeute. Quelle qu'en soit la raison, si vous décidez de faire cela seul, il vous faudra décider d'affronter vos parents chez eux ou chez vous. Un endroit public, comme un restaurant ou un bar, est trop inhibiteur. Vous avez besoin d'une intimité totale.

Si vous avez le choix, je vous conseille d'organiser la confrontation chez vous. Vous vous sentirez beaucoup plus fort sur votre propre terrain. Si vous habitez une autre ville et si vous faites le voyage pour la confrontation, essayez d'obtenir que vos parents viennent dans votre chambre d'hôtel.

Il est possible d'effectuer une bonne confrontation sur le terrain de vos parents, si nécessaire. Mais il vous faudra travailler dur pour éviter de vous retrouver sous l'emprise de vos frayeurs d'enfant, des sentiments de culpabilité et de vulnérabilité. Il faudra vous garder particulièrement de ces sentiments d'enfance si vos parents habitent toujours la maison dans laquelle vous avez grandi.

Vaut-il mieux aborder vos parents séparément ou ensemble ? Je n'ai là-dessus aucune règle absolue, bien que ma préférence aille plutôt vers la deuxième solution. Les parents toxiques instituent des systèmes familiaux fondés

en grande partie sur le mystère, la connivence et la négation, afin de préserver l'équilibre de la famille.

Quand on s'adresse aux deux parents ensemble, on
coupe court à tout cela, en grande partie.

En revanche, si vos parents ont des façons de voir ou
des avis très divergents, vous aurez peut-être plus de facilité à communiquer en les prenant l'un après l'autre.

A force de répéter à l'avance, certaines personnes ont
peur de perdre leur spontanéité avant la confrontation.
Ne vous inquiétez pas. Votre angoisse est suffisamment
forte pour vous faire dévier à maintes reprises de ce que
vous avez préparé. Quel que soit le nombre des répétitions, les mots ne vous viendront pas facilement. En fait,
il est essentiel que vous sachiez à l'avance que vous serez
très, très nerveux. Votre cœur battra à grands coups, votre
estomac peut se nouer, vous transpirerez, vous aurez peut-
être de la difficulté à reprendre votre respiration et il n'est
pas impossible que vous restiez muet sans vous rappeler
votre texte.

Certaines personnes, soumises à une pression intense,
perdent tous leurs moyens. Si vous avez peur que cela
vous arrive, vous pouvez éviter cette angoisse supplémentaire en écrivant une lettre à vos parents et en la leur lisant
tout haut au cours de la confrontation. C'est un excellent
moyen d'éviter le trac des « premières » et d'être sûr que
vous ferez passer le message.

Quel que soit le lieu que vous avez choisi pour la
confrontation et quelle que soit la façon dont vous allez
aborder vos parents – ensemble ou séparément –, vous
devez soigneusement préparer ce que vous désirez dire.
Répétez votre texte à haute voix, soit seul, soit devant
quelqu'un, jusqu'à ce que vous le sachiez à fond. Une
confrontation face à face est comme une première à
Broadway : est-ce que vous iriez sur scène sans connaître

votre rôle ou sans savoir exactement comment vous désirez l'interpréter? Avant d'entreprendre votre confrontation, vous avez besoin de répéter convenablement et de savoir précisément où vous voulez en venir.

Vous aurez envie de commencer la confrontation en fixant les règles. Je suggère quelque chose dans ce genre :

> *« Je vais vous dire des choses que je n'ai jamais dites auparavant et je veux que vous acceptiez de m'écouter jusqu'à ce que j'aie fini. C'est très important pour moi, alors je vous en prie, évitez de m'interrompre ou de me contredire. Quand j'aurai terminé de dire ce que je veux, vous aurez tout le temps pour ce que vous avez à dire. Êtes-vous d'accord? »*

Il est essentiel que vos parents acceptent d'emblée ces termes. La plupart des parents le feront. S'ils ne sont pas d'accord pour faire ne serait-ce que cela, alors il vaut mieux remettre la confrontation à une autre date. Il est important que vous exprimiez ce que vous avez répété sans être distrait, interrompu ou détourné de votre objectif. S'ils refusent de vous écouter jusqu'au bout, il vous faudra peut-être les affronter par lettre.

Une fois que vous serez lancé, la plupart des parents toxiques contre-attaqueront. Après tout, s'ils étaient capables d'écouter, d'entendre, d'être raisonnables, de respecter vos sentiments et d'encourager votre indépendance, ce ne seraient pas des parents toxiques. Ils ressentiront probablement vos paroles comme des agressions personnelles et perfides. Ils auront plus que jamais tendance à recourir aux tactiques et aux défenses qu'ils emploient depuis toujours. Les parents incapables ou déficients peuvent devenir encore plus pathétiques ou dépassés. Les alcooliques peuvent nier leur alcoolisme avec encore plus de véhémence ou, s'ils sont en cours de guérison, ils peuvent utiliser ce fait pour essayer de saper votre droit à les confronter. Les dominateurs vont peut-être accentuer leur comportement culpabilisant et hypocrite. Les parents abusifs peuvent devenir enragés et essaieront presque à coup sûr de vous faire porter la responsabilité de leurs propres méfaits. Tous ces comportements sont destinés à rétablir l'équilibre familial et à vous remettre dans le statu quo de soumission. Vous avez intérêt à vous attendre au pire – ainsi vous ne pouvez avoir que de bonnes surprises.

Rappelez-vous que l'important n'est pas leur réaction, mais la vôtre. Si vous êtes capable de rester ferme face à la fureur de vos parents, à leurs accusations, leurs menaces et leurs tentatives culpabilisantes, vous vivrez un grand moment, porteur de changements positifs pour vous.

Pour vous aider à vous préparer, envisagez le scénario le pire. Imaginez le visage de vos parents, ou bien furieux, ou bien pitoyable, en larmes, n'importe. Imaginez leurs paroles de colère, leurs démentis, leurs accusations. Endurcissez-vous en disant tout haut ce que vous pensez que vos parents diront, et répétez des réponses calmes, non défensives. Demandez à votre partenaire ou à un ami de jouer le rôle d'un parent ou des deux. Dites-lui même d'exagérer et de vous exprimer tout ce qu'il peut imaginer de pire. Que ce parent par substitution crie, hurle, vous injurie, menace de vous éliminer de la famille et vous accuse d'être monstrueux et égoïste. Imaginez vos réponses en utilisant, par exemple, ces termes : « Je sais bien que c'est ton point de vue. – Les insultes et les cris ne nous mèneront nulle part, et je n'accepte pas tes insultes. – Voilà un bon exemple des raisons pour lesquelles nous avons besoin de cette rencontre. – Tu n'as pas le droit de me parler de cette façon et tu étais d'accord pour m'écouter jusqu'au bout. – Nous continuerons une autre fois quand tu seras plus calme. »

Voici quelques réactions parentales typiques à la confrontation, avec quelques réponses clés que vous pouvez avoir envie d'étudier, telles qu'elles ressortent de mon expérience :

« *Tout ça n'est jamais arrivé.* » Les parents qui ont utilisé la négation pour échapper à leurs propres sentiments d'incapacité ou d'angoisse continueront sans aucun doute à l'utiliser pendant la confrontation pour promouvoir leur version de la réalité. Ils nieront avec insistance vos allégations, disant que rien n'est jamais arrivé ou que vous exagérez ou que votre père n'aurait jamais pu faire une chose pareille. Ils ne se souviendront pas ou ils vous accuseront de mentir. Cette réaction est surtout fréquente chez les alcooliques dont les démentis peuvent être renforcés par les pertes de mémoires causées par la boisson. A cela, vous pouvez répondre : « *Le fait que tu ne t'en souviennes pas ne prouve pas que ce n'est jamais arrivé.* »

« *C'était ta faute.* » Les parents toxiques ne veulent presque jamais reconnaître leur responsabilité pour leur comportement destructeur. Au lieu de cela, ils vous accusent. Ils diront que vous étiez méchant ou difficile. Ils affirmeront qu'ils ont fait de leur mieux, mais que vous leur avez toujours créé des problèmes. Ils diront que vous les mettiez hors d'eux. Ils donneront comme preuve le fait que toute la famille savait quel problème vous représentiez. Ils présenteront une liste interminable de vos prétendues offenses à leur encontre.

Il existe une variante à ce thème, qui consiste à rejeter la responsabilité de la confrontation sur vos difficultés dans votre vie actuelle. « *Pourquoi t'attaques-tu à nous quand ton véritable problème c'est d'être incapable de conserver un emploi, d'élever ton enfant, de garder ton mari ? Etc.* » Des mots qui peuvent être prononcés avec un faux air de compassion pour les tourments que vous vivez. Tout pour détourner l'attention de leur comportement. Votre réponse est simple : « *Tu peux toujours essayer de me faire* porter le chapeau, mais je ne vais pas accepter d'être tenu pour responsable de ce que tu m'as fait quand j'étais enfant. »

« *J'ai dit que j'étais désolé.* » Les parents peuvent promettre de changer, de devenir plus affectueux, plus encourageants, mais ça n'est souvent qu'une carotte au bout d'un bâton, pour vous neutraliser. Dès que le calme revient, le poids des vieilles habitudes reprend le dessus et toutes les promesses retombent avec le retour de leur comportement toxique. Certains parents peuvent reconnaître certaines des choses que vous leur dites, mais ne rien vouloir faire à ce propos. A la réplique parentale que j'entends le plus souvent : « J'ai dit que j'étais désolé, que veux-tu de plus ? », vous pouvez répondre : « *J'apprécie que tu t'excuses, mais ce n'est qu'un début. Si tu es véritablement désolé, tu seras disponible pour moi quand j'aurai besoin de toi et tu réfléchiras à tout cela avec moi pour que nous arrivions à mieux nous entendre.* »

« *Nous avons fait de notre mieux.* » Les parents qui étaient déficients ou partenaires silencieux face aux abus accueilleront la confrontation avec les mêmes réactions passives et inefficaces qu'ils opposaient traditionnellement aux problèmes. Ces parents vous rappelleront quels moments difficiles ils vivaient pendant que vous grandissiez et quel mal ils avaient à s'en sortir. Ils diront des choses comme : « Tu ne comprendras jamais ce que j'endurais », « Tu ne sais pas combien de fois j'ai essayé de l'arrêter » ou : « J'ai fait de mon mieux ». Ce genre particulier de réponse peut provoquer en vous beaucoup de compassion pour vos parents. C'est compréhensible, mais vous allez avoir des difficultés à rester concentré sur ce que vous avez besoin de dire pour votre confrontation. Vous aurez encore la tentation de placer leurs besoins avant les vôtres. Il est important de reconnaître leurs difficultés sans occulter les vôtres : « *Je comprends que tu as passé des moments difficiles et je suis sûr que tu ne m'as pas fait de mal intentionnellement, mais j'ai besoin que toi tu comprennes que la façon dont tu réagissais à tes problèmes m'a vraiment fait souffrir. »*

« *Regarde ce que nous avons fait pour toi.* » Beaucoup de parents essaieront de prendre le contre-pied de vos affirmations en évoquant les jours heureux que vous avez passés, enfant, et les moments de tendresse que vous avez partagés avec eux. Ils ne considèrent que les bonnes choses, ça leur évite de voir le côté sombre de leur comportement. Ces parents évoqueront des souvenirs typiques, comme les cadeaux qu'ils vous ont offerts, les endroits où ils vous ont emmené, les sacrifices qu'ils ont faits pour vous et toutes leurs bonnes intentions. Ils diront des choses comme : « Voilà comment tu nous remercies », ou « Tu n'étais jamais satisfait de rien ». Ce à quoi vous répondrez : « *J'apprécie beaucoup tout cela, mais ça n'a jamais pu compenser les mauvais traitements* (coups, critiques permanentes, violence, insultes, alcoolisme, etc.) »

« *Comment peux-tu me faire ça ?* » Certains parents se comportent comme des victimes. Ils s'effondrent en larmes, se tordent les mains, et expriment leur choc et leur incrédulité devant votre « cruauté ». Ils agiront comme si votre confrontation les avait martyrisés, eux. Ils vous accuseront de leur faire du mal ou de les décevoir. Ils se plaindront de n'avoir pas besoin de cela, d'avoir assez de problèmes. Ils vous diront qu'ils ne sont pas assez forts ou que leur santé est trop mauvaise pour supporter un tel traitement, que vous allez les tuer en leur brisant le cœur. Leur tristesse sera bien sûr en partie réelle. C'est triste, effectivement, pour des parents, d'affronter leurs propres insuffisances, de se rendre compte qu'ils ont causé à leurs enfants de grandes souffrances. Mais leur tristesse peut aussi être un moyen de vous manipuler et de vous dominer. C'est leur façon d'utiliser la culpabilité pour tenter de vous faire avouer vos torts. Votre réponse doit être claire : « *Je suis désolé que vous soyez contrariés. Je suis désolé que vous ayez de la peine. Mais je n'ai pas l'intention de céder là-dessus. Moi aussi j'ai souffert, et pendant très longtemps.* »

Les réactions typiques et les réponses suggérées ci-dessus peuvent vous aider à éviter l'enlisement dans les pièges émotionnels au cours de la confrontation. Cependant, il y a des parents avec lesquels *on ne peut pas communiquer*, quels que soient les efforts que l'on fasse.

Certains parents, au cours de la confrontation, enveniment le conflit à tel point que *la communication devient impossible.* Vous pouvez employer un langage aussi modéré, gentil, clair que possible, leur comportement vous obligera à couper court à la confrontation. Ils déformeront vos paroles et vos intentions, ils mentiront, vous interrompront à tout moment alors qu'ils s'étaient engagés à ne pas le faire, ils accuseront, crieront, casseront le mobilier, jetteront des assiettes et, au mieux, ils vous mettront hors de vous, au pire, ils vous donneront des envies de meurtre. C'est pourquoi, tout comme il est important de repousser vos frayeurs et de faire tous vos efforts pour dire ce que vous voulez à vos parents, *il est important de savoir quand c'est impossible.* Si vous devez interrompre votre confrontation à cause de leur comportement, c'est un échec pour eux, non pour vous.

Une confrontation calme

Il n'y a pas beaucoup de confrontations qui deviennent incontrôlables, même si elles prennent un ton orageux. En fait, beaucoup se dérouleront dans un calme surprenant.

Mélanie – qui passait sa vie à venir en aide à des hommes incapables et qui, enfant, avait écrit cette lettre au courrier du cœur parce qu'elle devait consoler son père dans ses crises de larmes à répétition – choisit d'amener sa mère, Geneviève, à mon cabinet pour sa confrontation (son père était mort entre-temps). Elle commença avec les mots que nous avions répétés ensemble et sa mère accepta de l'écouter jusqu'au bout.

MÉLANIE : *Maman, j'ai besoin de te parler de certaines choses qui remontent à mon enfance et qui me font encore souffrir. Je me rends compte que je me faisais beaucoup de reproches quand j'étais petite…*

GENEVIÈVE *(l'interrompant)* : *Si tu en souffres encore, ma chérie, alors c'est que ta thérapie ne doit pas te faire beaucoup de bien.*

MÉLANIE : *Tu as accepté de m'écouter jusqu'au bout et de ne pas m'interrompre. Nous ne parlons pas de ma thérapie en ce moment, nous parlons de mon enfance. Est-ce que tu te rappelles combien papa était contrarié par mes disputes avec mon frère ? Papa éclatait en sanglots en me disant que ce dernier était si gentil avec moi et que moi j'étais tellement méchante avec lui. Est-ce que tu te rappelles toutes les fois où tu m'envoyais dans la chambre de papa quand il pleurait en me disant qu'il fallait que je lui remonte le moral ? As-tu la moindre idée de ce que tu m'as fait ressentir comme culpabilité en me forçant à m'occuper de papa ? Il fallait que je prenne soin de lui alors que j'aurais dû être une petite fille. Pourquoi n'as-tu pas pris soin de papa ? Pourquoi papa ne prenait-il pas lui-même soin de lui ? Pourquoi était-ce à moi de le faire ? Tu n'étais jamais là, même quand tu étais présente. Je passais plus de temps avec les employées de maison qu'avec toi. Tu te rappelles quand j'ai écrit cette lettre au courrier du cœur ? Ça aussi, tu as choisi de l'ignorer.*

GENEVIÈVE *(calmement)* : *Je ne me rappelle rien de tout cela.*

MÉLANIE : *Maman, tu préfères peut-être ne rien te rappeler, mais, si tu veux m'aider, il faut que tu m'écoutes jusqu'au bout. Ce n'est pas une attaque contre toi, j'essaie seulement de te dire ce que j'éprouve. Bien, alors voici ce que ça me faisait tout ça, au moment où ça se passait. Je me sentais com-*

plètement seule, je me sentais horrible, je me sentais vraiment coupable et complètement dépassée parce que j'essayais d'arranger des choses que je ne pouvais pas arranger. Voilà comment je me sentais. Maintenant, laisse-moi te dire les conséquences de cela sur ma vie. Jusqu'au moment où je me suis mise à travailler sur tout cela, je me sentais très vide. Maintenant je me sens mieux, mais j'ai encore peur des hommes sensibles. Alors je continue à me lier à des hommes froids, sans émotions. J'ai de grandes difficultés à trouver qui je suis, ce que je veux ou ce dont j'ai besoin. Je commence tout juste à le découvrir. Le plus dur de tout, c'est de m'aimer. Chaque fois que j'essaie, j'entends papa me dire quel horrible enfant j'étais.

GENEVIÈVE (se mettant à pleurer): Honnêtement, je ne me rappelle rien de tout cela, mais je suis sûre que, si tu dis que c'est arrivé, ce doit être vrai. Je suppose que j'étais trop obnubilée par mes propres problèmes...

MÉLANIE: Oh non! Maintenant je me sens coupable parce que je t'ai fait de la peine.

Je décidai d'intervenir: « Mélanie, pourquoi ne dites-vous pas à votre mère ce que vous attendez d'elle à présent? »

MÉLANIE: Je veux une relation d'adulte à adulte. Je veux être moi-même avec toi. Je veux pouvoir te dire la vérité. Je veux que tu m'écoutes quand je parle de mes expériences passées. Je veux que tu acceptes de te souvenir et de réfléchir à ce qui est réellement arrivé. Je veux que tu reconnaisses que tu ne t'es pas occupée de moi et que tu ne m'as pas protégée des états d'âme de papa. Je veux que nous commencions à nous dire la vérité.

Geneviève fit de réels efforts pour écouter sa fille jusqu'au bout et pour lui donner raison. Elle montra également une certaine capacité pour communiquer de façon saine et raisonnable. Enfin, elle accepta de faire de son mieux pour satisfaire les vœux de Mélanie, bien qu'on pût clairement voir qu'elle les trouvait un peu exagérés.

Une confrontation explosive

Les parents de Jérôme ne furent pas aussi compréhensifs. Jérôme était cet étudiant en psychologie que son père avait battu. A force d'insistance, Jérôme finit par obtenir que son père alcoolique et sa mère codépendante viennent à mon cabinet. Cela faisait un moment que Jérôme attendait impatiemment cette confrontation – laquelle prit un tour beaucoup plus agité.

Le père de Jérôme, Alain, pénétra dans mon cabinet absolument persuadé qu'il aurait la direction des opérations. C'était un homme corpulent, aux cheveux pâles, la soixantaine bien sonnée ; des années de colère et d'alcoolisme avaient exercé des ravages sur son aspect physique. La mère de Jérôme, Jeanne, était une dame grise – cheveux gris, teint gris, robe grise, personnalité grise. Ses yeux avaient cette expression hagarde que j'ai si souvent vue chez les femmes battues. Elle entra derrière son mari, s'assit, joignit les mains et fixa le sol des yeux.

Une bonne partie de notre première demi-heure se passa à essayer d'établir un climat dans lequel Jérôme pourrait exprimer ce qu'il avait besoin de dire. Son père l'interrompait constamment, criait, jurait – tout pour intimider son fils et le forcer à garder le silence. Quand j'intervenais pour protéger Jérôme, Alain retournait ses insultes contre moi et ma profession. La mère de Jérôme ne parlait pratiquement pas et, quand elle le faisait, c'était pour supplier son mari de se calmer. Ce que je voyais, c'était un condensé de quarante ans de malheur. Jérôme se débrouillait d'une façon surprenante dans ces circonstances presque impossibles. Il parvenait au prix de grands efforts à garder son calme, mais je pouvais voir qu'il bouillait de colère. Alain eut un dernier éclat quand Jérôme mentionna l'alcoolisme de son père :

ALAIN : *Ça va, connard, ça va. Mais pour qui est-ce que tu te prends, bon Dieu ? Le problème avec toi, c'est que je n'ai pas été assez dur. J'aurais dû te faire trimer pour tout ce que tu as eu. Comment oses-tu me traiter d'ivrogne devant quelqu'un qu'on ne connaît pas ? Espèce de fils de pute, tu ne seras satisfait que lorsque tu auras détruit la famille, c'est ça ? Eh bien ! je ne vais pas rester assis à me laisser dire ce que je dois faire par un misérable petit salaud plein d'ingratitude et par sa foutue psy.*

Sur ce, Alain se leva et se dirigea vers la porte. Il franchit le seuil et demanda à Jeanne si elle venait. Jeanne le supplia de rester jusqu'à la fin de la séance. Alain lui dit qu'il serait en bas au café et que, si elle n'était pas là avant un quart d'heure, elle pourrait se débrouiller pour rentrer seule à la maison. Et puis il sortit de la pièce avec un air méprisant.

JEANNE : Je suis tellement désolée. J'ai tellement honte. Il n'est pas vraiment comme cela. C'est seulement parce qu'il est très fier et qu'il ne peut supporter de perdre la face. Il est vraiment plein de qualités…

JÉRÔME : Maman, arrête ! Pour l'amour du ciel, arrête ! Ça, c'est exactement ce que tu as fait pendant toute ma vie. Tu as menti pour lui, tu l'as protégé, tu l'as laissé nous battre tous les deux et tu n'as jamais rien fait pour l'empêcher. Est-ce que tu as pensé à venir à mon secours ? Est-ce que tu as la moindre idée de ce que pouvait éprouver un petit garçon dans une telle maison ? Est-ce que tu as la moindre idée de la terreur dans laquelle je vivais chaque jour ? Pourquoi n'as-tu jamais rien fait ? Pourquoi est-ce que tu ne fais pas quelque chose maintenant ?

JEANNE : Tu as ta propre vie. Pourquoi est-ce que tu ne nous laisses pas tranquilles ?

La confrontation de Jérôme, explosive et frustrante, se solda en fait par un réel succès pour lui. Il finit en effet par admettre que ses parents étaient prisonniers de leurs propres démons et complètement bloqués dans leurs schémas comportementaux toxiques. Il fut enfin capable de renoncer à son espoir insensé qu'ils pourraient changer.

Et ensuite?

Immédiatement après votre confrontation, vous pouvez ressentir un accès soudain d'euphorie pour avoir récupéré votre force et votre courage. Vous pouvez être envahi par le soulagement d'en avoir enfin terminé avec la confrontation, même si les choses ne se sont pas exactement passées comme vous l'espériez. Vous pouvez vous sentir beaucoup plus léger pour avoir exprimé bien des choses que vous gardiez en vous depuis si longtemps. Mais vous pouvez aussi vous sentir gravement perturbé ou déçu. En tout cas, vous continuerez certainement à être angoissé en vous demandant ce qui va suivre.

Mis à part votre réaction première, il faut du temps pour voir l'étendue et la durée des bienfaits de la confrontation. Il vous faudra plusieurs semaines ou même plusieurs mois pour commencer à ressentir toute la force que peut vous avoir procurée la confrontation. Et vous la ressentirez effectivement. En fin de compte, vous n'éprouverez pas les extrêmes de l'euphorie ni de la déception. Au lieu de cela, vous vous sentirez progressivement gagné par une agréable sensation de bien-être et de confiance en vous.

La façon dont votre confrontation se déroule ne vous permet pas nécessairement de préjuger de la suite. Tous les participants ont besoin de temps pour assimiler l'expérience et en tirer leurs propres conclusions.

Par exemple, une confrontation qui paraît se terminer d'une façon positive peut changer du tout au tout une fois que vos parents auront le temps d'y réfléchir. Ils peuvent avoir gardé un calme relatif pendant la confrontation pour mieux lancer leurs récriminations par la suite, vous accusant de créer dans la famille un bouleversement destructeur.

En revanche, j'ai vu des confrontations terminées dans

la colère et le désordre qui finissaient par entraîner des changements positifs dans les relations de mes patients avec leurs parents. Une fois le tumulte initial calmé, le fait que vous ayez ouvert la porte sur le passé peut résulter en une communication plus ouverte, plus honnête entre vos parents et vous-même.

Si un parent réagit avec colère après la confrontation, vous pouvez être très tenté de contre-attaquer. Évitez des déclarations incendiaires comme : « Ça, c'est toi tout craché », ou : « On ne peut jamais rien croire de ce que tu dis. » Il est très important que vous vous en teniez à votre position non défensive, ou bien vous remettrez votre toute nouvelle autorité de nouveau entre les mains de vos parents, et dites plutôt des choses comme : « Je veux bien que nous parlions de ta colère, mais je ne vais pas te laisser crier contre moi ou m'insulter » ; ou encore : « Je reviendrai parler de cela quand tu seras plus calme. »

Si vos parents expriment leur colère en refusant de vous adresser la parole, essayez ce genre de propos : « Je suis d'accord pour parler dès que tu voudras bien arrêter de me punir par ton silence » ; ou bien : « J'ai pris le risque de te dire ce que j'avais sur le cœur. Pourquoi n'en fais-tu pas autant ? »

Une chose est absolument certaine : rien ne sera jamais comme avant. Il est important que vous fassiez attention aux effets à retardement de votre confrontation au cours des semaines, des mois et des années suivantes. Il vous faut garder la tête froide et les yeux grands ouverts pendant que vous effectuez le changement de relations avec vos parents et avec les autres membres de la famille.

Votre tâche est de tenir bon en ce qui concerne votre vision des choses et de ne pas vous laisser repousser dans les anciens schémas réactionnels défensifs, quelle que soit la conduite de vos parents.

En plus de changements spectaculaires dans votre relation avec vos parents, vous devez vous attendre à des changements dans leurs relations entre eux.

Si votre confrontation consiste à révéler un secret familial qu'un parent a dissimulé à l'autre, comme l'inceste, l'impact sur leur relation sera profond. Un parent peut s'allier avec vous contre l'autre. Leur relation peut même être détruite. Si votre confrontation consiste à dire à voix haute le non-dit, ce que tout le monde savait mais n'a jamais voulu reconnaître, comme l'alcoolisme, l'impact sur les relations de vos parents peut ne pas être aussi fort, tout en étant important. Leur relation peut devenir extrêmement chancelante.

Vous serez tenté de vous reprocher les problèmes qui surgiront dans les relations entre vos parents. Vous vous demanderez s'il n'aurait pas mieux valu laisser les choses à leur place.

Quand Charlotte – qui avait renoncé à son voyage à Mexico pour rendre visite à une mère alcoolique, dépendante – souleva la question de l'alcoolisme de sa mère et de la codépendance de son père, les relations de ses parents subirent un grave choc. Quand sa mère commença à s'en sortir, son père s'effondra. Son sentiment de valeur personnelle dépendait largement de sa capacité à jouer le rôle du parent fort et efficace. Quand sa femme cessa de dépendre de lui, son rôle dans la famille perdit sa signification. Leur mariage s'était construit sur un schéma d'interrelation défini qui n'avait plus de sens. Ils ne savaient plus comment communiquer, ils avaient perdu ce qui faisait l'équilibre de leurs relations, ce qui leur était commun. Charlotte éprouvait des sentiments mitigés à propos de cette évolution :

> « *Regardez ce que j'ai déclenché. J'ai mis toute la famille sens dessus dessous*, me dit-elle.
> *– Une minute, vous n'avez rien déclenché. Ce sont eux qui l'ont fait.*

— *Mais, s'ils divorcent, je vais me sentir affreusement malheureuse.*

— *Il n'y a aucune raison pour que vous vous sentiez coupable. Ils cherchent de nouvelles valeurs pour leur relation parce qu'ils ont reçu un nouveau message. Vous n'avez pas inventé ce message, vous l'avez seulement placé en pleine lumière.*

— *Eh bien! ce n'était peut-être pas une si bonne idée. Avant ils ne s'entendaient pas mal.*

— *Non, c'est faux.*

— *Mais ils avaient l'air de ne pas trop mal s'entendre.*

— *C'est faux.* »

Il y eut un long silence. Puis, elle expliqua :

« *Je pense que ce qui me fait si peur c'est d'avoir décidé que je ne veux plus me sacrifier. Je vais les laisser être responsables d'eux-mêmes, pour changer. Et, si ça perturbe tout le monde, alors il faudra bien que je m'arrange de leur malheur.* »

Les parents de Charlotte ne divorcèrent pas, mais leur couple ne retrouva pas la paix pour autant. Cependant, bien qu'ils aient continué à se déchirer, leurs différends ne contaminaient plus la vie de Charlotte. En disant la vérité et en refusant de se retrouver dans une position fusionnelle quand ses parents se mirent à exprimer les conflits qui couvaient depuis longtemps entre eux, elle réussit à gagner pour elle-même une liberté qu'elle n'aurait jamais crue possible.

L'impact sur votre fratrie et sur votre entourage

Bien que ce livre soit consacré avant tout à votre relation avec vos parents, la confrontation ne s'opère pas dans le vide. Vous faites partie d'un système familial, et tous ceux qui y appartiennent seront affectés. Votre relation avec vos parents ne sera plus jamais la même après la confrontation, il en sera de même pour vos rapports avec vos frères et sœurs.

Certains frères ou sœurs ont vécu des expériences semblables à la vôtre et vont confirmer vos souvenirs. D'autres ont vécu les mêmes expériences, mais, en raison de leur relation fusionnelle avec vos parents, ils vont nier ou réduire à peu de chose les abus, même les plus horribles, aussi bien ceux dont vous avez été victime que ceux qu'ils ont subis. D'autres encore peuvent avoir vécu des expériences différentes et n'avoir aucune idée de ce dont vous parlez.

Certains frères et sœurs ressentiront votre confrontation comme une grave menace et peuvent vous en vouloir de perturber l'équilibre précaire de la famille. C'est la façon dont réagit le frère de Carole.

Après que le père de Carole eut reçu sa lettre, il téléphona et lui témoigna un certain soutien inattendu. Il lui dit qu'il n'avait pas les mêmes souvenirs qu'elle au sujet des choses évoquées dans la lettre, mais qu'il lui demandait pardon pour le chagrin qu'il avait pu lui causer. Carole fut profondément touchée et très excitée par la perspective d'une nouvelle relation avec son père. Quelques semaines plus tard, cependant, elle se trouva accablée par une seconde conversation avec lui, au cours de laquelle il nia non seulement ce qu'elle avait écrit, mais encore les excuses qu'il lui avait faites. Et pour ajouter l'insulte au préjudice, le jeune frère de Carole lui téléphona et la traita de tous les noms pour avoir osé « répandre des mensonges écœurants » à propos de leur père. Il lui dit qu'elle avait « l'esprit dérangé » pour accuser leur père de l'avoir maltraitée.

Si vos frères et sœurs réagissent négativement à la confrontation, ils peuvent mettre beaucoup d'énergie à vous dire combien vous avez perturbé la famille. Vous pouvez recevoir des lettres, des appels téléphoniques ou des visites de leur part. Ils peuvent devenir les émissaires de vos parents, délivrer des messages, des supplications, des menaces et des ultimatums. Ils peuvent vous insulter et faire tout leur possible pour vous convaincre que vous avez tort ou que vous êtes dingue ou les deux. Encore une fois, il est essentiel que vous teniez bon quant à votre droit à dire la vérité et que vous utilisiez des réponses non défensives, comme, par exemple :

— *Je veux bien parler de cela avec toi, mais je ne te laisserai pas m'insulter.*

— *Je peux comprendre ton désir de les protéger, mais ce que je dis est vrai.*

— *Je ne fais pas cela pour perturber qui que ce soit, c'est quelque chose que je dois faire pour moi.*

— *Ma relation avec toi compte beaucoup pour moi, mais je ne vais pas sacrifier mes besoins pour la sauvegarder.*

— *Le fait que cela ne te soit pas arrivé ne signifie pas que cela ne me soit pas arrivé.*

Catherine — que son père, un banquier, battait ainsi que sa sœur, et souvent en même temps — était sûre que sa sœur la mépriserait de remettre leur douloureux passé sur le tapis. Néanmoins, Catherine choisit d'en prendre le risque.

« *J'ai toujours éprouvé des sentiments très protecteurs à l'égard de Lucie. Bien souvent, elle prenait plus de coups que moi. Le soir où j'ai envoyé ma lettre à mes parents, je l'ai appelée parce que je voulais qu'elle sache ce que je faisais. Elle m'a dit qu'elle venait immédiatement, qu'il fallait que nous parlions. J'étais sûre qu'elle serait furieuse. J'étais complètement à côté de la plaque. Quand j'ai ouvert la porte, j'ai vu qu'elle avait pleuré. Nous sommes tombées dans les bras l'une de l'autre et sommes restées longtemps comme ça. Nous avons parlé, et pleuré, et nous nous sommes embrassées, et nous avons ri, et encore pleuré. Nous avons tout passé en revue. Lucie se souvenait de certaines choses que j'avais totalement oubliées et elle était vraiment contente d'en parler. Elle me dit que, sans moi, elle aurait pu garder tout ça en elle Dieu sait combien de temps. Elle se sentait tellement plus proche de moi. Elle ne se sentait plus aussi seule avec toutes ces saletés. Elle admirait vraiment mon cran et elle voulait que je sache qu'elle serait de mon côté jusqu'au bout. Quand Lucie a prononcé ces mots, j'étais vraiment émue. »*

Dire la vérité fut pour Catherine et Lucie l'occasion d'enrichir leur relation et de se soutenir efficacement l'une l'autre. La courageuse entreprise de Catherine décida aussi sa sœur à se faire assister pour surmonter la douleur causée par les violences de sa propre enfance.

En fait, la confrontation affecte tous ceux avec lesquels vous avez des liens affectifs, et particulièrement votre partenaire et vos enfants qui sont des victimes indirectes de vos parents toxiques. Après la confrontation, vous aurez besoin de tout l'amour et de tout le soutien possible. N'ayez pas peur de le leur demander. N'ayez pas peur de leur dire que c'est un moment très difficile pour vous. Mais rappelez-vous qu'ils ne ressentiront pas les émotions intenses qui sont les vôtres et qu'ils peuvent ne pas comprendre parfaitement les raisons qui vous ont poussé à agir. Tout cela peut leur poser aussi des problèmes et, s'ils ne vous soutiennent pas comme vous le souhaiteriez, il est important que vous essayiez de leur témoigner une certaine compréhension.

Il se peut que vos parents tentent de persuader d'autres membres de la famille de se ranger de leur côté dans leur campagne insistante pour s'absoudre et faire de vous le coupable. Cela peut concerner des membres de la famille dont vous êtes très proche, comme un grand-père ou une tante particulièrement aimée. Certaines de ces personnes peuvent réagir à la tourmente familiale en adoptant des comportements protecteurs à l'égard de vos parents. D'autres peuvent se placer de votre côté. De même que pour vos parents et vos frères et sœurs, il est important de discuter avec chaque membre de la famille selon ses propres conditions, et de lui rappeler que vous êtes en train de prendre des mesures positives pour votre propre bien-être et qu'on ne devrait pas se sentir obligé de prendre parti.

Vous pouvez même avoir des réflexions tout à fait imprévues de la part de la meilleure amie de votre mère, par exemple, ou de votre pasteur. Rappelez-vous que vous ne devez pas d'explication circonstanciée aux intermédiaires n'appartenant pas à la famille. Si vous préférez éviter les explications, vous pourrez dire par exemple combien vous appréciez cette sollicitude, mais que cela se passe entre vos parents et vous ; que vous comprenez ce désir de vous aider, mais qu'il s'agit d'une chose dont vous ne souhaitez pas discuter. Vous pouvez également leur dire : « Vous prononcez un jugement sur une affaire dont vous ne connaissez pas tous les détails. Quand les choses se seront calmées, je pourrai peut-être vous en parler. »

Parfois un membre de la famille ou un ami proche n'arrive pas à comprendre pourquoi vous avez effectué cette confrontation avec vos parents, et vos rapports avec cette personne peuvent en être altérés. Ce n'est jamais facile ; cela fait partie du prix à payer pour regagner votre santé émotionnelle, et c'est peut-être un des sacrifices qui vous coûteront le plus.

Enfin, la réaction de loin la plus dangereuse à laquelle vous devez vous attendre après la confrontation consiste en une ultime tentative de la part de vos parents pour défaire ce que vous avez fait. Ils peuvent tenter l'impossible pour vous punir. Ils peuvent vous faire des sermons sur votre traîtrise ou bien ne plus vous adresser la parole. Ils peuvent menacer de vous exclure de la famille ou de vous rayer de leur testament. Après tout, vous avez enfreint les règles familiales de silence et de négation. Vous avez détruit le mythe familial. Vous vous êtes défini comme une personne séparée en portant un coup à la fusion fatale dans la folie familiale.

En réalité, c'est comme si vous aviez lancé une véritable bombe atomique ; vous pouvez donc vous attendre à des répercussions. Plus vos parents vont manifester de colère, plus vous serez tenté de renoncer à votre nouvelle force et de rechercher « la paix à n'importe quel prix ». Vous vous demanderez si ce que vous avez gagné dans l'entreprise valait de tout mettre en l'air. Tous vos doutes, toutes vos hésitations et même vos envies de revenir au statu quo sont courantes. Les parents toxiques feront pratiquement tout pour rétablir le confortable équilibre familial auquel ils sont habitués. Ils peuvent exercer une formidable séduction quand ils chantent, telles des sirènes, leurs complaintes de culpabilité, de pitié ou de reproches.

C'est alors que votre système de soutien émotionnel devient particulièrement important. Tout comme le héros grec Ulysse s'était fait attacher par son équipage au mât de son navire – pour pouvoir entendre le chant des sirènes sans succomber à leur attraction irrésistible mais fatale –, votre thérapeute, votre partenaire ou un ami, ou tous ensemble, peuvent vous attacher au mât de la protection émotionnelle. Ils peuvent vous accorder l'affection et les encouragements dont vous avez besoin pour conserver votre confiance en vous et pour vous tenir au choix important que vous avez effectué.

D'après mon expérience, les parents toxiques ne mettent que rarement à exécution leurs menaces de chasser leurs enfants de la famille. Leur relation est trop fusionnelle et ils ont tendance à ne pas supporter les changements définitifs. Cependant, on n'est sûr de rien. J'ai vu des parents qui ont exclu leurs enfants de leur vie, qui ont tenu leurs promesses de les déshériter ou d'arrêter de les aider financièrement, quelle que fût la façon dont ils le faisaient. Il faut être préparé émotionnellement et psychologiquement à toutes sortes de réactions de ce genre.

Ce n'est pas facile de tenir bon tandis que la famille cherche ses repères autour de vous. Faire face aux conséquences de votre nouvelle conduite est peut-être un des actes les plus courageux que vous exigerez de vous-même. Mais c'est aussi l'un des plus gratifiants.

De nouveaux modes de relations

Une fois que les choses commencent à se calmer et qu'il vous devient possible de considérer l'effet de votre confrontation sur vos relations avec vos parents, vous allez découvrir que vous vous trouvez devant trois options.

Première hypothèse : Imaginons que vos parents ont témoigné une certaine compréhension pour vos souffrances et ont même reconnu une petite part de responsabilité dans les conflits qui vous ont opposés. S'ils se montrent disposés à poursuivre le dialogue, à analyser la situation et à partager avec vous ce qu'ils ressentent et ce qui les préoccupe, il y a de bonnes chances pour que vous puissiez bâtir ensemble une relation moins toxique. Vous pouvez devenir le maître de vos parents, les instruire dans l'art subtil de vous traiter en égal et de communiquer avec vous sans critique ni agression. Vous pouvez leur apprendre à exprimer leurs propres sentiments sans crainte. Vous pouvez leur apprendre ce qui vous est agréable et désagréable dans vos relations. Je ne prétendrai pas que c'est le cas le plus fréquent, mais cela arrive effectivement parfois. Vous n'avez aucun moyen de savoir jusqu'où ils peuvent aller si vous ne les soumettez pas au test crucial de la confrontation.

Deuxième hypothèse : Vos parents montrent peu de capacité à changer leur relation avec vous ; ils retournent directement à leurs petites habitudes. Vous pouvez alors décider que la meilleure chose pour vous, c'est de rester en contact avec eux, mais à des conditions bien moins contraignantes. J'ai travaillé avec beaucoup de gens qui ne voulaient pas rompre définitivement avec leurs parents, mais qui ne voulaient pas pour autant revenir au statu quo. Ces personnes choisissaient de prendre du recul ou établissaient avec leurs parents une relation cordiale, mais quelque peu superficielle. Elles cessaient d'exposer leurs sentiments les plus intimes et leurs points faibles ; elles limitaient la conversation à des sujets neutres sur le plan émotionnel. Elles édictaient une nouvelle réglementation pour la nature de leurs rapports avec leurs parents. Cette prise de position moyenne m'a paru bien fonctionner pour beaucoup de mes patients et elle peut marcher également pour vous. Ce n'est pas mal de rester en contact avec des parents toxiques tant que la relation ne s'effectue pas au préjudice de votre santé mentale.

La dernière possibilité, c'est de renoncer carrément à votre relation avec vos parents, pour votre propre sauvegarde. Certains parents mettent un tel acharnement à manifester leur opposition après la confrontation que leur comportement toxique s'aggrave. Si cela vous arrive, vous serez peut-être obligé de choisir entre eux et votre intégrité émotionnelle. Vous vous êtes sacrifié toute votre vie ; c'est le moment de changer.

Il n'y a aucun moyen d'affronter cette troisième option sans éprouver beaucoup de chagrin, mais il y a un moyen de gérer son chagrin : la séparation à l'essai. Faites une pause dans vos relations. Aucun contact pendant au moins trois mois. Cela signifie aucune rencontre, aucun coup de téléphone, aucune lettre. J'appelle cela un moment de « désintoxication » parce que toutes les personnes concernées ont l'occasion de se libérer en partie du poison qui ravage leurs systèmes et d'évaluer l'importance de leur relation pour eux. Ce délai imposé à tout contact peut être pénible, mais il peut aussi constituer un moment de grand progrès. Débarrassé du besoin de consacrer beaucoup de votre énergie aux conflits avec vos parents, vous aurez bien plus de force pour votre propre vie. Une fois que vous aurez pris du recul sur le plan émotionnel, vous en viendrez peut-être, avec vos parents, à découvrir de nouveaux sentiments positifs à l'égard les uns des autres.

Quand le moratoire arrive à son terme, il faut vous rendre compte si vos parents ont relâché leur position. Demandez-leur une entrevue pour en discuter. S'ils n'ont pas changé, vous pouvez essayer un nouveau moratoire ou prendre la décision de rompre définitivement avec eux.

Si vous décidez que cette rupture est la seule façon de préserver votre bien-être, je vous conseille vivement de recourir à l'aide d'un professionnel pour franchir le cap. C'est un moment où l'enfant effrayé en vous a grand besoin d'être rassuré et calme. Un psychothérapeute peut vous aider à prendre soin de cet enfant tout en guidant l'adulte à travers l'angoisse et la douleur de l'adieu. La décision de Jérôme en est une excellente illustration.

Alain, le père de Jérôme, resta furieux longtemps après la confrontation. Il continuait de boire énormément. Au bout de plusieurs semaines, il chargea sa femme, Jeanne, de transmettre un message à Jérôme : si Jérôme voulait revoir son père, il faudrait qu'il lui fasse des excuses. Sa mère téléphonait presque tous les jours, suppliant Jérôme de satisfaire aux exigences de son père afin que, comme elle le disait, « nous puissions de nouveau être une famille ».

Jérôme se rendait compte avec tristesse que les faux-semblants de ses parents continuaient à peser sur sa santé mentale. Il leur écrivit une courte lettre pour leur dire qu'il prenait un congé de trois mois dans leur relation, en espérant qu'ils mettraient ce délai à profit pour revenir sur leurs positions. Il proposait de les revoir au bout des trois mois pour voir s'il y avait encore quelque chose à sauver.

Après avoir envoyé sa lettre, Jérôme me dit qu'il était prêt à accepter l'éventualité d'un adieu définitif :

« *J'avais vraiment espéré être assez fort pour rester en relation avec eux sans être démoli comme ça par leur folie. Mais, maintenant, je sais que c'est trop demander. Et comme j'ai l'impression d'être placé devant un choix entre eux et moi, c'est moi que je choisis. C'est sans doute la chose la plus sensée que j'aie jamais faite, mais comprenez ce qui se passe: pendant un moment, je me sens fier de moi et plein de force et, le moment suivant, j'éprouve comme un grand vide en moi. Bon sang, je ne sais pas si je vais supporter d'être sain et normal. Je veux dire: quel effet ça va me faire?* »

Bien que Jérôme éprouvât de la peine à se séparer de ses parents, la démonstration de sa résolution lui avait apporté un nouveau sens de force intérieure. Il commença à éprouver plus d'assurance en face des femmes, et, en six mois, il établit une relation amoureuse dont il me dit qu'il n'en avait jamais connu de si stable. La perception de sa valeur personnelle continuait à progresser, tout comme sa vie.

Que vous entamiez des négociations avec vos parents pour une meilleure relation, que vous fassiez marche arrière vers une relation plus superficielle ou que vous rompiez toute relation, vous aurez fait un très grand pas pour vous libérer du poids de votre passé. Une fois détruits les vieux schémas rituels avec vos parents, vous serez beaucoup plus ouvert et disponible pour une vraie relation d'amour avec vous-même et avec les autres.

La confrontation avec des parents malades ou âgés

Pour beaucoup de mes patients, la confrontation représente un cruel dilemme quand leurs parents sont très âgés, fragiles ou handicapés. Les enfants se trouvent souvent pris au centre de sentiments fortement conflictuels, opposant pitié et rancune. Certains ressentent vivement l'obligation humaine fondamentale de s'occuper de ses parents en même temps qu'une hypersensibilité envers leurs exigences. « A quoi bon? disent-ils. J'aimerais avoir fait cela il y a des années. Ils ont même perdu la mémoire. » Ou : « Maman aurait une autre crise cardiaque si je la soumettais à cette confrontation. Pourquoi ne pas la laisser aller en paix vers sa fin? » Et pourtant, sans confrontation, ils savent qu'ils auront plus de mal à trouver la paix.

Je ne veux pas minimiser les difficultés, mais le fait qu'un parent soit vieux ou affligé d'une maladie chronique ne signifie pas nécessairement qu'une confrontation soit hors de question. Je conseille à mes patients de consulter le médecin de leurs parents et de discuter avec lui des conséquences d'un stress émotionnel pour déterminer s'il y a un éventuel risque médical important. Si oui, il y a, pour dire la vérité, d'autres possibilités que la confrontation directe, que vous pouvez également utiliser si vous avez choisi de ne pas affronter directement vos parents : vous pouvez écrire des lettres de confrontation sans les poster, vous pouvez lire ces lettres devant la photographie de vos parents, vous pouvez parler à vos frères et sœurs ou à d'autres membres de la famille, ou, si vous suivez une thérapie, vous pouvez effectuer la confrontation dans un jeu de rôle. Je parlerai plus en détail de ces techniques dans la rubrique suivante consacrée à la confrontation avec un parent décédé.

Ces techniques se sont également révélées efficaces pour quelques-uns de mes patients qui s'occupaient à temps plein d'un de leurs parents ou des deux. Si votre parent vit avec vous, s'il est dépendant de vous, les efforts que vous ferez pour avoir des relations plus franches peuvent réduire les tensions entre vous et lui, rendant votre rôle de garde-malade plus facile. Mais il est également possible que la confrontation crée une telle discorde que votre existence devienne insupportable. Si vos arrangements du moment vous interdisent de vous éloigner de vos parents, au cas où une confrontation directe risquerait d'aggraver la situation, vous pouvez avoir recours aux solutions de remplacement.

Jean-François, que nous avons rencontré au chapitre III, évitait de se lier avec une femme parce qu'il était encore en réaction contre sa mère, laquelle ne cessait de le presser de se marier. Après quelques mois de thérapie, il décida qu'il avait beaucoup à dire à sa mère, alors âgée de quatre-vingt-quatre ans. Depuis une crise cardiaque quelques années plus tôt, elle était fragile, mais n'avait pas renoncé pour autant aux lettres et aux coups de téléphone indiscrets. Les visites de Jean-François étaient de douloureuses mascarades.

> *« Je me sens désolé pour elle, pourtant le pouvoir qu'elle conserve sur moi me rend vraiment furieux. Mais j'ai peur que la moindre remarque ne la tue, et je ne veux pas avoir ça sur la conscience. Alors je fais mon numéro de bon garçon. Pourquoi est-ce que je n'ai pas pu lui parler il y a quinze ou vingt ans, quand elle était plus résistante ? J'aurais pu m'éviter bien des souffrances. »*

Je rappelai à Jean-François que la confrontation ne signifiait pas qu'on détruisait l'autre. Si nous trouvions un moyen pour qu'il exprime à sa mère certains de ses sentiments de colère, certaines de ses souffrances, d'une façon contrôlée, sans violence, il verrait qu'il est plus facile de trouver la paix en affrontant la vérité qu'en l'évitant. Je ne voulais pas le pousser dans une entreprise qui pourrait lui laisser des souvenirs insupportables, mais il y avait des chances pour qu'un honnête échange avec sa mère enrichisse la qualité de leurs relations.

Je lui parlai de travaux en cours avec des parents malades et mourants et leurs enfants ; ils indiquaient qu'une analyse honnête de la relation ne fait pas de mal aux parents et que, de plus, elle procure souvent un sentiment d'accomplissement et de confort à tous ceux qui sont concernés.

L'autre solution pour Jean-François était d'ignorer ses sentiments et de prétendre qu'il n'y avait pas de problème. Je lui dis qu'à mon avis ce serait un terrible gâchis pour le temps qui leur restait à passer ensemble.

Jean-François fut plusieurs semaines à se débattre en plein dilemme. A ma demande insistante, il parla au médecin de sa mère qui lui assura que la condition physique de celle-ci était bonne.

« J'envoyai la balle en lui demandant si elle avait la moindre idée de ce que je pensais de notre relation. Elle dit qu'elle se demandait pourquoi je semblais toujours tellement irritable en sa présence. Sa réponse m'ouvrit la porte pour que je puisse lui parler tranquillement, lui dire combien son besoin de tout diriger avait pesé sur ma vie. Nous avons discuté pendant des heures. Je lui ai dit des choses que je ne me serais pas cru capable de lui dire. Elle s'est mise sur la défensive... elle a manifesté de la peine... elle a beaucoup nié... mais certaines choses l'ont atteinte. Une ou deux fois ses yeux se sont remplis de larmes et elle a pressé ma main. Cela a été pour moi un soulagement incroyable. Je redoutais toujours de la voir, mais ce n'est qu'une petite vieille dame fragile. Je n'arrive pas à croire que j'aie pu avoir si longtemps peur de me confier à elle. »

Jean-François, pour la première fois de sa vie, avait réussi à être honnête, et à être lui-même avec sa mère ; il avait changé effectivement le ton de leur relation. Il avait le sentiment de s'être enfin débarrassé d'un lourd fardeau. Il pouvait désormais voir sa mère au présent au lieu d'être influencé par les souvenirs et les craintes. Il pouvait à présent réagir en fonction de ce qu'elle était, très différente de la mère autoritaire, écrasante, que le petit garçon en lui se remémorait.

La confrontation de Jean-François avec sa mère donna quelques résultats positifs – mais ce n'est pas toujours le cas. L'âge ou la maladie ne rendent pas nécessairement les parents toxiques plus aptes à accepter la vérité. Certains peuvent s'adoucir au cours de leurs dernières années, et le fait de se trouver face à leur propre condition de mortels peut les rendre plus réceptifs et les porter à accepter une certaine responsabilité pour leur conduite. Mais d'autres s'enfonceront dans leur négation, leurs abus et leur fureur en sentant que la vie leur échappe. Leurs agressions sont souvent le seul moyen qu'ils connaissent pour repousser leur dépression et leur panique. Ces parents peuvent emporter leur fureur et leur méchanceté jusque dans leur tombe, sans vous manifester jamais le moindre remords. Cela ne fait rien. Ce qui importe c'est que vous ayez dit ce qui doit être dit.

La confrontation avec un parent décédé

Il est extrêmement frustrant d'avoir travaillé dur pour en arriver au point de la confrontation alors qu'un de vos parents, ou les deux, sont morts. Si surprenant que cela paraisse, il y a plusieurs façons d'effectuer une confrontation, même si vos parents ne peuvent être présents en personne.

Une méthode que j'ai inventée et qui s'est révélée très efficace, c'est d'écrire une lettre de confrontation et de la lire tout haut sur la tombe de votre parent. Cela vous donnera vraiment l'impression de parler avec votre parent, d'être enfin capable d'exprimer les choses que vous avez si longtemps contenues en vous-même. Au fil des ans, j'ai reçu des témoignages très positifs, à la fois de mes patients et d'auditeurs de mes émissions radiophoniques, sur le résultat de ces confrontations devant la tombe.

S'il n'est pas facile pour vous d'aller sur la tombe de votre parent, lisez la lettre devant une photographie le représentant, devant une chaise vide, ou en vous adressant à quelqu'un qui fait partie de votre système de soutien, disposé à prendre la place de votre parent.

Vous avez une autre option : vous pouvez parler à un membre de votre famille, appartenant de préférence à la même génération que votre parent décédé. Racontez à cette personne (si possible un proche parent par le sang) ce que vous avez vécu avec vos parents. Vous n'avez pas besoin de lui demander de prendre la responsabilité de ce qu'ont fait vos parents, mais c'est extrêmement apaisant de pouvoir dire la vérité à une tante ou à un oncle.

Il se peut qu'ils réagissent négativement, comme vos parents l'auraient fait s'ils avaient été encore en vie. Votre oncle, tante ou autre, peut refuser de vous croire, nier, se mettre en colère ou se montrer blessé. Dans ce cas, vous devriez faire exactement ce que vous auriez fait avec votre parent : ne pas réagir impulsivement, vous en tenir aux réponses non défensives. C'est une occasion parfaite qui vous aidera à mieux comprendre que la responsabilité du changement vous incombe à vous et non à eux.

D'autre part, ce membre de la famille peut vous offrir une reconnaissance des faits à laquelle vous ne vous attendez pas, et même des excuses au nom de vos parents. C'est ce qui arriva à Claire – dont la vie était contrôlée par l'argent et les humeurs imprévisibles de son père. Bien que son père fût décédé depuis plus de cinq ans, elle ressentait le besoin d'avoir une confrontation avec un membre de la famille. Elle choisit la jeune sœur de son père, Suzanne, qu'elle invita à déjeuner.

Au cours de la séance qui suivit l'entrevue, je vis que Claire était tout à fait ravie des résultats qu'elle avait obtenus.

« Vous savez, tout le monde était toujours à plat ventre devant mon père. C'était la vedette de la famille, et Suzanne se comportait toujours avec adoration face à lui. Alors vous pouvez imaginer combien c'était difficile de lui dire qu'avec moi il avait été un véritable salaud. Mais, quand je le lui ai

dit, elle a eu une réaction absolument insensée. Elle m'a répondu qu'elle avait toujours eu peur de mon père, qu'il était très méchant avec elle quand ils étaient enfants et qu'elle n'était pas du tout surprise par ce que je lui racontais. Elle m'a appris – et c'était la meilleure – qu'environ huit ans auparavant elle lui avait offert une chemise brune pour son anniversaire, vous savez, comme celles que les nazis portaient. Elle voulait coudre une croix gammée dessus, mais elle avait trouvé que c'était exagéré. Nous avons ri, pleuré, c'était merveilleux. Les gens au restaurant ont dû penser que nous étions folles. »

Quand Suzanne s'ouvrit à Claire, elle disait en réalité : « Je comprends ce que tu ressens et je sais que tout est vrai. » Claire découvrit qu'en renvoyant la responsabilité sur la génération dont elle était issue, elle avait réussi à se débarrasser d'une grande partie de la culpabilité et de l'angoisse qu'elle avait accumulées à propos du véritable comportement de son père vis-à-vis d'elle.

Je reconnais que ce procédé peut paraître peu charitable, étant donné que, dans la majorité des cas, ces membres de la famille ne sont pas responsables de vos expériences négatives. Mais il faut peser le pour et le contre. L'utilisation d'un membre de la famille comme substitut de père ou de mère vous permettant de guérir de blessures mentales et émotionnelles autodestructrices, cela vaut certainement la peine d'exposer cette personne à une conversation éventuellement désagréable pouvant lui causer une contrariété passagère.

La confrontation est le moment critique dans le voyage vers l'autonomie : *quoi qu'il puisse arriver pendant ou après une confrontation, c'est vous qui sortez gagnant, parce que vous avez eu le courage de l'entreprendre.*

Même si vous n'êtes pas rentré chez vous avec un trophée, même si vous n'avez rien dit de ce que vous aviez préparé, même si vous vous êtes comporté de façon défensive et que vous avez fini par vous justifier, même si vos parents se sont levés, qu'ils vous ont laissé en plan... vous l'avez quand même fait. Vous avez raconté la vérité sur votre vie, à vous-même et à vos parents, et la peur qui vous maintenait prisonnier dans le rôle que vous avez toujours joué en leur présence ne peut plus vous dominer.

14

Guérir de la blessure de l'inceste

L'aide d'un professionnel est un impératif pour les adultes qui ont été victimes d'abus sexuels au cours de leur enfance. D'après l'expérience que j'en ai, l'inceste, malgré la profondeur des dommages qu'il entraîne, est, de tous les abus, celui que la psychothérapie guérit le plus manifestement et le plus complètement.

Au cours de ce chapitre, je vais vous exposer les divers traitements que j'ai perfectionnés au fur et à mesure de mon travail avec plus de mille victimes d'inceste. Je vous les expose parce que je veux que vous voyiez qu'il y a beaucoup d'espoir pour vous et que votre guérison peut être réelle. Cependant, il n'est pas souhaitable que vous entrepreniez ce travail seul.

Si vous suivez actuellement une thérapie, je vous suggère d'encourager votre thérapeute à faire ce travail avec vous. Ce traitement particulier a un début, un milieu et une fin. L'itinéraire est spécifique et clairement indiqué. Si vous le suivez, vous retrouverez votre dignité et le respect de vous-même.

Je sais que certains thérapeutes et certains patients préfèrent le terme de « rescapé de l'inceste » à « victime de l'inceste », et c'est très bien. Mais, pour moi, « victime de l'inceste » correspond plus exactement à l'expérience de l'individu. Je suis, bien sûr, sensible à cette tentative sémantique pour adoucir la souffrance, tant qu'on n'utilise pas le mot « rescapé » pour nier qu'il y ait beaucoup de travail à accomplir.

Nécessité d'une psychothérapie?

Si vous avez été violenté pendant votre enfance, tout vous paraîtra correspondre à votre cas:

• Vous avez, profondément ancrés en vous, des sentiments d'indignité, de culpabilité et de honte.

• Vous êtes facilement utilisé et exploité par les autres.

• Vous croyez que tout le monde est plus important que vous.

• Vous croyez que la seule façon d'être aimé, c'est de pourvoir aux besoins des autres aux dépens des vôtres.

• Vous avez beaucoup de mal à fixer des limites, à exprimer votre colère, à dire non.

• Vous introduisez dans votre vie des gens cruels ou abusifs, en étant convaincu que vous pouvez les amener à vous aimer ou à être gentils avec vous.

• Vous avez de la difficulté à faire confiance, et vous vous attendez à ce qu'on vous fasse du mal ou qu'on vous trahisse.

• Vous êtes mal à l'aise avec le sexe ou votre sexualité. Vous avez appris à faire comme si tout allait bien quand ce n'est pas le cas.

• Vous ne croyez pas que vous méritiez le succès, le bonheur ou une bonne relation.

• Vous avez des difficultés à être enjoué ou spontané.

• Vous avez l'impression de ne jamais avoir eu d'enfance.

• Vous vous sentez souvent furieux contre votre propre enfant – ou vos propres enfants – et vous leur en voulez d'être plus favorisés que vous.

• Vous vous demandez ce que ça fait d'être normal.

Ces schémas de persécution commencent tôt. Ils sont tenaces et difficiles à briser par vous-même, mais une psychothérapie peut réussir à en débarrasser votre vie.

Le choix du thérapeute. Il est important de vous mettre à la recherche d'un thérapeute spécialement formé ou expérimenté dans le travail avec les victimes d'inceste. Beaucoup de thérapeutes ne sont pas compétents dans ce domaine très spécialisé et quasiment personne n'apprend quoi que ce soit sur l'inceste durant ses études. Questionnez chacun des éventuels thérapeutes sur sa formation spécifique et sur son expérience. Si lui ou elle n'a pas travaillé auparavant avec des victimes d'inceste, ou n'a pas suivi d'atelier, de séminaire, de conférence ou de cours sur les traitements de l'inceste, je vous suggère de trouver quelqu'un d'autre.

Ceux qui sont entraînés aux dynamiques familiales et qui utilisent des techniques orientées vers l'action, comme les jeux de rôle, sont plus indiqués pour des victimes d'inceste. Les psychiatres de tendance strictement freudienne sont moins adaptés actuellement, parce que Freud est en grande partie revenu sur ses positions premières (et exactes) quant à la fréquence et aux ravages de l'inceste ; en conséquence, beaucoup de psychiatres et de psychanalystes ont encore trop tendance à accueillir les récits d'abus sexuels de leurs patients avec scepticisme ou incrédulité.

Au cours des dix dernières années, beaucoup de groupes d'aide aux victimes d'inceste ont été spontanément formés dans tous les États-Unis. Bien que ces groupes offrent effectivement un certain soutien et donnent à beaucoup de victimes le sentiment de faire partie d'une communauté, il leur manque les conseils d'un thérapeute entraîné pour donner à leur travail une structure et un sens. Un groupe de soutien autonome vaut mieux que rien, mais il est nettement plus profitable de se joindre à un groupe animé par un professionnel.

La meilleure façon de travailler à surmonter l'expérience incestueuse est de se joindre à un groupe constitué de victimes, comme vous, et dirigé par un thérapeute expérimenté et à l'aise avec ce problème.

Un des symptômes les plus fréquemment liés à l'inceste est en effet un sentiment d'isolement total. Mais, quand vous vous trouvez au milieu de gens qui parlent de sentiments et d'expériences semblables aux vôtres, l'isolement commence à diminuer. Les membres du groupe vous nourrissent de leur témoignage et vous soutiennent. Ils disent, en substance : « Nous savons ce que cela fait, nous vous croyons, nous souffrons pour vous, nous nous intéressons à vous, nous voulons que vous vous sentiez le mieux possible. »

Il y a très peu de gens qui ne s'épanouissent pas dans le groupe, même si la plupart ont des appréhensions au début. Vous vous sentirez probablement tendu et intimidé de parler de « cela » devant d'autres gens, mais ces sentiments ne durent habituellement pas plus de quelques minutes.

Un petit nombre de victimes d'inceste sont trop fragiles émotionnellement pour supporter l'intensité qui règne dans le groupe. Pour elles, la thérapie individuelle est la solution.

Je mélange toujours les hommes et les femmes dans les groupes : le sexe peut être différent, les sentiments et les traumatismes sont semblables.

Les groupes de thérapie de l'inceste dans mon centre de traitement sont ouverts. Cela signifie qu'un nouveau membre peut y entrer à n'importe quel moment. Cela signifie aussi que quelqu'un qui commence juste le travail va se trouver avec des gens à différents stades d'avancement. C'est particulièrement encourageant pour un nouveau membre de voir quelqu'un arriver au terme du travail et être prêt à laisser derrière lui l'expérience de l'inceste.

Quand un nouveau patient arrive dans le groupe, nous

commençons la session avec un exercice d'initiation au cours duquel chaque membre raconte son expérience : avec qui, ce que cela comportait, quand ça a commencé, combien de temps ça a duré et qui d'autre était au courant. Le nouveau passe en dernier.

Cette initiation aide à briser la glace et à vous permettre de vous joindre activement au groupe. Vous vous surprendrez à parler de votre expérience en détail peut-être pour la première fois. Vous verrez que vous n'êtes pas seul, que d'autres ont vécu des traumatismes similaires aux vôtres.

Votre initiation est aussi l'occasion de poursuivre le processus de désensibilisation au traumatisme entamé avec les autres membres du groupe. Chaque fois qu'un nouveau membre est initié, les membres du groupe doivent répéter ce qui est resté tu si longtemps. Plus souvent cela arrive, moins chaque participant ressent de honte et de culpabilité. L'expérience de la première fois est très difficile pour tous les nouveaux. Il y a beaucoup de gêne, beaucoup de larmes. A la troisième ou quatrième fois, il devient plus facile de parler de ses expériences et la gêne diminue de façon notoire. Quand quelqu'un en est arrivé à raconter son histoire dix ou douze fois, ce n'est alors pas plus difficile que de parler de n'importe quel autre malheur personnel.

Les étapes du traitement

Au cours du traitement, les victimes de l'inceste passent par trois étapes fondamentales : l'indignation, la souffrance et la libération.

L'indignation, c'est la colère profonde qui naît des sentiments d'avoir été violé et trahi dans son moi le plus intime. C'est la première partie essentielle de ce travail et c'est la plus difficile.

La plupart des adultes qui ont été violentés au cours de

leur enfance ont eu largement l'occasion de se sentir tristes, seuls et méchants. La souffrance leur est familière, pas l'indignation. En conséquence, ils essaient souvent d'esquiver leur indignation et de passer à la souffrance le plus rapidement possible. C'est une erreur. L'indignation doit absolument précéder la souffrance. Naturellement, il est impossible de garder séparés des sentiments intenses – il y a de la souffrance dans l'indignation et de l'indignation dans la souffrance – mais, pour la bonne conduite de ce travail, ce sont des étapes distinctes.

Afin de bien mettre la responsabilité à sa place, vous devez reconnaître votre indignation et apprendre, dans le cadre sécurisant de la thérapie, à l'extérioriser.

Pour beaucoup, c'est plus facile à dire qu'à faire. Vous avez passé des années à tenir le couvercle fermé. Il se peut que vous ayez réprimé votre indignation avec tant d'efficacité que vous soyez devenu un perfectionniste soumis, plein d'abnégation. C'est comme si vous aviez dit: « Je suis intact et je peux le prouver en étant parfait. Je sacrifie tout pour les autres, je ne me fâche pas, et je fais ce qu'on me dit. » Libérer votre indignation, c'est comme libérer un volcan. L'éruption consécutive peut paraître vous submerger.

Si vous avez repoussé votre rage complètement au-delà de votre champ de conscience, vous êtes particulièrement vulnérable aux symptômes physiques ou émotionnels, tels que les maux de tête ou la dépression.

Pour d'autres, le problème n'est pas d'entrer en contact avec leur indignation, c'est de la contrôler. Peut-être bouillez-vous de colère envers tout votre entourage à l'exception de ceux contre lesquels vous êtes vraiment furieux: vos parents. Vous pouvez avoir tendance à chercher querelle à tout le monde, déplaçant votre indignation de vos parents vers le premier qui se présente. Vous pouvez agir de façon si brutale et agressive que vous faites peur et qu'on vous évite.

Les techniques que je vous exposerai plus loin dans ce chapitre vous permettront d'extérioriser votre indignation avec maîtrise, d'éviter de perdre votre contrôle et d'ouvrir la valve pour laisser s'échapper votre indignation.

Au cours du processus de guérison, vous allez pleurer activement de nombreuses pertes : perte du rêve de la « bonne famille », de l'innocence, de l'amour de l'enfance, des années qui auraient pu être heureuses et fertiles. La douleur peut vous submerger. Votre thérapeute doit avoir assez de courage et d'expérience pour vous conduire jusqu'au terme de cette épreuve. Comme pour tout chagrin, il n'y a pas de chemins de traverse qui soient plus aisés, pas de raccourcis.

A ces phases d'expression de l'indignation, puis de la douleur, succèdent la libération et le retour des forces. Au cours de la dernière étape du traitement, une fois épuisées votre indignation et votre souffrance, vous apprendrez à retrouver l'énergie jusqu'alors gaspillée pour l'utiliser à reconstruire votre vie et remodeler l'image que vous avez de vous. A ce stade, beaucoup de vos symptômes auront notablement diminué, ou bien vous serez capable de les assumer. Vous ressentirez une nouvelle dignité, une nouvelle impression d'avoir de la valeur, de mériter qu'on vous aime. Vous vous trouverez pour la première fois de votre vie devant une nouvelle possibilité : ne plus vous sentir comme une victime, ne plus vous comporter comme telle.

Les techniques de traitement

Les deux techniques que j'utilise avant tout pour traiter mes patients sont l'écriture de lettres et le jeu de rôles. Peuvent y être associés un certain nombre d'exercices qui se sont révélés particulièrement salutaires pour les victimes d'inceste et autres adultes élevés par des parents toxiques. Ces techniques peuvent être utilisées à la fois en thérapie de groupe et en thérapie individuelle. Étant donné que seul un petit pourcentage des thérapies consacrées à l'inceste, dans mes centres de traitement, est effectué de façon individuelle, j'ai choisi des exemples dans les séances de groupe.

Je demande à chaque membre du groupe d'écrire une lettre par semaine, surtout au début. Ils écrivent ces lettres chez eux et les lisent à voix haute devant le groupe. Bien qu'on ne demande à personne de poster ces lettres, beaucoup de participants décident de le faire, spécialement quand ils se sentent plus forts. Je demande à mes patients d'écrire dans l'ordre suivant :

- une lettre à l'agresseur (ou aux agresseurs)
- une lettre à l'autre parent (à supposer que l'agresseur fût un parent ; les adultes violentés par un membre de la famille autre que leurs parents doivent écrire d'abord à l'agresseur, et ensuite à chacun des parents)
- une lettre à l'enfant blessé qui se trouve dans l'adulte
- un « conte » à propos de leur vie
- une lettre à leur partenaire ou à celui qui les aime (s'il existe)
- une lettre à chacun de leurs enfants.

Après qu'ils ont terminé cette série de lettres, je demande aux membres des groupes de recommencer. De cette façon, les lettres deviennent non seulement de puissants instruments de guérison, mais des baromètres indiquant les progrès accomplis. Une lettre écrite au cours des premières semaines de thérapie sera très différente, à la fois dans son ton et dans son contenu, d'une lettre écrite trois ou quatre mois plus tard.

Dans la première lettre – à l'agresseur – il est important que vous puissiez tout exprimer, que vous soyez aussi indigné que vous le ressentez. Utilisez aussi souvent que possible ce genre d'expressions : « Comment as-tu osé… », et « Comment as-tu pu… », avec une indignation qui facilitera votre prise de conscience.

Quand j'ai rencontré pour la première fois Jeanine, une douce petite blonde de trente-six ans, elle élevait rarement la voix au-dessus du murmure. Son père l'avait violentée de sept à onze ans – mais Jeanine s'accrochait toujours à l'espoir qu'elle trouverait une façon de gagner son amour. Elle était particulièrement récalcitrante à admettre qu'elle bouillait de rage intérieure contre lui. Elle pleura pendant son initiation et fut visiblement gênée quand je lui demandai d'écrire une lettre à son père. Je l'encourageai à se servir de sa lettre pour s'indigner de la façon dont son père l'avait blessée et trahie. Je lui rappelai qu'elle n'avait pas besoin de montrer cette lettre à son père.

A partir du travail que nous avions effectué ensemble, je m'attendais à ce que sa première lettre fût hésitante, pleine d'aspirations et de rêves. J'allais au-devant d'une surprise de taille :

Cher papa,
Tu ne m'es pas vraiment « cher » et tu n'as été mon père que parce que, une nuit, tu as envoyé ton sperme dans le ventre de maman. Je te hais, tu me fais pitié. Comment as-tu osé violer ta propre petite fille ?
Où sont tes excuses, papa ? Où est ma virginité ? Où est mon estime de moi ?
Je n'ai rien fait pour que tu me détestes. Je n'ai pas essayé de t'allumer. Est-ce que les petites filles sont plus serrées, c'est ça ? Est-ce que les petits seins naissants te font ban-

der, salaud ? J'aurais dû cracher sur toi. Je me déteste de n'avoir pas eu le courage de me battre contre toi. Comment as-tu osé faire usage de ton pouvoir de père pour me violer ? Comment as-tu osé me faire du mal ? Comment as-tu osé garder le silence ? Quand j'étais toute petite, tu m'emmenais au bord de l'océan, tu me tenais la main et nous marchions dans les vagues, tu te rappelles ? J'avais les mêmes yeux bleus que toi, je te faisais confiance. Je voulais tellement que tu me respectes. Je voulais que tu sois fier de moi. Pour moi, tu étais davantage qu'une brute, mais tu t'en moquais, n'est-ce pas ? Je ne vais pas continuer à prétendre que rien n'est arrivé. Cette chose est arrivée, papa, et ce souvenir est toujours vivant en moi.

Jeanine.

La lettre de Jeanine fit surgir plus de sentiments que n'auraient pu le faire des heures d'entretien. Elle était terrifiée par l'intensité de ses émotions, mais rassurée de savoir qu'elle avait un endroit où les explorer et où les exprimer en toute sécurité pour la première fois.

Coralie – la rousse qui s'occupait de crédits, violentée dès la prime enfance par son père et qui avait par la suite manifesté son dégoût d'elle-même en couchant avec des centaines d'hommes – s'était jointe au même groupe quelques mois avant Jeanine. Coralie faisait preuve d'un caractère emporté et se comportait d'une façon agressive, coléreuse. Je l'appelais mon « dur de dur », mais je savais comme elle se sentait petite et vulnérable en réalité. Dans sa première lettre à son père, elle jeta ses sentiments au petit bonheur à travers la page, sans limite, sans forme. Mais, quand Coralie lut sa deuxième lettre, il était clair que ses sentiments et ses idées avaient gagné en organisation et en précision :

Cher papa,
Toute une vie s'est écoulée depuis que j'ai écrit ma dernière lettre pour le groupe de Susan. Tant de choses ont changé. Quand j'ai commencé, tu étais encore un ogre

terrifiant et d'une certaine façon j'étais devenue comme toi. L'inceste c'était déjà assez pénible, mais il m'avait fallu vivre avec ta violence et tes menaces incessantes. Tu étais une brute et un tyran. Comment as-tu osé me priver de mon enfance ? Comment as-tu osé ruiner ma vie ?

Je commence enfin à recoller les morceaux. Tu étais un homme très perturbé, très malade. Tu t'es servi de moi de toutes les façons dont un homme peut utiliser une personne. Tu m'as obligée à t'aimer d'une manière que nul père n'a le droit d'imposer à sa fille et je n'avais pas la force de t'arrêter. Je ne me sens pas normale, je me sens sale. J'ai passé des moments si terribles, et je me suis conduite avec une telle volonté d'autodestruction, que le moindre changement ne peut être qu'un progrès.

Je ne peux pas résoudre tes problèmes ou les problèmes de maman, mais je peux résoudre les miens. Et, si au cours du processus l'un d'entre vous ou tous les deux vous souffrez, il n'y a rien que je puisse faire à cela. Ce n'est pas moi qui ai demandé à être violentée.

Coralie.

Le fait d'exprimer son indignation permit à Coralie d'abandonner une grande part du dégoût et de la haine qu'elle éprouvait envers elle-même. Plus elle recommençait, plus résolument elle s'engageait sur la voie du progrès et de la guérison.

Après avoir écrit votre lettre à votre agresseur, vous écrirez à votre autre parent, le partenaire silencieux. La plupart du temps il s'agit de la mère. Si vous pensez que votre mère ne savait rien de l'inceste, cette lettre peut être la première occasion de lui raconter, en toutes lettres, ces expériences.

Si vous pensez que votre mère était au courant de l'inceste, ou si vous lui en avez parlé au moment où ça se passait, il y a encore une énorme part d'indignation que vous avez besoin de lui exprimer : indignation pour son manque de protection, pour son incrédulité ou ses reproches, pour avoir été sacrifié comme un agneau rituel pour préserver un mariage destructeur et une famille destructrice, et indignation pour avoir été considéré par votre mère comme moins important que son besoin de sécurité financière ou son désir de maintenir le statu quo.

La lettre que Coralie écrivit offre un exemple poignant de l'extrême ambivalence ressentie par la plupart des victimes d'inceste envers leur mère. La lettre commençait par un récapitulatif des abus sexuels qu'elle avait subis de la part de son père. Elle passait ensuite au point de vue qu'elle avait sur le rôle de sa mère dans ce drame familial :

> [...] J'estime que toi aussi tu m'as trahie. Les mères sont supposées protéger les petites filles, mais tu ne l'as pas fait. Tu n'as pas pris soin de moi et à cause de cela il m'a fait du mal.
>
> Tu ne voulais rien voir ? Ou tu ne t'intéressais pas suffisamment à moi pour voir ? Je suis tellement en colère contre toi à cause de toutes ces années de solitude et de frayeurs. Tu m'as abandonnée. C'était tellement, tellement important pour toi d'avoir la paix avec lui que tu m'as sacrifiée à lui. Ça me faisait si mal de savoir que je n'étais pas assez importante pour être protégée. Ça me faisait si mal que j'ai fait taire ma douleur. Je suis incapable de ressentir les choses comme une personne normale. Mes parents ne m'ont pas seulement volé mon enfance, ils m'ont aussi volé mes émotions. Je te hais et je t'aime tellement que je ne sais vraiment pas où j'en suis. Pourquoi n'as-tu pas pris soin de moi, maman ? Pourquoi ne m'as-tu pas aimée tout simplement ? Qu'est-ce qui n'allait pas en moi ? Est-ce que j'obtiendrai jamais une réponse ?

Coralie exprime avec éloquence la confusion éprouvée par toutes les victimes d'inceste quant à la raison qui a empêché leur mère de les protéger. Comme elle l'a dit une fois : « Même les animaux protègent leurs petits. »

A beaucoup d'égards, la lettre à l'enfant blessé que vous portez en vous peut être la plus difficile à écrire, mais elle peut aussi être la plus importante. Cette lettre met en route le processus destiné à vous redonner à vous-même un substitut parental.

Vous redonner à vous-même un substitut parental, cela signifie creuser profondément en vous pour trouver un parent valorisant pour l'enfant qui souffre encore en vous. C'est le parent qui, à travers cette lettre, console, rassure et protège cette partie de vous-même restée vulnérable et pleine de frayeur.

Beaucoup d'entre vous, victimes d'abus sexuels au cours de leur enfance, sont devenus étrangers à leur enfant intérieur. Votre honte s'est transformée en mépris et en dégoût pour cet enfant sans défense, « corrompu ». Pour vous défendre contre ces sentiments extrêmement douloureux, vous avez peut-être essayé de renier cet enfant, mais cet enfant en vous, vous pouvez seulement le cacher, et non l'abandonner.

Dans cette lettre, il s'agit que vous preniez cet enfant et que vous le réintégriez dans votre personnalité. Soyez un parent aimant. Donnez à cet enfant l'affection et le soutien que vous n'avez jamais eus. Faites en sorte que cet enfant se sente aimé et valorisé pour la première fois. Daniel – l'ingénieur victime d'abus sexuels de la part de son père pendant toute son enfance et son adolescence – avait longtemps ressenti du dégoût pour le petit garçon qu'il était jadis, le petit garçon trop faible pour résister à son père. Sa lettre à ce petit garçon montre de quelle façon spectaculaire les sentiments ont changé après seulement quelques séances de groupe :

Cher petit Daniel,
Tu étais un magnifique enfant, un innocent. Tu étais tout amour. Dorénavant je vais prendre soin de toi. Tu étais doué et créatif. Je vais te donner la possibilité de t'exprimer. Tu es en sécurité à présent. Tu peux aimer et t'ouvrir à l'amour. Tu ne seras pas blessé. Tu es capable de voir clair maintenant. Je vais prendre soin de nous. Je vais

nous réunir. Nous avons toujours été séparés, jouant des rôles différents, pour nous en sortir. Tu n'es pas fou. Tu étais effrayé. Il ne peut plus te faire de mal. J'ai cessé de prendre l'alcool et les drogues qui dissimulaient ta colère, ta rage, ta tristesse, ta dépression, ta culpabilité et ton angoisse. Tu peux laisser surgir ces sentiments à présent. J'ai cessé de nous punir, comme il le faisait. Je me suis tourné vers Dieu. Nous avons de la valeur. J'ai de la valeur. Le monde que nous avions construit n'existe plus. Nous nous réveillons. Ça fait encore mal, mais pas autant. Et enfin c'est réel.

Daniel.

Cette lettre servit à Daniel non seulement pour communiquer avec l'enfant en lui, mais pour se persuader que sa décision de renoncer à l'alcool et aux drogues était un pas vers l'affirmation de lui-même. Il comprit pour la première fois en écrivant cette lettre qu'il y avait une relation entre sa conduite autodestructrice et les souffrances de son enfance.

Après ces trois lettres, il est prévu que vous écriviez une histoire décrivant votre vie avec le langage et les images d'un conte de fées. Vous vous donnerez le rôle de la petite princesse ou du gentil jeune prince qui vivait au milieu de méchants rois, ou de monstres repoussants ou de dragons dans des forêts sombres ou des châteaux en ruine. Vous évoquerez l'inceste comme la peste noire, ou l'orage, ou la fin de la joie, ou toute autre invention de votre imagination.

Le conte de fées est le premier devoir que vous écrirez à la troisième personne ; au lieu d'utiliser le point de vue du sujet, « je », vous parlerez d'« il » ou d'« elle ». Cela vous aidera à regarder votre monde intérieur d'une perspective nouvelle, plus objective, en plaçant une certaine distance entre vous et vos traumatismes d'enfant. En se référant à la petite fille par « elle » au lieu de « moi », la douleur aiguë provoquée par vos expériences va commencer à diminuer. Quand vous ranimerez vos sentiments par le biais des symboles, vous aurez la possibilité de les aborder à un niveau que vous n'avez jamais atteint auparavant, et vous en tirerez une compréhension nouvelle et plus claire de ce qui vous est arrivé.

La seule règle imposée, c'est que votre conte de fées, malgré son triste début, ait une fin pleine d'espoir. Après tout, le conte est une allégorie de votre vie, et il y a bel et bien de l'espoir. Vous pouvez ne pas y croire au moment où vous entamerez ce travail, mais, en décrivant votre avenir avec optimisme, vous vous mettrez à avoir des rêves plus positifs dans votre tête. C'est particulièrement important pour les gens qui sont incapables de croire à un avenir heureux pour eux. En imaginant une vie meilleure, vous pouvez commencer à élaborer des objectifs concrets, réalisables, et le fait d'avoir un but vous donnera du courage.

Je n'oublierai jamais le jour où Thérèse – molestée par son père, le vendeur d'assurances – lut son conte. C'était un très long conte, aussi n'en ai-je reproduit ici que des extraits, mais la vérité et l'espoir qu'elle avait trouvés à travers cet exercice changèrent pour toujours son point de vue sur sa situation :

> « Il était une fois une petite plante qui vivait dans une vallée plutôt isolée, entourée de montagnes. La petite plante, qui s'appelait " Ivy " [" lierre ", mot dérivé des initiales I.V., incest victim], était très malheureuse et elle portait souvent ses regards au-delà de la rivière, avec l'espoir secret de s'échapper jusqu'à la rive d'en face.
>
> « Le petit monde d'Ivy était gouverné par le célèbre roi Morris Lester que tout le monde connaissait sous le nom de Moe. Vous remarquerez que si vous ajoutez le surnom au nom, vous obtenez Moe Lester [" molester ", celui qui moleste]. C'est justement ce qu'il était.
>
> « Moe avait la passion des tendres jeunes plantes. Quand Ivy

commença tout juste à fleurir, Moe l'épia et fut frappé par le fait qu'elle était déjà mûre tout en étant en bouton. Moe accomplit avec Ivy mauvaise action sur mauvaise action, mais malgré cela elle le tenait en haute estime et le traitait comme un roi.

« Moe n'éprouvait aucune honte, mais, ce qui lui manquait, Ivy l'avait pour deux. La pauvre Ivy se retira presque entièrement du monde et dans sa terrible solitude elle n'avait qu'une compagne : Gil Trip [la drogue].

« Gil était une créature vile qui rampait autour d'Ivy, lui mordillait ses feuilles, sa tige et ses racines. C'était Gil, tout autant que n'importe qui, qui gardait Ivy malade et prisonnière dans cette vallée.

« Cependant, un jour vint où Ivy eut la stupéfaction de rencontrer un libérateur. "Qui êtes-vous ? demanda Ivy tout étonnée. — Je suis ta marraine, la fée, autrement connue sous le nom de Susan du Nord. Fais tes bagages, et que ça saute ! L'heure de ton déracinement a sonné." Ivy se sentit terrifiée. "Mais il n'y a pas de pont sur la rivière, cria-t-elle. — Si, il y en a un, annonça Susan triomphalement. Tu peux voyager sur mon indignation. Elle m'a conduite loin et saura te porter toi aussi."

« S'accrochant à cette indignation dont personne ne lui avait jamais parlé auparavant, Ivy se laissa entraîner à la vitesse du son — vers le ciel, loin de la vallée de ses larmes. »

Non seulement Thérèse faisait preuve de discernement, mais aussi d'une merveilleuse imagination et de beaucoup d'humour, ce qui lui permettait de retrouver un peu de la gaieté si gravement piétinée au cours de son enfance.

Certains de mes patients protestent quand je demande le conte de fées, sous prétexte qu'ils ne savent pas écrire ou que ce travail est frivole. Mais le conte se révèle toujours comme un de nos exercices les plus émouvants et les plus salutaires.

La lettre suivante est destinée en principe à votre partenaire. Si vous n'avez ni conjoint, ni ami, ni compagnon dans votre vie, un ex-amant ou un ex-mari fera l'affaire (rappelez-vous que vous n'avez pas besoin de poster cette lettre). Expliquez-lui comment votre traumatisme d'enfance affecte votre relation. Cela ne signifie pas que vous deviez endosser la responsabilité pour tous les problèmes que vous avez tous deux, mais votre incapacité à faire confiance, votre besoin d'être soumis et votre expérience de la sexualité peuvent peser lourd dans la balance. La chose la plus importante dans cette lettre, c'est de parler ouvertement, honnêtement, de ce qui vous est arrivé. C'est capital pour vous libérer de votre honte.

La série se termine avec une lettre à chacun de vos enfants. Si vous n'avez pas d'enfant, vous pouvez écrire à l'enfant que vous désirez avoir, ou à l'enfant que vous n'avez jamais eu. Utilisez cette lettre pour affirmer de nouveau votre capacité à aimer, et pour comprendre qu'en revivant votre douleur et en la surmontant, vous trouvez la force intérieure pour être un meilleur parent.

En groupe, après que toutes les lettres ont été lues, nous montons des petites scènes improvisées pour travailler sur les problèmes soulevés par les lettres. J'ai découvert que ces psychodrames ou ces scènes de jeux de rôles sont un moyen extraordinairement efficace et d'une grande finesse pour traiter le traumatisme dû à l'inceste et régler les autres problèmes existentiels de mes patients.

Le jeu de rôles coupe court à toutes les manœuvres, rationalisations ou négation de la réalité que vous utilisez comme système de défense contre vos sentiments. Je vous donne l'occasion d'exprimer toute la gamme de vos émotions à l'égard des membres de votre famille avant que vous soyez prêt à les affronter. Il vous offre une atmosphère où vous pouvez en toute sécurité tester vos nouveaux comportements. Tous ces facteurs sont essentiels pour la réussite de votre traitement.

Après trois mois dans le groupe, Coralie se sentit assez forte pour poster ses lettres à son père et à sa mère. Mais elle se rendait compte que, une fois ses lettres parvenues à destination, elle aurait besoin de beaucoup de soutien. Je lui demandai si son mari, Victor, serait en mesure de l'aider, et elle reconnut d'un air penaud qu'elle ne lui avait encore rien dit des abus sexuels de son père.

Comme la plupart des victimes d'inceste, Coralie était persuadée qu'il perdrait toute attirance pour elle, que cette découverte le dégoûterait d'elle, qu'il la tiendrait responsable de tout. Bien que Victor lui eût prouvé, de nombreuses années durant, qu'il était un homme aimant, dévoué, elle était trop angoissée pour lui révéler son douloureux secret. Mais, à présent, elle avait besoin qu'il sache.

Pour aider Coralie à vaincre ses craintes, je lui demandai de répéter en groupe, par le biais du jeu de rôles, ce qu'elle dirait à Victor, avant de se lancer. Nous jouâmes plusieurs scènes, au cours desquelles moi-même ou un autre membre du groupe interprétait Victor, en réagissant de toutes les manières possibles, de l'acceptation sans arrière-pensée au rejet le plus total.

Au cours d'une scène particulièrement dramatique, Coralie interpréta elle-même le rôle de Victor pour essayer de ressentir certains de ses sentiments. Je jouai Coralie. Après avoir parlé à « Victor » de ce que « mon » père m'avait fait, je lui dis, en tenant le rôle de Coralie, ce que j'attendais de lui :

> *« J'ai vraiment besoin de ton amour et de ton soutien, maintenant. J'ai besoin de savoir que rien de cela ne fait de différence pour toi et que tu ne me détestes pas et que tu ne me trouves pas sale.*
>
> *CORALIE (dans le rôle de Victor) : Bien sûr que je ne te déteste pas. Je regrette seulement que tu ne m'aies pas mis au courant plus tôt, j'aurais pu te réconforter. La seule différence que cela fait, de savoir cela, c'est que tu m'es plus précieuse encore.*

J'ai toujours su qu'il y avait en toi quelque chose de doulou-reux qui te rendait tout le temps si soupçonneuse et si agres-sive, et maintenant que je sais ce que c'est, tout devient compréhensible. Je voudrais pouvoir faire quelque chose pour faire disparaître ta souffrance, et je voudrais que tu m'aies fait suffisamment confiance pour tout me dire plus tôt... »

A ce moment, Coralie cessa de jouer le rôle de son mari :

« Je pouvais vraiment ressentir combien il m'aimait en fai-sant semblant d'être à sa place. Ça va aller. Je le sais. Et si ça ne va pas (elle sourit), eh bien ! je lui casserai la figure. »

Vous pouvez utiliser le jeu de rôles pour vous donner le courage de rompre le silence. Quand en fin de compte Coralie parla à Victor de son enfance, elle reconnut que les répétitions en groupe l'avaient tranquillisée, lui avaient permis de pressentir la réaction de son mari, et, effective-ment, par son soutien, Victor lui apporta, tout au long de sa thérapie, une aide considérable.

En plus des lettres et des jeux de rôles, il y a plusieurs exercices de groupe extrêmement efficaces pour guérir de son enfance. Prenons quelques exemples.

Réécrire l'histoire en disant « non ». Si vous êtes comme la grande majorité des victimes d'inceste, vous ne savez pas dire non. Vous croyez peut-être que vous êtes faible, que vous devez faire tout ce qu'on vous demande. Ces convictions proviennent de votre expérience, du fait que vous avez été victime de contrainte, d'intimidations et d'humiliations par un parent tout-puissant.

Pour faire renaître votre force, fermez les yeux, visuali-sez la première fois où vous vous souvenez d'avoir été vio-lenté, mais à présent changez le déroulement des faits. Représentez-vous la pièce où c'est arrivé. Représentez-vous votre agresseur. Tendez les mains et repoussez votre agresseur en disant : « Non ! Tu ne peux pas faire ça ! Je ne te laisserai pas faire ! Va-t'en ! Je le dirai ! Je vais hurler ! » Visualisez votre agresseur en train de vous obéir.

Regardez-le faire demi-tour et quitter la pièce, devenir de plus en plus petit au fur et à mesure qu'il s'éloigne.

Bien que vous puissiez ressentir une douleur considérable de n'avoir pas pu agir ainsi au bon moment, cette réécriture de l'histoire est un exercice stimulant et fortifiant. Comme l'exprima Daniel :

> « *Bon sang, j'aurais tout donné pour que cela puisse être cette réalité-là. Mais le seul fait de l'imaginer actuellement sous cette forme m'a vraiment communiqué une force que je ne me connaissais pas. Aucun d'entre nous ne savait comment se protéger à l'époque, mais on peut apprendre à le faire maintenant.* »

Choisir d'être un enfant – Choisir d'être un adulte. Un des exercices les plus poignants est celui qui fait jouer aux participants l'âge auquel ils ont commencé à être violentés.

Dans cet exercice, l'important c'est de retrouver ses sentiments d'enfant. Pour mieux y arriver, essayez de vous asseoir par terre – les chaises et les canapés sont des meubles d'adultes. Rappelez-vous que les petits enfants ne parlent pas comme les adultes – ils ont leur vocabulaire propre et leur propre façon de voir les choses. Une fois constitué le groupe d'enfants violentés, racontez au chef de groupe les « trucs bizarres » qui se passent chez vous. Les autres « enfants » peuvent poser des questions, comme ils peuvent vous consoler. Au cours de la scène suivante, qui provient d'une séance de groupe récente, Coralie réussit à faire un bond en avant capital, lorsque je commençai :

> « *Bonjour, petite, quel âge as-tu ?*
> *– (Avec une voix de petite fille.) Sept ans.*

– J'ai cru comprendre que ton papa te fait des trucs vraiment dégoûtants. Ça peut t'aider de tout nous raconter.

– Ben… c'est vraiment dur d'en parler. J'ai vraiment honte, mais mon papa… il vient dans ma chambre et il… il m'enlève ma culotte et il me touche et il me lèche… tu sais, là, sur mon zizi. Et alors, il frotte son zizi contre ma jambe et il respire très fort, et après il y a du liquide qui sort, c'est tout blanc et collant, et alors il me dit de chercher une serviette et de tout nettoyer, et il dit que si je le raconte à quelqu'un il me battra.

– Comment tu te sens lorsque ton papa te fait ces choses ?

– J'ai vraiment peur et ça me fait mal au ventre. Je crois que si mon papa me fait ça, c'est parce que je suis vraiment méchante. Parfois, je voudrais vraiment mourir, comme ça il saurait que je me sens très dégoûtante et, si j'étais morte, il ne pourrait plus me faire ça. »

A ce point, les défenses de Coralie, du style « dur de dur » s'effondrèrent. Les autres membres du groupe formèrent un cercle autour d'elle pour la réconforter pendant les quelques minutes qu'elle passa à pleurer.

Entre deux sanglots, Coralie nous dit qu'elle n'avait pas pleuré depuis des années et qu'elle était terrifiée de l'impression de faiblesse que cela lui donnait. Je lui assurai que, en libérant son côté tendre et vulnérable, elle gagnerait au contraire beaucoup de force. L'enfant effrayé, souffrant, qu'elle avait en elle n'aurait plus besoin de se cacher.

Après avoir donné à votre « enfant » – celui qui est en vous –, l'occasion de s'exprimer, d'être cru et consolé, il vous faut effectuer consciemment le choix de retourner à votre moi adulte. Relevez-vous et concentrez-vous sur la taille de votre corps. Sentez votre force d'adulte. La capacité à revenir à votre moi d'adulte est une grande source de force et vous pouvez y avoir recours chaque fois que vous vous sentez comme un enfant sans défense.

Ces jeux de groupe sont seulement quelques exemples parmi beaucoup d'autres dont peut s'inspirer votre thérapeute. Comme les lettres et les jeux de rôles, les exercices de groupe constituent des étapes capitales sur le chemin de la déculpabilisation.

La confrontation avec vos parents

En écrivant ces lignes, j'éprouve une certaine réserve, car je dois vous avertir que vos parents, qui étaient supposés prendre soin de vous, vous aimer et vous protéger, que ces parents, selon toute probabilité, vont vous agresser émotionnellement quand vous aurez l'audace de leur dire la vérité. La description que je vous ai donnée de la confrontation compte double lorsqu'il s'agit d'un délit sexuel : il vous faut un système de soutien fort et vous devez répéter, répéter, répéter... Vous devez avoir changé d'avis sur le vrai responsable et devez être préparé à effectuer d'importants changements dans votre relation avec vos parents, ou même à la sacrifier.

Si vos parents vivent toujours ensemble, vous avez la possibilité d'effectuer une confrontation des deux à la fois ou de chacun séparément. Ensemble, les parents des victimes d'inceste se serrent souvent les coudes pour défendre leur mariage contre ce qu'ils perçoivent comme une attaque où tous les coups sont permis. Dans ce cas, ils seront deux contre un et il devient spécialement important que vous ayez avec vous une personne prête à vous soutenir.

Bien qu'il n'y ait aucun moyen de prévoir la réaction d'un agresseur, la confrontation en tête à tête paraît une solution susceptible de dédramatiser le problème. Votre agresseur peut nier qu'il y ait jamais eu inceste, partir furieux, s'en prendre à votre thérapeute pour vous avoir encouragé à nuire à la famille, peut tenter de minimiser ses délits, ou peut même les reconnaître. Vous devez être prêt à tout. S'il reconnaît effectivement ses méfaits, méfiez-vous des excuses. Les agresseurs essaient souvent de manipuler leurs victimes pour se faire plaindre.

Bien que les étapes de la confrontation soient les mêmes qu'avec les autres parents toxiques, il existe certaines exigences propres à la dernière étape : « Ce que j'attends de toi ». La réponse de votre agresseur à cette requête sera le seul indice fiable dont vous disposerez pour envisager votre relation future avec lui. Voici ce que, pour votre part, vous attendez avant tout : l'entière reconnaissance de ce qui est arrivé. Si l'agresseur clame qu'il ne se rappelle pas, demandez-lui de reconnaître quand même les faits : bien qu'il ne s'en souvienne pas, ils sont sûrement véridiques, puisque vous, vous vous en souvenez. Vous attendez également des excuses et l'acceptation de l'entière responsabilité parentale associée à une déclaration explicite vous déchargeant de toute responsabilité. L'engagement de prendre des dispositions pour réparer ses torts. Par exemple, il peut entreprendre une thérapie, régler vos frais de thérapie, faire des excuses aux personnes de votre entourage pour la peine qu'il a causée, et se tenir disponible pour parler de tout cela avec vous quand vous en avez besoin.

Une petite mise en garde : les excuses peuvent être très trompeuses et engendrer de faux espoirs, vous laissant croire, par exemple, que votre relation peut changer de façon notoire. Si les excuses ne sont pas suivies par des changements de comportement chez l'agresseur, rien ne changera. Il faut qu'il manifeste sa volonté de faire quelque chose à propos du problème. Autrement, les excuses sont des paroles en l'air qui ne vous donneront qu'un surcroît de peine et de déception.

Bien entendu, rares sont les victimes qui obtiennent une réponse positive pour toutes ces requêtes ou pour la plupart d'entre elles, mais il est essentiel, pour que vous alliez mieux, de les présenter. Il faut définir les règles de base de toute future relation. Vous devez clairement indiquer que vous refusez de vivre plus longtemps au milieu des mensonges, des demi-vérités, dans un climat de secret et de démenti. Plus important encore, vous devez faire comprendre à votre agresseur que vous n'accepterez plus la responsabilité des violences commises à votre égard – que vous ne voulez plus être une victime et qu'il est temps d'arrêter de « faire semblant ».

Thérèse décida d'affronter séparément son père et sa mère. Thérèse dit à son père qu'elle suivait une thérapie, sans en préciser le genre. Elle ajouta que cela l'aiderait beaucoup qu'il la rejoigne pour une séance commune. Il accepta, mais décommanda plusieurs rendez-vous avant de se décider à venir.

Le père de Thérèse, Hervé, était un homme frêle, à demi chauve, qui devait avoir pas loin de soixante ans. Il était extrêmement soigné et tout en lui évoquait le cadre qu'il était devenu. Quand je lui demandai s'il savait pourquoi Thérèse désirait qu'il vienne me voir, il répondit qu'il en avait « une assez bonne idée ». Je commençai en demandant à Thérèse de dire à son père quelle sorte de thérapie elle suivait :

« *Je fais partie d'un groupe de victimes d'inceste, papa. Des gens avec des pères et parfois des mères qui ont fait ce que tu m'as fait.* »

Hervé rougit visiblement et détourna le regard. Il commença à dire quelque chose, mais Thérèse l'arrêta et lui fit promettre de l'écouter jusqu'au bout. Elle continua en lui parlant de ce qu'il lui avait fait, en lui disant combien ça l'avait perturbée, combien ça l'avait terrifiée, combien elle s'était sentie malade et salie. Puis elle lui exposa la façon dont l'inceste avait affecté sa vie :

« *J'ai toujours eu le sentiment que je n'avais pas le droit d'aimer un autre homme. J'ai toujours pensé que je te trahissais, que je te trompais. J'avais l'impression de t'appartenir, de* » *n'avoir aucune existence en dehors de toi. Je te croyais quand tu disais que j'étais une salope – après tout, je portais en moi ce répugnant secret. Je pensais que c'était ma faute. J'ai été déprimée pendant la plus grande partie de ma vie, mais j'avais appris à me comporter comme si tout allait bien. Non, tout ne va pas bien, papa, et il est temps que nous cessions tous de jouer la comédie. Mon ménage a presque sombré parce que j'avais horreur du sexe, de mon corps, de moi! Tout cela est en train de changer à présent, Dieu merci. Mais tu t'en es tiré sain et sauf, pendant que je supportais tout. Tu m'as trahie, tu m'as utilisée, tu as fait la pire chose qu'un père puisse faire à sa petite fille. »*

Alors Thérèse dit à son père ce qu'elle attendait de lui – des excuses et la reconnaissance de son entière responsabilité. Elle lui laissait aussi une chance d'informer sa mère avant qu'elle ne le fasse.

Le père de Thérèse était stupéfait. Il l'accusa de se livrer à un chantage. Il ne fit aucune tentative pour nier l'inceste, mais essaya de minimiser les faits en rappelant à Thérèse qu'il ne lui avait jamais causé de « blessure physique ». Il accepta de faire des excuses, mais il s'inquiétait avant tout des effets que tout cela pourrait avoir sur son mariage et sur sa situation professionnelle si on venait à « le savoir ». Il nia avoir besoin d'aucune thérapie, parce que, dit-il, il menait une vie utile et productive.

La semaine suivante, Thérèse fit pression sur son père pour qu'il se confesse à sa mère. Puis Thérèse, de retour dans le groupe, raconta la suite de l'histoire :

« Ma mère était plutôt effondrée, mais l'instant suivant elle me demandait de lui pardonner et de ne rien dire aux autres membres de la famille. Quand je lui ai dit que je n'étais pas d'accord, elle a demandé pourquoi j'avais besoin, moi, de leur faire tant de mal à eux. Qu'est-ce que vous en pensez? Tout à coup, le méchant dans l'affaire, c'était moi. »

Tout le groupe avait hâte de savoir comment Thérèse se sentait depuis qu'elle avait franchi cette étape considérable :

> *« Je me sens comme si on avait retiré de mes épaules un poids de cent tonnes ! Vous savez, à présent je me rends compte que j'ai le droit de dire la vérité et que je ne suis pas responsable si les autres ne peuvent pas le supporter. »*

Tout le groupe était ravi de voir comment Thérèse avait récupéré sa force, et comment elle était peu à peu parvenue à se déculpabiliser. En fin de compte, Thérèse décida de ne pas rompre avec ses parents, mais de n'avoir avec eux que des contacts limités.

Thérèse n'avait pas eu besoin de beaucoup d'aide de ma part au cours de sa confrontation avec son père. Ce fut tout l'inverse pour Lise – la belle-fille de ce puissant pasteur qui non seulement abusait d'elle, mais qui l'avait presque étranglée quand elle avait trouvé le courage de lui dire d'arrêter. Lise eut besoin de beaucoup d'aide, d'autant plus que sa mère et son beau-père insistèrent pour venir ensemble. Quand Lise dit à ses parents qu'elle voulait qu'ils participent à une séance de thérapie, ils rétorquèrent qu'ils étaient « prêts à tout pour l'aider à guérir de ses troubles mentaux ».

A l'âge de treize ans, Lise avait raconté à sa mère les abus de son beau-père, dans un effort désespéré pour tout arrêter. Sa mère ne l'avait pas crue et Lise n'en avait jamais reparlé.

Le beau-père de Lise, Benoît, était un homme d'une soixantaine d'années, courtois, au teint coloré. Le fait qu'il portât son costume ecclésiatique avec son col blanc était significatif. La mère de Lise, Rose, était une grande femme mince, au visage sévère, avec des cheveux très grisonnants. Tous deux étaient vibrants d'une vertueuse indignation dès l'instant où ils franchirent le seuil de mon cabinet.

Lise fit et dit tout ce qu'elle avait répété mais, chaque fois qu'elle essayait de parler des abus sexuels, elle se heurtait à un mur d'accusations et de démentis pleins de fureur. D'après ses parents, elle était folle, elle avait inventé cette histoire de toutes pièces, c'était une mauvaise fille, rancunière, qui essayait de se venger de Benoît pour l'avoir élevée « sévèrement ». Lise restait sur ses positions, mais n'aboutissait à rien. Elle me regarda d'un air impuissant. J'intervins :

> « Vous l'avez tous deux suffisamment trahie – je ne vais pas en tolérer davantage. Je suis désolée qu'aucun de vous n'ait le courage d'admettre la vérité. Benoît, vous savez que ce que dit Lise est vrai. Personne ne peut inventer toutes ces années de dépression et de honte. Il y a prescription pour votre crime, mais je veux que vous sachiez que nous avons averti les services de protection de l'enfance, Lise et moi, parce que votre position vous confère de l'autorité sur d'autres enfants et vous permet de bénéficier de leur confiance. Si jamais vous faites du mal à un autre enfant, ce rapport pèsera lourd contre vous. Je suis incapable de comprendre comment vous avez pu exercer votre ministère alors que votre vie entière était construite sur un mensonge. Vous êtes un imposteur, révérend, un agresseur d'enfant ! Vous le savez et Dieu le sait. »

Le visage de Benoît se figea. Il ne dit rien, mais sa rage était manifeste. Je me tournai vers la mère de Lise et fis une dernière tentative pour l'amener à regarder la vérité en face, mais mes paroles tombèrent dans l'oreille d'une sourde.

Les défenses de Benoît et de Rose étaient inébranlables et il n'y avait pas de raison pour prolonger les souffrances de Lise. Elle avait tous les renseignements dont elle avait besoin, je demandai donc à Benoît et à Rose de partir.

Lise savait qu'il lui fallait choisir entre ses parents et son bien-être affectif. Il ne lui était pas possible d'avoir les deux. Elle ne fut pas longue à prendre sa décision.

> *« Il faut que je les élimine de ma vie. Ils sont vraiment trop fous. Je ne pourrais les fréquenter qu'en étant folle moi aussi. Maintenant que j'ai retrouvé tellement de force, c'est comme s'ils venaient d'une autre planète. Bon sang, c'est cette femme qui me tenait lieu de mère ! »*

Elle se mit à pleurer. Comme elle sanglotait, je la réconfortai plusieurs minutes. Enfin elle dit :

> *« Je crois que ce qui me fait le plus mal, c'est de me rendre compte qu'ils ne se soucient pas de moi et que c'est comme ça depuis toujours. Je veux dire que, d'après la définition normale de l'amour, ils ne m'aiment pas. »*

Cette dernière phrase montrait que Lise était décidée à regarder en face la terrible vérité que toutes les victimes d'inceste doivent affronter – en fin de compte, ses parents se révélaient tout simplement incapables d'aimer. C'étaient leur échec, leurs défauts qui avaient créé cette douloureuse évidence, Lise n'y était pour rien.

La confrontation avec le partenaire silencieux allait poser des problèmes à Coralie. Les parents de Coralie vivaient dans un autre État, elle décida donc d'effectuer la confrontation par le truchement de lettres séparées à son père et à sa mère. Au cours de l'exercice où elle avait joué son rôle d'enfant, Coralie s'était souvenue d'une chose : la première fois que son père l'avait violentée, elle l'avait dit à sa mère. Il était spécialement important pour Coralie de découvrir pourquoi sa mère avait négligé de prendre des mesures pour la protéger.

Coralie était folle d'angoisse après avoir posté ses lettres. Au bout de trois semaines, elle se plaignit de n'avoir pas reçu de réponse de son père.

« Mais vous avez eu sa réponse, lui dis-je. Il refuse de s'occuper du sujet. »

Cependant Coralie reçut une lettre de sa mère. Elle en lut une partie au groupe :

[...] Quoi que je dise, je sais que cela ne comptera pas face à tout le mal qu'on t'a fait. À l'époque, je pensais que je faisais de mon mieux pour te protéger. Je lui ai parlé, mais il a fait des excuses en jurant de ne pas recommencer. Il paraissait tout à fait sincère. Il m'a suppliée de lui laisser une autre chance en me disant qu'il m'aimait. Personne ne saura jamais ce que j'ai éprouvé de peur et d'incertitude. Je ne savais pas quoi faire, je pensais que le problème était réglé. Je me rends compte à présent, à mon grand dégoût, combien il m'a facilement piégée. Je tenais tellement à avoir une famille heureuse que j'ai marché dans cette vaste mascarade. C'était si important de préserver la paix dans nos vies. Je n'arrive pas à mettre de l'ordre dans mes idées et je ne peux rien ajouter pour l'instant. Sans doute, comme toujours, n'ai-je été d'aucune aide pour toi, Coralie, mais je t'en prie, accepte le fait que je t'aime et que je désire tout ce qu'il y a de mieux pour toi,
Je t'embrasse,

Maman.

La lettre fit naître un peu d'espoir pour Coralie : peut-être pourraient-elles toutes deux recommencer une relation plus honnête. Je suggérai à Coralie d'organiser un entretien téléphonique entre sa mère, elle-même et moi. Au cours de la conversation, la mère de Coralie, Marguerite, exprima de nouveau ses regrets pour ce qui était arrivé et de nouveau reconnut sa faiblesse et sa complicité. Moi aussi je commençais à espérer que ces deux femmes pourraient construire ensemble quelque chose de valable… jusqu'à ce que Coralie exprime le seul souhait qui lui tenait vraiment à cœur :

« *Je ne demande pas que tu le quittes au bout de tant d'années, mais il y a une chose qui a beaucoup d'importance pour moi. Je veux que tu ailles le trouver et que tu lui dises qu'il a agi avec moi d'une façon vraiment horrible. Je ne veux rien de lui – c'est un malade, un fou, et il a fallu que j'accepte ce fait. Mais je veux qu'il l'entende de ta bouche. »*

Marguerite garda longtemps le silence, puis elle dit :

« Je ne pourrai pas. Je ne pourrai vraiment pas faire une chose pareille. Je t'en prie, ne me le demande pas.
– Alors tu vas me sacrifier pour le protéger, comme toujours. Quand j'ai reçu ta lettre, j'ai pensé que peut-être, enfin, j'allais avoir une mère. J'ai pensé que peut-être, pour une fois, tu allais être de mon côté. Être désolée ne suffit pas, maman. Tu dois faire quelque chose pour moi. Tu ne peux pas te contenter de me dire que tu m'aimes, tu dois me le montrer.
– Coralie, tout ça, c'est arrivé il y a bien longtemps. Tu as ta vie, ta famille à présent. Moi je n'ai que lui. »

Coralie fut amèrement déçue que sa mère lui ait refusé la seule chose qu'elle demandait. Mais elle reconnut que sa mère avait fait son choix depuis longtemps. Ce n'était pas réaliste d'espérer le moindre changement à ce stade de leur vie.

Pour son propre bien-être, Coralie prit les décisions suivantes : elle maintiendrait un minimum de contacts avec sa mère, par lettres et par téléphone, tout en acceptant les limites de ces moyens. Par contre, elle allait rompre complètement avec son père.

Pour Daniel, ce fut différent. La mère de Daniel, Eveline, était une ancienne directrice d'école, maintenant à la retraite ; elle eut une réaction toute autre quand son fils rompit le silence. Les parents de Daniel avaient divorcé depuis environ dix ans quand Daniel se sentit enfin assez fort pour raconter à sa mère les abus sexuels que son père lui avait fait subir.

Eveline pleura en entendant tous les détails sur ce qui était arrivé à son fils et elle alla vers lui pour le prendre dans ses bras.

« *Oh! mon Dieu, mon chéri, je suis tellement désolée. Pourquoi ne m'as-tu rien dit? J'aurais pu faire quelque chose. Je ne me doutais de rien. Je savais qu'il y avait en lui quelque chose de pas normal du tout. Nos rapports sexuels étaient épouvantables, et je savais qu'il allait toujours se masturber dans la salle de bains, mais je n'aurais jamais imaginé qu'il puisse s'attaquer à toi. Oh! mon petit, je suis tellement, tellement désolée.* »

Daniel avait peur que sa mère ne puisse supporter le poids de son aveu; il avait sous-estimé ses capacités de compassion. Elle lui assura qu'elle préférait partager avec lui cette odieuse vérité plutôt que de vivre dans le mensonge:

« *J'ai l'impression d'avoir reçu le ciel sur la tête, mais je suis si contente que tu m'aies tout dit. Je commence à comprendre tant de choses. Tant de choses se mettent en place… Pourquoi tu buvais, pourquoi tu étais déprimé, et tous ces pourquoi dans mon ménage. Tu sais, pendant des années je me suis sentie coupable parce que, apparemment, je n'avais que très peu d'intérêt pour lui sur le plan sexuel. Et je me sentais coupable de ses accès de colère. A présent je sais qu'il était malade, complètement malade, et qu'aucun de nous n'était coupable. Alors, on va prendre un nouveau départ.* »

En disant la vérité, Daniel s'était non seulement fait un véritable cadeau à lui-même, mais il en avait fait un à sa mère en même temps. En lui parlant de l'inceste, Daniel avait répondu à beaucoup des questions douloureuses et perturbantes qu'elle se posait à propos de son mariage. La réaction de la mère de Daniel fut celle dont rêvent toutes les victimes d'inceste – compassion, colère contre l'agresseur et véritable soutien.

En voyant Daniel et sa mère quitter mon bureau bras dessus, bras dessous, je ne pouvais m'empêcher de penser que ce serait idéal si toutes les mères réagissaient de cette façon.

L'issue

Le processus du traitement implique qu'il viendra un moment où vous aurez écrit et réécrit toutes les lettres, où vous aurez effectué les jeux de rôles, les exercices et les confrontations, où, enfin, vous aurez pris les décisions concernant vos relations à venir avec vos parents. Vous verrez par des signes évidents que votre force et votre bien-être sont en constant progrès. Les changements intervenus dans vos convictions, vos sentiments et votre comportement se seront intégrés dans votre personnalité. Bref, vous serez prêt pour la « sortie des classes ».

Ce sera un moment un peu triste, mais stimulant pour vous, pour les autres membres de votre groupe et pour votre thérapeute. Il vous faudra vous séparer de la seule bonne famille que vous aurez jamais connue ; cela dit, beaucoup des participants à mes groupes restent très amis bien après avoir quitté le Centre. Ces amitiés de groupe naissent de l'expérience partagée de fortes émotions et elles sont généralement extrêmement profondes ; elles constituent une source durable d'affection et de soutien pour celui qui quitte la thérapie et il y trouve l'aide nécessaire pour surmonter son impression de perte.

Ce sont vos propres besoins qui détermineront la date de votre sortie. La plupart des victimes d'inceste, dans mes groupes, passent entre un an et un an et demi à accomplir le cycle complet du traitement. Si vos parents sont particulièrement coopératifs, comme la mère de Daniel, ça peut vous prendre moins longtemps. Si vous choisissez de rompre, comme Coralie avec son père, vous pouvez avoir besoin de rester un peu plus longtemps pour éviter d'ajouter une perte – celle de votre groupe – à une autre – celle de votre parent. Je suis toujours stupéfaite des changements parfois spectaculaires qui arrivent au cours de cette période relativement courte de temps, surtout quand on considère la gravité initiale du problème.

De temps en temps, des patients qui ont terminé leur thérapie m'appellent pour me donner de leurs nouvelles. Une lettre reçue récemment d'une de mes premières patientes, une jeune femme nommée Patricia, m'a particulièrement touchée et m'a fait grand plaisir.

Patricia faisait partie d'un de mes premiers groupes pour victimes d'inceste. Elle avait alors seize ans. J'ai brièvement évoqué son cas au chapitre VII ; elle était la petite fille que son père menaçait de faire adopter si elle ne lui cédait pas. Je n'avais eu aucune nouvelle pendant de nombreuses années, mais je me rappelais qu'elle n'avait pu effectuer la confrontation avec son père, celui-ci ayant disparu plusieurs années avant le début du traitement. Voici ce qu'elle écrivit.

Chère Susan,
Je voulais vous écrire pour vous remercier encore de m'avoir aidée à devenir une nouvelle personne. Merci à vous et au groupe, je me sens vraiment bien.
Je suis mariée à un homme merveilleux, nous avons trois enfants et j'ai réappris à faire confiance. Je pense que toutes mes épreuves passées m'aident à être une meilleure mère. Mes enfants savent qu'il ne faut pas laisser quelqu'un les toucher à certains endroits, et ils savent que, si une telle chose leur arrivait, ils pourraient m'en parler et que je serais de leur côté. J'ai finalement affronté mon père. Cela m'a pris du temps, mais je l'ai suivi à la trace ; et je lui ai dit ce que j'éprouvais à son égard. Il m'a seulement répondu : « Je suis un malade. » Il n'a pas dit une seule fois qu'il était désolé. Mais vous aviez raison, ça n'avait pas d'importance. Je n'avais besoin que de remettre les responsabilités à leur place, et je me suis sentie mieux. Merci de votre affection. Je vous dois ma vie.
A vous pour toujours,
                                                                    Patricia.

Patricia n'est pas exceptionnelle. Bien que la vie paraisse sinistre aux victimes d'inceste, une thérapie est vraiment efficace. Quelle que soit la façon dont vous vous sentez, il existe pour vous une vie meilleure, qui inclut le respect de soi-même, une vie libérée de la culpabilité, de la peur et de la honte. Tous ceux que vous avez rencontrés dans ce chapitre sont passés du désespoir à la santé. Pour vous aussi, c'est possible.

15

Briser le cycle des répétitions

Peu de temps après la publication de mon livre *Men Who Hate Women and the Women Who Love Them* (« Les hommes qui haïssent les femmes et les femmes qui aiment ces hommes »), une femme prénommée Juliette m'écrivit pour me dire qu'elle venait de le lire :

> « *Je nous ai reconnus, mon mari et moi-même, à chaque page, et il m'est apparu que le problème n'était pas seulement que mon mari me maltraitait, mais que je venais de plusieurs générations de femmes maltraitées et d'hommes brutaux. Votre livre m'a donné la conviction et le courage suffisants pour décider d'y mettre fin. Je ne suis pas sûre que mon mari veuille changer et je ne suis pas sûre de vouloir rester avec lui. Mais ce dont je suis sûre, c'est qu'à partir de maintenant, mes enfants auront une mère qui n'acceptera plus aucun mauvais traitement d'aucune sorte, et qui ne les laissera pas se faire agresser verbalement. Mes fils ne grandiront pas en croyant qu'il est normal de maltraiter les femmes et ma fille ne sera pas programmée pour être une victime. Merci de m'avoir montré la voie.* »

Bien que les acteurs changent, le cycle du comportement toxique peut se perpétuer de génération en génération. Le drame familial peut paraître différent d'une génération à l'autre, mais tous les schémas toxiques sont remarquablement semblables dans leurs effets : peine et souffrances.

Juliette affrontait avec courage les schémas de comportement établis depuis longtemps dans sa famille : mauvais traitements et passivité. En changeant de comportement et en fixant des limites aux agressions émotionnelles de son mari, Juliette avait fait un grand pas pour libérer ses enfants du poids de l'héritage familial. Elle brisait le cycle.

L'expression « briser le cycle » fut forgée initialement dans le contexte des brutalités physiques aux enfants : il s'agissait d'empêcher un enfant battu de développer en lui les mêmes tendances et de battre à son tour ses enfants. Mais j'ai élargi la définition de cette expression à toutes les formes de mauvais traitements.

Pour moi, briser le cycle signifie cesser d'agir comme une victime ou cesser d'agir comme votre parent déficient ou abusif. Vous ne jouez plus à l'enfant sans défense, dépendant, avec votre partenaire, vos enfants, vos amis, vos collègues, les représentants de l'autorité et vos parents. Et vous allez chercher de l'aide si vous vous surprenez à vous attaquer physiquement à votre conjoint ou à vos enfants d'une façon qui vous fait honte. Les changements que vous pourrez effectuer commencent par vous-mêmes, mais vous verrez que leur impact va bien au-delà. En brisant le cycle, vous protégez vos enfants des expériences toxiques, chargées des convictions et des règles qui ont tellement influencé votre enfance. Vous êtes peut-être en train de modifier les comportements relationnels de votre famille pour les générations à venir.

Une des façons les plus efficaces de briser ce cycle est de vous engager à être plus disponible pour vos enfants sur le plan affectif que ne l'ont été vos parents pour vous.

Mélanie s'était rendu compte que, si elle n'avait eu ni soins ni affection de la part de ses parents, cela ne signifiait pas qu'elle était incapable d'en donner à ses enfants. Il lui fallait lutter pour ne pas succomber à d'anciennes habitudes, mais, en dépit de cela, sa décision était ferme :

« J'avais vraiment peur à l'idée d'avoir des enfants. Je ne savais pas quel genre de mère j'allais être. Ça a été vraiment

difficile. Bien des fois, je les grondais, et je leur criais d'aller dans leur chambre, de me laisser seule. Comment pouvaient-ils être si exigeants, bon sang! Toujours à avoir besoin de quelque chose! Mais, depuis ma thérapie, je me suis rendu compte que c'était exactement la façon dont me traitait ma mère. Alors, quand je ne suis pas en forme, je fais tout ce que je peux pour ne pas les exclure. Cela représente un très gros effort sur moi-même, et je le fais. Je ne suis pas parfaite mais, au moins, je fais en sorte de m'améliorer. On s'est passé le flambeau de mère à fille, il faut que ça s'arrête, nom de nom! »

Mélanie prenait des dispositions particulières pour guérir. Après la confrontation avec sa mère, les deux femmes purent parler beaucoup plus ouvertement de leurs sentiments et de leurs expériences. Mélanie apprit qu'elle était le produit de plusieurs générations de mères faibles et distantes. C'était enthousiasmant de la voir prendre personnellement la responsabilité de ne pas transmettre ces schémas de comportement à ses propres enfants.

En plus de son travail en thérapie, Mélanie se joignit à un groupe de soutien aux parents. Elle avait pris l'engagement d'être une meilleure mère, mais, étant donné la déficience de ses seuls modèles – ses parents –, elle n'était pas certaine de savoir ce que cela signifiait. Elle n'avait jamais vu comment se comportent de bons parents. Le groupe l'aida à surmonter beaucoup de ces craintes compréhensibles et à gérer les crises domestiques quotidiennes sans abdiquer, sans s'affoler devant l'exigence de ses enfants.

Mélanie trouva aussi de nouvelles façons de s'occuper mieux d'elle-même et de combattre son vide intérieur. Elle se fit de nouveaux amis, dans son groupe de parents et dans un cours de danse folklorique que je lui avais suggéré de suivre. Elle devint moins dépendante des vieux schémas qui l'entrainaient à s'attacher à des hommes perturbés et à se sacrifier pour leur bien-être.

Nous avons commencé ce livre avec Georges, le médecin que son père battait à coups de ceinture. Au bout de six mois de thérapie, il avait complètement accepté le fait d'avoir été un enfant maltraité. Il avait écrit ses lettres, effectué ses jeux de rôles et réalisé sa confrontation avec ses parents. Tout en se délivrant d'une grande partie de ses souffrances passées, il commençait à voir comment il avait perpétué le cycle des mauvais traitements jusque dans son mariage :

> « J'ai juré une centaine de fois que je ne serais pas comme mon père, mais quand je regarde en arrière, j'ai l'impression que j'ai traité ma femme juste comme il me traitait. J'ai eu le même entraînement, et ça a donné les mêmes résultats.
> – Amour et mauvais traitements étaient liés pour vous, depuis votre enfance. Votre père représentait les deux, parfois au même moment. C'est logique que vous les ayez confondus.
> – Je pensais vraiment que j'étais différent parce que je ne maltraitais pas ma femme physiquement. Mais je la maltraitais verbalement et je la punissais avec mes humeurs. C'est comme si j'avais quitté la maison en emmenant mon père avec moi. »

Tout au long de sa vie, Georges avait nié que son père ait eu un comportement abusif ; tout au long de sa vie conjugale, il avait nié avoir eu le même comportement. Mais, en fait, Georges avait simplement substitué une sorte d'abus à l'autre. Le père de Georges l'avait contrôlé par la violence et la douleur physique ; Georges avait contrôlé sa femme par la violence verbale et la douleur émotionnelle. Georges était devenu un adepte de la rationalisation, un sadique et un tyran, tout comme son père.

Tant que Georges niait que lui, à sa façon, répétait le comportement abusif de son père, il n'était pas conscient d'avoir un choix à faire. Si vous ne voyez pas le cycle des répétitions, vous ne pouvez pas choisir de le briser. Il fallut le départ de sa femme pour que Georges regardât la vérité en face.

Il eut la chance d'être récompensé de ce travail si difficile. Sa femme, voyant qu'il avait changé, a récemment accepté une réconciliation à l'essai. Il avait cessé de l'intimider et la dénigrer. Il avait traité sa colère à la source, au lieu de la déplacer sur sa femme. Il peut à présent lui parler ouvertement de ses frayeurs et des mauvais traitements de son enfance. Le cycle a été brisé.

Gilles – qui avait commis l'erreur d'employer son père alcoolique dans sa société – jurait que jamais il n'aurait affaire à un autre alcoolique. Néanmoins, il découvrit que le cycle de l'alcoolisme se perpétuait dans sa propre famille. Il avait épousé une alcoolique et ses enfants adolescents couraient le danger de devenir des consommateurs d'alcool ou de drogue :

> « Je ne pensais pas que mes enfants auraient les mêmes problèmes que moi parce que je ne bois pas. Mais leur mère boit beaucoup et refuse de se faire aider. J'ai failli mourir de peur, un soir, quand, en rentrant du travail, j'ai trouvé Denise partageant un pack de bières avec nos deux fils adolescents. Ils étaient tous les trois ivres. J'ai découvert que ce n'était pas la première fois. Bon sang, je ne bois pas et pourtant je ne peux pas faire sortir l'alcool de ma vie. Il faut que ça s'arrête ! »

Gilles n'était plus l'homme timide et nerveux que j'avais rencontré. Il était décidé à être beaucoup plus autoritaire avec sa femme Denise qu'il ne l'avait jamais été. Il savait qu'il devait prendre des mesures énergiques s'il voulait briser le cycle de l'alcoolisme avant que ses enfants ne s'y laissent prendre. Il finit par menacer sa femme de la quitter – menace qu'il était décidé à mettre à exécution – si elle n'acceptait pas de chercher de l'aide. Le résultat fut que Denise s'inscrivit aux Alcooliques anonymes et que leurs deux enfants s'engagèrent dans un programme d'aide destinée aux jeunes gens.

Si vous êtes enfant d'alcoolique, vous courez un grand risque de perpétuer le cycle de l'alcoolisme dans votre propre famille. Même si, comme Gilles, vous ne buvez pas vous-même, il y a des risques que vous soyez attiré par un partenaire qui boive. Si cela vous arrive, vos enfants grandiront avec les mêmes modèles que vous : un alcoolique et un permissif. A moins que vous ne brisiez ce cycle, on constate une certaine probabilité pour qu'eux-mêmes, à leur tour, deviennent des alcooliques ou des permissifs.

Au chapitre VI, j'ai parlé d'Hélène que le tribunal m'avait adressée après qu'on l'eut accusée de maltraiter son jeune fils. Je savais que, pour véritablement briser le cycle, Hélène devrait travailler sur deux plans : le passé et le présent. Mais, au cours des premières séances, je me suis concentrée presque uniquement sur les techniques qui lui permettraient de réussir à contrôler ses impulsions, ce dont elle avait le plus grand besoin. Il lui fallait retrouver le contrôle de sa vie au jour le jour, ce qui signifiait retrouver le contrôle de sa colère, avant de se préparer à entamer un processus plus long en s'attaquant aux souffrances de son enfance.

J'insistai pour qu'Hélène assistât aux réunions hebdomadaires des Parents anonymes[1], un groupe d'aide extrêmement actif pour les parents abusifs. Là, Hélène trouva un « correspondant » – une personne qu'elle pouvait appeler si elle se sentait en danger de faire du mal à son fils. Le correspondant pouvait alors intervenir en calmant Hélène, en lui proposant des conseils et même en venant chez elle pour l'aider à désamorcer le conflit.

Pendant qu'Hélène travaillait avec les Parents anonymes pour arriver à contrôler sa tendance à en venir aux coups quand elle était sous l'emprise du stress, nous adoptions une approche différente, mais parallèle, dans nos

---

[1] Cette association existe en France : Parents anonymes, Ile-de-France, 52, rue du Four, 75006 Paris. Tél. : 45 49 36 37. (N.d.T.)

séances de thérapie. La première chose que je désirais, c'était qu'Hélène apprît à identifier les sensations physiques précédant ses crises de colère ou d'agressivité. La colère a beaucoup de composantes physiologiques. Je dis à Hélène que son corps était un baromètre qui lui indiquerait ce qui se passait si seulement elle y prêtait attention. Comme Hélène commençait à capter les sensations corporelles qu'elle ressentait de façon caractéristique avant de devenir violente, elle fut surprise de découvrir combien elle pouvait en identifier :

> *« Je ne vous croyais pas quand vous le disiez, et c'est vrai ! Quand je me mets en colère, je peux sentir mon cou et mes épaules se contracter, plein de crispations et de gargouillis dans mon estomac. Mes mâchoires se serrent. Je me mets à respirer très vite. Mon cœur bat au rythme d'un marteau-piqueur. Et mes yeux me brûlent. »*

Ces sensations physiques étaient pour Hélène les signaux d'alarme avant la tempête. Je lui dis qu'il lui revenait de reconnaître ces alarmes et d'éviter la tempête. Dans le passé, elle avait l'habitude ou bien de crier ou bien de battre son fils pour défouler l'énorme tension qui l'avait envahie. Elle devrait trouver une solution de remplacement à ces réactions automatiques si elle désirait briser le cycle d'abus familial.

Une fois Hélène capable de reconnaître les signes physiques de sa colère montante, il était temps de trouver une autre réponse spécifique à ces sentiments. Nous avons beaucoup parlé de la différence entre réponse et réaction, mais Hélène avait navigué si longtemps avec le pilote automatique qu'il lui était très difficile d'imaginer de nouveaux comportements. Pour la mettre sur la voie, je lui demandai ce qu'elle aurait voulu que ses parents fissent au lieu de passer leur violence sur elle. Elle répondit :

> *« J'aurais voulu tout simplement qu'ils aillent se promener*

jusqu'à ce qu'il aient retrouvé leur calme. En faisant le tour du pâté de maisons, par exemple. »

Je lui suggérai de faire la même chose la prochaine fois qu'elle se mettrait en colère. Puis je lui demandai s'il y avait d'autres comportements qu'elle aurait aimé trouver chez ses parents et qu'elle pourrait adopter elle-même.

« Je pourrais compter jusqu'à dix... me connaissant, il vaudrait mieux que j'aille jusqu'à cinquante. Je pourrais dire à mon fils que je ne veux pas lui faire de mal et lui demander d'aller dans une autre pièce pendant un moment. Ou je pourrais appeler mon correspondant et lui parler le temps de reprendre mon sang-froid. »

Je félicitai Hélène d'avoir trouvé ces excellentes stratégies de comportement. Durant les mois suivants, elle fut très stimulée par les progrès qu'elle faisait dans le contrôle de ses sentiments et ses comportements impulsifs. Elle constata qu'elle pouvait se dominer, qu'elle n'était pas condamnée à se comporter comme sa mère : elle était alors prête à s'atteler à la dure tâche d'affronter sa propre douleur d'enfant maltraité.

« Je ne laisserai pas mes enfants seuls avec mon père. » Jeannette – que son père violentait et qui avait passé vingt ans à essayer de réconquérir son amour – sortit de la confrontation avec un sentiment de confiance tout neuf. Un des membres du groupe lui demanda comment ça se passait entre ses parents et sa fille Rachel, âgée de huit ans. Jeannette répondit qu'elle avait fixé des règles très strictes sur la façon dont ces derniers pourraient voir leur petite-fille :

« Je leur ai dit qu'il n'était pas question que je laisse jamais Rachel seule avec eux. J'ai dit : " Tu sais, papa, rien n'a changé. Tu n'as suivi aucune thérapie. Tu es toujours le même homme qui me maltraitait. Pourquoi devrais-je te faire confiance pour ma fille ? " Et j'ai dit à ma mère que je

n'avais aucune confiance dans ses propres capacités à garantir la sécurité de Rachel. Après tout, elle se trouvait à la maison quand moi j'étais violentée. »

Jeannette avait admis ce que beaucoup de victimes d'inceste refusent – briser le cycle suppose aussi protéger les autres enfants de l'agresseur. L'inceste est une pulsion mystérieuse. L'agresseur qui violente sa propre fille continue souvent en violentant ses petits-enfants ou tout autre enfant proche de lui.

Jeannette n'avait aucun moyen de savoir si son père répéterait son comportement incestueux, et avait donc choisi d'être prudente.

Jeannette alla aussi chez son libraire, et acheta pour sa fille des livres écrits pour aider les enfants à faire la différence entre une affection saine et un comportement sexuel inconvenant. Il existe aussi des films vidéo disponibles sur ce sujet[2]. Le but de ces documents n'est pas d'effrayer l'enfant, mais de l'instruire, sans passion, sur un sujet qui met la plupart des parents mal à l'aise, mais dont tous les enfants doivent être avertis.

Sur mon instance, Jeannette prit encore une autre mesure, courageuse et saine :

« Je mets au courant tous les membres de ma famille. Vous m'avez convaincue qu'il était de ma responsabilité de protéger non seulement Rachel, mais aussi les autres enfants de la famille. Vous comprenez, mon père se trouve en contact avec eux tous. Ma décision n'a pas fait sauter tout le monde de joie, et surtout pas mes parents. Pendant des années, je me suis tue parce que je croyais ainsi protéger la famille, alors qu'en réalité, je protégeais mon père. Mais, en ne disant rien, je mettais en danger les enfants de la famille. »

Bien que Jeannette ait agi de façon responsable et courageuse, ses révélations ne provoquèrent pas que de la gra-

---

[2] En France comme aux États-Unis. (N.d.T.)

titude. Dans une famille incestueuse typique, certaines personnes vous remercieront de les avoir informées, d'autres refuseront carrément de vous croire, tandis que d'autres peuvent devenir fous de rage et vous accuser de mentir et de trahir vos parents. Comme pour la confrontation, la réponse des autres membres de la famille détermine, dans une grande mesure, la nature de vos relations futures avec eux. Certaines relations familiales peuvent en souffrir, mais c'est parfois le prix à payer pour protéger les enfants. L'inceste ne peut exister que dans la conspiration du silence. Rompre le silence, c'est vital pour briser le cycle.

Une des caractéristiques des parents toxiques, c'est qu'ils ne s'excusent que rarement – si jamais ils le font – de leur comportement destructeur. C'est pourquoi les excuses aux personnes que vous pouvez avoir blessées – tout particulièrement vos propres enfants – est une partie importante du processus qui brise le cycle. Il se peut que vous trouviez cela embarrassant ou que cela vous paraisse un signe de faiblesse. Vous pouvez même craindre que des excuses n'affaiblissent votre autorité, mais j'ai découvert que les enfants ne vous en respecteront que davantage. Même un enfant est capable de sentir qu'une excuse volontaire est un signe de caractère et de courage. Une excuse qui vient du fond du cœur est de toutes les actions que vous effectuerez jamais une de celles qui a le plus de chances de vous redonner la santé morale et de briser le cycle.

Comme Hélène travaillait sur les souffrances de son enfance malheureuse, elle se rendit compte qu'elle désirait faire des excuses à son fils. Mais elle avait peur. Elle ne savait pas quoi lui dire, ni comment. J'utilisai un jeu de rôles pour l'y aider. Au cours de la séance suivante, je rapprochai ma chaise de la sienne et pris ses mains dans les miennes. Je lui demandai d'imaginer qu'elle était son fils,

Serge. C'était moi qui allais jouer Hélène. Je demandai à
« Serge » de me dire ce que les mauvais traitements lui faisaient ressentir.

> « *Maman, je t'aime beaucoup, mais, en même temps, j'ai
> vraiment peur de toi. Quand tu deviens dingue et que tu me
> bats, je pense que tu dois vraiment me détester. La plupart
> du temps, je ne sais même pas ce que j'ai fait. J'essaie d'être
> gentil, mais… S'il te plaît, maman, ne me bats plus.* »

Hélène s'arrêta, luttant contre les larmes. Elle ressentait
la souffrance de son fils en même temps que la sienne
propre. Elle aurait aimé avoir dit à sa mère les choses
qu'elle imaginait entendre de son fils. Elle décida de rentrer chez elle et de faire des excuses à son fils le soir même.

> « *Je lui ai dit : " Mon bébé, je t'ai fait beaucoup de mal et
> j'en suis vraiment honteuse. Je n'avais pas le droit de te frap-
> per. Je n'avais pas le droit de t'insulter. Tu n'avais rien fait
> pour mériter cela. Tu es un enfant merveilleux. C'était ma
> faute, chéri, entièrement ma faute. Mais je me suis enfin
> décidée à me faire soigner ; j'aurais dû le faire il y a bien
> longtemps. Tu vois, mes parents me battaient très fort et
> j'ignorais que j'avais tant de colère en moi. J'ai appris toutes
> sortes de nouvelles façons de réagir quand je deviens furieuse
> et tu as peut-être remarqué que je ne m'énerve plus autant
> qu'avant. Franchement, je ne pense pas que je recommence-
> rai à te frapper. Mais si ça arrivait, je veux que tu ailles
> chercher de l'aide chez les voisins. Je ne veux plus jamais te
> faire de mal. C'est mauvais pour nous deux. Je t'aime vrai-
> ment, chéri. Je suis vraiment désolée. "* »

Quand vous vous excusez auprès de vos enfants, ça leur
apprend à faire confiance à leurs sentiments et à leurs perceptions. C'est une façon de leur dire : « Tout ce que je
t'ai fait et que tu trouvais injuste, c'était effectivement
injuste. Tu avais raison de le ressentir de cette manière. »
Vous leur montrez également que, même vous, vous pouvez faire des erreurs, mais que vous êtes déterminé à en

assumer la responsabilité. Le message que vous leur transmettez, c'est que, pour vos enfants aussi, faire des erreurs est une chose admissible, aussi longtemps qu'ils en assument la responsabilité. En faisant des excuses, vous remodelez un véritable comportement d'amour.

Vous possédez en vous le pouvoir de changer le destin de vos enfants. Quand vous vous libérez de l'héritage de culpabilité, de haine envers vous-même et de colère, vous libérez aussi vos enfants. Quand vous interrompez les schémas familiaux et que vous brisez le cycle, vous faites à vos enfants un cadeau inestimable, ainsi qu'à leurs enfants et aux enfants qui viendront encore après eux. Vous remodelez le futur.

Épilogue
ou Comment abandonner le combat

Dans le film *War Games*, un ordinateur des services du gouvernement américain était programmé pour déclencher une guerre nucléaire totale. Toutes les tentatives pour modifier le programme de l'ordinateur se révélaient vaines. Cependant, à la dernière seconde, l'ordinateur s'arrêtait de lui-même en disant : « Jeu intéressant. La seule façon de gagner, c'est de ne pas jouer. »

On pourrait dire la même chose du jeu que nous sommes si nombreux à continuer à jouer : essayer de changer des parents toxiques. Nous luttons de toutes les façons possibles afin qu'ils deviennent affectueux et qu'ils nous acceptent. Cette lutte épuise notre énergie et remplit nos jours d'agitation et de souffrance. Et pourtant elle est vaine. La seule façon de gagner, c'est de ne pas jouer.

Il est temps d'arrêter de jouer, d'abandonner le combat. Cela ne veut pas dire qu'il vous faut laisser tomber vos parents ; cela signifie qu'il faut abandonner vos efforts pour changer vos parents afin de vous sentir mieux et pour imaginer ce que vous devriez faire pour gagner leur amour. Cela signifie qu'il faut abandonner vos réactions trop émotionnelles à leur égard et le rêve qu'un jour viendra où ils s'occuperont de vous comme vous le désirez.

Comme beaucoup d'enfants élevés par des parents toxiques, vous savez peut-être, intellectuellement, que si vous n'avez toujours pas obtenu l'affection de vos parents, il y a peu de chances pour que vous l'ayez un jour. Mais cette certitude n'atteint que rarement le niveau de la sensibilité. L'enfant qui se débat en vous s'accroche probablement toujours à l'espoir qu'un jour vos parents – quelles que soient leurs limites – verront combien vous êtes merveilleux et qu'ils vous donneront alors leur amour. Vous pouvez être farouchement déterminé à vous racheter de vos crimes, même si vous ne savez pas exactement en quoi ils consistent ; mais, quand vous revenez chercher auprès de vos parents toxiques l'affection et la reconnaissance qui vous ont manqué au cours de votre enfance, c'est comme si vous retourniez chercher de l'eau dans un puits asséché. Votre seau ne peut que remonter vide. Il faut alors savoir renoncer et aller de l'avant.

Pendant de nombreuses années, Sylvie – que ses parents si religieux harcelaient de sermons sur son avortement – avait été bloquée dans une lutte déterminée et typiquement inefficace pour faire changer ses parents. Il lui fallut beaucoup de courage pour admettre que tout espoir d'amener un jour ses parents à l'accepter et à l'aimer était vain.

> « *Durant toutes ces années, je croyais que j'avais vraiment des parents merveilleux et que j'étais un problème pour eux. J'ai vraiment eu beaucoup de mal à admettre que mes parents ne savent pas m'aimer. Ils savent me contrôler, me critiquer, ils savent me culpabiliser et me rendre malheureuse, mais ils ne savent pas me laisser être moi-même ni me respecter. Ils me donnent ou me reprennent leur amour, selon qu'ils pensent que j'ai été ou non une gentille fille. Je sais que cela ne changera pas. Ils sont ce qu'ils sont et j'ai mieux à faire que de continuer à essayer de les changer.* »

Sylvie avait parcouru un long chemin depuis le moment où elle était dominée par son besoin de déifier ses parents. Elle avait effectué une confrontation à propos de son avortement, et elle en avait retiré un minimum de reconnaissance de la part de sa mère : peut-être ne l'avaient-ils pas soutenue dans cette épreuve comme ils auraient dû. Cela dit, ils continuaient à exiger trop de son temps et de sa vie.

Sylvie me demanda de l'aider à trouver ce qu'elle pouvait dire à ses parents pour fixer des limites à leurs visites, à sa disponibilité à leur égard et à leurs tentatives pour la contrôler en la critiquant et en la culpabilisant. Voici quelques-unes des déclarations que Sylvie et moi avons trouvées :

> — *Maman et papa, je sais que c'est très important pour vous de passer du temps avec moi. Mais maintenant, j'ai ma propre vie et je n'ai pas l'intention de me rendre disponible pour vous chaque fois que vous en aurez envie.*
>
> — *Je ne supporterai plus vos attaques. Vous avez le droit d'avoir vos opinions, mais vous n'avez pas le droit d'être cruels ou méprisants avec moi. Si vous recommencez, je vous arrêterai.*
>
> — *Je me rends compte que ceci va vous contrarier, mais je vais vous dire « non » beaucoup plus souvent qu'auparavant. Je n'ai plus l'intention de passer tous mes dimanches avec vous. Et je ne veux plus que vous veniez me voir sans avoir téléphoné d'abord.*
>
> — *Je sais que tout cela implique de nombreux changements et je sais que les changements font peur. Mais je crois qu'il y a des changements qui sont sains. Je sais que nous pouvons en retirer une meilleure relation.*

Sylvie apportait de réelles transformations à l'interaction destructrice qui la liait à ses parents. Elle fixait des limites raisonnables à leur comportement envahissant, dominateur, sans essayer de changer leurs convictions ou leurs attitudes.

Une des choses les plus difficiles quand vous abandonnez le combat, c'est de laisser vos parents être ce qu'ils sont. Vous n'êtes pas obligé de rester sans réaction quand ils vous piétinent, mais, dans ces cas-là, vous devez apprendre à supporter votre angoisse et à contrôler vos réactions.

Comme Sylvie s'y attendait, ses parents furent très contrariés par son nouveau comportement. Ils ne voulurent pas reconnaître qu'ils avaient été envahissants et qu'ils l'avaient traitée comme une enfant, mais Sylvie n'avait pas besoin de leurs excuses. Elle avait repris le contrôle de sa vie. Avec le temps, ses parents acceptèrent, non sans récriminations, ses nouvelles règles.

Sylvie avait déployé beaucoup d'énergie dans sa lutte avec ses parents. A présent qu'elle avait abandonné le combat, elle pouvait utiliser cette énergie libérée dans la vie de son couple ou pour des buts personnels. Son mari et elle-même prirent délibérément le temps de parler, de faire des projets, de faire l'amour et d'accorder à leur relation l'attention nécessaire. Elle se mit également à travailler à son projet d'ouvrir un magasin de fleurs. Deux ans environ après la fin de sa thérapie, j'eus le plaisir de recevoir une invitation pour l'inauguration de la boutique « Bouquets de Sylvie ».

Vous pouvez continuer à vous comporter comme si vous étiez petit ou sans défense parce que vous attendez que vos parents vous donnent la permission d'être un adulte. Mais la permission dépend de vous, non d'eux. Quand vous abandonnerez vraiment le combat, vous découvrirez que vous n'avez plus besoin de gâcher votre vie et que vous abordez une redéfinition de l'amour.

L'amour implique plus que des sentiments. C'est aussi une façon de se comporter. Quand Sylvie exprimait : « Mes parents ne savent pas m'aimer », elle voulait dire qu'ils ne savaient pas se comporter de façon affectueuse. Si vous demandiez aux parents de Sylvie ou à n'importe quels autres parents toxiques s'ils aiment leurs enfants, la plupart répondraient avec emphase que oui. Pourtant, hélas, la plupart de ces enfants ont toujours eu l'impression de n'être pas aimés. Ce que les parents toxiques appellent « amour » ne se traduit que rarement par un comportement affectueux et réconfortant.

La plupart des adultes élevés par des parents toxiques grandissent en ressentant une grande confusion vis-à-vis de l'amour, ne sachant pas ce que cela signifie et comment on le ressent. Leurs parents ont agi avec eux de façon extrêmement contraire à l'amour, au nom de l'amour. Ils en sont venus à croire que l'amour était quelque chose de chaotique, de dramatique, de perturbant et souvent de douloureux – quelque chose qui les forçait à renoncer à leurs propres rêves et à leurs désirs personnels. De toute évidence, tout cela n'a rien à voir avec l'amour.

Un comportement affectueux ne vous écrase pas, ne vous déséquilibre pas, n'engendre pas des comportements de haine envers soi-même. L'amour ne fait pas mal, il est agréable. Un comportement affectueux alimente votre bien-être émotionnel. Lorsque quelqu'un vous manifeste son amour, vous avez la sensation qu'on vous accepte, qu'on s'occupe de vous, qu'on vous respecte, que vous avez de la valeur. Le véritable amour provoque des sentiments de chaleur, de plaisir, de sécurité, de stabilité et de paix intérieure.

Une fois que vous aurez compris ce qu'est l'amour, vous en viendrez peut-être à constater que vos parents ne savaient pas ou ne pouvaient pas vous aimer. C'est une des plus tristes vérités que vous aurez jamais à affronter. Mais le fait de définir clairement les limites de vos parents, ce qu'elles vous ont coûté, et d'accepter tout cela, vous ouvre dans votre vie une porte pour les gens qui vous aimeront comme vous le méritez – d'un véritable amour – et pour une nouvelle confiance en vous-même.

Quand vous étiez jeune, vous vous serviez de l'approbation ou de la désapprobation de vos parents comme d'une jauge pour déterminer si vous étiez « gentil » ou « méchant ». Étant donné que l'approbation de vos parents toxiques était très pervertie, cette jauge réclamait souvent le sacrifice de votre propre version de la réalité et la croyance en quelque chose qui ne vous paraissait pas juste. Adulte, vous continuez peut-être à faire ce sacrifice.

Cependant, en vous appuyant sur ce livre, vous êtes en train de déplacer la jauge, l'extrayant de vos parents pour la placer en vous-même. Vous êtes en train d'apprendre à percevoir la réalité par vos propres références. Vous allez découvrir que, même lorsque vos parents ne sont pas d'accord avec vous ou n'approuvent pas ce que vous faites, vous serez capable de surmonter votre angoisse parce que vous n'avez plus besoin de leur approbation. Vous devenez autonome.

Plus vous deviendrez autonome et indépendant, moins vos parents seront satisfaits. Rappelez-vous qu'il est dans la nature des parents toxiques de se sentir menacés par le changement. Les parents toxiques sont souvent les dernières personnes au monde à accepter de vous un *nouveau* comportement *plus sain*. C'est pourquoi il est si important de vous fier à vos sentiments et à vos perceptions propres. Avec le temps, il se peut que vos parents acceptent votre nouvelle personnalité. Peut-être élaboreront-ils même avec vous quelque chose qui ressemblera à une relation d'adulte à adulte. Mais ils peuvent aussi s'enferrer davantage et lutter pour maintenir le statu quo. Quel que soit leur comportement, c'est à vous de vous libérer des habitudes destructrices émanant des schémas comportementaux de votre famille.

Devenir un véritable adulte n'est pas un processus linéaire. Vous vous sentirez aller vers le haut, vers le bas, en avant, en arrière, vous aurez l'impression d'être secoué. Attendez-vous à flancher; attendez-vous à faire des erreurs. Vous n'échapperez jamais tout à fait à l'angoisse, à la peur, à la culpabilité et à la confusion. Comme tout le monde. Mais ces démons ne vous contrôleront plus. C'est la clé de la réussite.

En acquérant davantage de contrôle sur vos relations passées et présentes avec vos parents, vous découvrirez que vos autres relations, particulièrement votre relation avec vous-même, auront été fondamentalement modifiées. Vous aurez acquis la liberté, peut-être pour la première fois, d'apprécier votre propre vie.

A propos des auteurs

Susan Forward, docteur de l'Université, est une thérapeute et un écrivain de renommée mondiale. Elle est l'auteur de deux best-sellers : *Men Who Hate Women and the Women Who Love Them* (*Les hommes qui haïssent les femmes et les femmes qui aiment ces hommes*) et *Betrayal of Innocence : Incest and its Devastation* (*La trahison de l'innocence : l'inceste et ses ravages*). En plus de ses consultations privées, elle a animé pendant cinq ans une émission quotidienne de deux heures sur Radio ABC. Elle a une expérience importante de thérapeute de groupe, formateur et consultant dans plusieurs établissements psychiatriques et médicaux de Californie. Elle a témoigné comme expert dans de nombreux procès, et elle a fondé la première clinique pour victimes d'abus sexuels en Californie. Le Dr Forward est mère de deux enfants ; elle vit à Los Angeles et a des consultations à Encino et à Tustin, en Californie. Elle a institué un service national d'information et d'aide pour les personnes intéressées par ses méthodes.

Craig Buck écrit et produit des longs métrages et des téléfilms depuis dix ans. Il est l'auteur de nombreux articles sur le comportement humain pour un grand nombre de magazines et de journaux américains, dont le New York Times, Los Angeles Times et Psychology Today. Il a écrit en collaboration avec Susan Forward *Betrayal of Innocence* (*La trahison de l'innocence*). Il vit à Los Angeles avec sa femme et leur fille de quatre ans.

TABLE DES MATIÈRES

IMPRIMÉ EN ALLEMAGNE PAR GGP MEDIA GMBH

pour le compte des
Nouvelles Éditions Marabout
D.L. Mars 2013
ISBN : 978-2-501-08487-1
41.2731.2/02